夏目漱石は子役チャップリンと出会ったか？

【漱石研究蹣《まん》跚《さん》】

原武 哲

鳥影社

夏目漱石は子役チャップリンと出会ったか？

――漱石研究蹣《まん》跚《さん》――

目次

第一章　夏目漱石

夏目漱石は子役チャップリンと出会ったか？

――漱石研究蹣《まん》跚《さん》――

第一章　夏目漱石

第一節　大学卒業

①夏目漱石の恋と菅 虎雄——明治二七、八年の青春像——

菅 虎雄
原武 哲『夏目漱石と菅 虎雄』菅 高重氏提供
1891年6月13日撮影

近年（注：この文章が書かれたのは一九七九年）、夏目漱石の初恋の人と目される女性探しが話題を呼んでいる。①江藤淳氏の嫂登世《とせ》説（『漱石とその時代』）、②小坂晋氏の大塚楠緒子説（『漱石の愛と文学』）、③宮井一郎氏の黒目がちの柳橋芸者説（『夏目漱石の恋』）の三説が鼎立していて興味深いが、この中で小坂氏と宮井氏は、漱石の恋愛の鍵を握る唯一の人物として、親友の菅《すが》虎雄《とらお》の名をあげている。

菅は、漱石が最も心を許した三つ年上の友で、大学卒業後から漱石の死に至るまで、その友情を絶やすことなく、一高教授として終わった。ドイツ語教師でありながら和服にぞうり履きで登校し、無欲恬淡、硬骨漢である一方、温顔、書道三昧にふけって学生から慈父のごとく敬慕された。

菅は久留米藩有馬家七人扶持の典医菅京山の長男として、一八六四（元治元）年一〇月一八日、筑後国御井《みい》郡呉服町四三番地に生まれた。福岡県立久留米師範学校附属小学校、福岡県立久留米

狩野亨吉
原武 哲『夏目漱石と菅虎雄』菅 高重氏提供
1891年7月24日撮影

中学校を経て上京、東京大学医学部予科入学、のち文科に転科、一八八八（明治二一）年七月第一高等中学校卒業、一八九一（明治二四）年七月帝国大学文科大学独逸《ドイツ》文学科第一回卒業生となった。

菅と漱石との出会いがいつのことかは、確かな資料がない。現存の資料の中から類推すれば、菅の大学卒業後、二人は何らかの機会に急速に親密になっている。一八九四（明治二七）年秋、漱石は「この三、四年来沸騰せる脳漿を冷却して尺寸の勉強心を振興せん為」（九月四日付正岡子規宛漱石書簡）漂泊した末、東京小石川指ケ谷町《さすがやちょう》の菅宅（最近、この菅の家が八番地であったことをやっと突き止めることができた）にしばらく寄寓していたが、突然漢詩の書き置きを残して飛び出した。

この事件について、菅・漱石の共通の友である狩野亨吉（一高校長、京大文科大学長）は「夏目君は大学卒業後、伝通院の傍の法蔵院といふのに菅君が前にゐた関係から下宿したが、そこは尼さんが出入りすると言つて、それを恐れてどうも気に入らぬ、それでは僕のところへ来いと、菅君がその頃住つてゐた指ケ谷町の家へ引つ張つて行つた。そこで最初に菅君を驚かすやうなことがあつたのだが、それは菅君が一番詳しく知つてゐる事で、自分が語るべきでない」（「漱石と自分」一九三五年一二月八日付『東京朝日新聞』）と述べているが、この「菅君を驚かすやうなこと」とは一体何だろうか。「沸騰せる脳漿」は何に起因するものであろうか。

小坂氏によると、帝国大学寄宿舎の清水彦五郎舎監（福岡県山門郡瀬高町大草生、旧柳川立花藩

大塚楠緒子
『夏目漱石―漱石山房の日々』群馬県立土屋文明記念文学館、2005年10月15日刊

士）の紹介で、帝大文科大学院学生の漱石とその友人小屋保治の二人が、宮城控訴院長大塚正男の一人娘で才媛のほまれ高い楠緒子《くすおこ》の婿に推薦された。小屋は一八九三（明治二六）年八月、興津清見寺《おきつせいけんじ》で大塚楠緒子に会い、たちまち楠緒子の魅力にとらえられた。翌年七月、漱石は伊香保温泉に行き、小屋に至急来るようにと勧誘し、「余は後便に譲る」と切迫した不可解な手紙を出した。小坂氏は漱石が大塚楠緒子との恋に破れ、友に恋を譲った文がこの「後便」であると推定している。

漱石は八月に松島に赴き、瑞巌寺《ずいがんじ》に詣でて老師南天棒（佐賀県東松浦郡十人町生、久留米梅林寺の羅山の印可を得た）の一棒を喫しようとしたが、断念した。漱石は「塵界茫々毀誉の耳朶《じだ》を撲《うつ》に堪ず」（一〇月一六日付子規宛漱石書簡）小屋との同宿が気づまりになり、寄宿舎を出て菅 虎雄を頼って行く。当時の友人といえば、正岡子規・米山保三郎・太田達人・中村是公・狩野亨吉・斎藤阿具・山川信次郎・菅 虎雄であろうが、その中で一番心を許し、何もかも頼り切って兄事したのは菅であった。

斎藤阿具
第一高等学校教頭(1919年9月～33年9月)。漱石一高・帝大時代の学友。漱石の借りた千駄木の借家の家主。『我が輩は猫である』のモデルの舞台。
亀井髙孝『葦蘆葉の屑籠』(時事通信社、1969年8月1日)

一方、宮井氏によれば、『永日小品』の中の「心」に登場する女性が漱石の恋愛の対象の人であるという。「宝鈴が落ちて廂瓦《ひさしかわら》に当る様な音」を残して歩く、小股の切れあがった、花柳界につながる女であるそうだ。いわゆる柳橋の黒目がちの女である。一八九四（明治二七）年春、梅の花が咲く頃恋は芽生え、二八歳の漱石は結婚を望んだが、女の母が高等師範の教師にすぎない漱石との結婚に反対し、破綻に追い込まれてしまったという。その時期は九四年末ごろと推定されている。漱石は三〇〇円の大金を菅から借りて女に贈り、松山中学に赴任後、月賦で菅に返済したと類推を進める。だから、柳橋の女との恋の真相を知るものは、菅ただ一人といわれる。

さて、菅宅を出た漱石は九四年一〇月一六日、菅の紹介で伝通院の隣の法蔵院に移ったが、隣房に尼が数人いて自分を探偵しているような被害妄想にとりつかれてしまった。漱石は同年一二月、菅の紹介で鎌倉円覚寺塔頭《たっちゅう》帰源院に参禅し、釈宗演の教えを受けた。菅は帝大在学中の一八八八（明治二一）年から釈宗演の師、今北洪川の下に参禅し、「無為《むい》」という居士号を授けられていた。宗演と菅とはいわば相弟子であったから、苦悶している漱石に紹介状を書いてやったのである。漱石は宗演から与えられた公案に必死に取り組んで日夜呻吟したが、「五百生《ごひゃくしょう》の野狐禅《やこぜん》遂に本来の面目を撥出《はっしゅつ》し来たらず」翌一八九五年一月七日、空しく下山した。

釈 宗演

『釈 宗演—郷土の生んだ明治の高僧』高浜町郷土資料館、2003年刊

菅はそれでも漱石を見捨てることができず、今度は横浜の英字新聞『ジャパン・メール』に紹介してやると、

入社試験として英語で論文を書けと言う。漱石は禅についての英語論文大判一〇枚を提出したが、黙って突き返されたので立腹し、「いけないなら、場所と理由を指摘するのが礼儀じゃないか。黙って突き返すとはけしからん」と叫んで、菅の面前で引き裂いてしまった。

一八九五（明治二八）年四月、漱石は愛媛尋常中学校に月給八〇円で赴任する。菅に煩悶を打ち明けていた漱石は、菅の紹介で松山に自己を流謫《るたく》した。この話を菅のところに持って来たのは愛媛県参事官浅田知定《ともさだ》（久留米市荘島町生）であった。浅田は同郷の菅に英語教師の推薦を依頼、菅はさっそく漱石に行ってみないかと口をかけたところ、何もかも菅に頼る気になっていた漱石は、子規の故郷でもある松山だったので承諾した。かくて「坊っちゃん」が生まれたのである。

一八九五（明治二八）年九月、菅は熊本の五高教授となった。間もなく漱石から松山の不平を並べた手紙が盛んに菅 虎雄のもとにやって来た。菅は自分が周旋しただけに閉口していると、五高の中川元《はじめ》校長が英語教授を捜していたので、漱石を推薦した。中根鏡子《なかねきょうこ》と見合いをし、婚約していた漱石は、一八九六（明治二九）年四月、五高に赴任した。黒髪村宇留毛の菅の家に落ち着いた漱石は、やっと過去の恋愛を清算して、妻を迎えるべく心の準備を整えた。疾風怒濤のごとき青春の嵐はようやく過ぎようとしていた。同年六月、熊本市光琳寺町の自宅で、漱石は中根重一《しげかず》の長女鏡子とささやかな華燭の典を挙げた。

中川 元
『中川先生記念録』塚原嘉藤編、1928年3月26日刊

私は漱石の恋に関しては複数説で、江藤・小坂・宮

井いずれの説にも全面加担はしないが、いずれにしても漱石が菅宅を飛び出したとき書き残した漢詩の書き置きも、松山の不平を並べた手紙も火中に付され、恋の真相もすべて菅の胸一つに秘められたまま、永遠の闇に葬られてしまった。

（『西日本新聞』（夕刊）「文化」一九七九年二月九日）

第二節　松山

②漱石を「坊っちゃん」にした二人──菅 虎雄と浅田知定──

愛媛県尋常中学校の住田昇校長は、一五〇円の高給を食む一年契約のお雇い外国人教師カメロン・ジョンソンの後任には、優秀な日本人の人材を得たいと考えていた。当時、愛媛県の教育を担当していたのは県参事官だった浅田知定であった。一八九五年二月ごろであろうか、浅田は同郷（福岡県久留米）の菅 虎雄（当時、東京美術学校教授）に相談した。英字新聞社を不採用となってしまった漱石を何とかしなければ、と友情と責任を感じていた菅は、狩野亨吉（九四年三月第四高等学校を辞職して浪人中）と連絡を取りながら、漱石に松山へ行くことを慫慂した。菅に身を委ねる気になっていた漱石は菅に一任し、菅は浅田に漱石が松山に赴任することを承知した旨を伝えた。

浅田知定
秦郁彦『漱石文学のモデルたち』講談社、2004年12月10日刊、92-95頁、浅田照子氏提供

愛媛県参事官浅田知定は、外国人教師ジョンソンの月給一五〇円の半分近くの八〇円を用意して漱石を招いた。これは校長住田昇というよ

り参事官浅田の発案だろう。「住田昇日記」(新垣宏一「住田昇の松山日記について」による)には漱石獲得の記載は一切ない。

「狩野亨吉日記」によると、一八九五(明治二八)年三月「十日夏目来り愛媛県中学校へ招聘せられんとする談合追々熟すと告ぐ」とあるので、三月一〇日にはかなり実現の可能性が濃厚になっていた。狩野亨吉は「三十日……午後五時岩岡理学士より電報達し夏目文学士送別会を学士会に開きたれば来り会せよと促す即時之に赴」いた。漱石は四月七日に新橋駅を出発、九日松山に到着し、一〇日愛媛県尋常中学校嘱託教員になり、ここに「坊っちゃん先生」が誕生した。

漱石を「坊っちゃん先生」にするのに大きな働きをした二人の男、菅 虎雄と浅田知定とは共に筑後久留米の出身である。一八八〇(明治一三)年二人は相携え、笈を負うて郷関を出た。菅は一八六四(元治元)年一〇月一八日、久留米藩有馬家典医菅京山の長男(実は二男だが長男夭折のため長男として届出)に生まれた。上京後は東京大学医学部予科、東京大学予備門、第一高等中学校を経て、帝国大学文科大学独逸文学科第一期生として卒業した。一八九〇(明治二三)年当時、菅は独逸文学科の三年、漱石は英文科の一年で、学生数三〇名ぐらいの文科大学(=文学部)内では皆顔なじみだったろうが、二人が親しくなったのは漱石が大学を卒業した一八九三年七月ごろからであろう。松山に赴任して一年、漱石は松山の不平を菅に訴えた。熊本の第五高等学校の教授になっていた菅は、英語教師を探していた校長中川元に漱石を推薦、漱石は熊本に来ることになった。

ところで、もう一人の漱石松山招聘の中心人物、浅田知定とはどのような男か。浅田は一八六一

(文久元)年一二月二九日久留米藩中小姓中奥御勝手役八十石の浅田軍蔵、その長男として、筑後国三潴郡荘島町（現・福岡県久留米市荘島町）三六三番地で生まれた。一八八〇年上京し、東京大学予備門文科を経て一八八七(明治二〇)年七月帝国大学法科大学政治学科を卒業、内務省に出仕した。一八九四年には愛媛県参事官（年俸一〇〇〇円）内務部第一課長兼第三課長、正七位で、同県教育行政の中心的要職にあった。九五年文官普通試験委員、小学校教育検定委員、官国幣社神職試験委員長を歴任し、松山市北京町に住んでいた。浅田は漱石を何とか長く松山に落ち着かせたいと思い、あれこれ縁談を持ち込んだ。夏目鏡子述・松岡譲筆録『漱石の思ひ出』「一」によると、「県の参事官の或る方」（浅田知定）宅で若い女と見合いをしたが、馴れ馴れしくやって来てしゃあしゃあと相手をし、他愛もないことに手放しでげらげら笑う謹みのないのに閉口したという。

一八九六年四月、浅田知定は岩手県書記官、内務部長、五等従六位、官報報告主任、文官普通試験委員長となり、盛岡市鷹匠小路二六番戸に転じた。漱石が熊本の五高に転じた直後、愛媛県尋常中学校長となった横地石太郎に、「浅田は岩手へ参り候よし」（一八九六年五月一六日付）と書いているのは、『漱石全集』で浅田に言及したただ一回きりの部分である。一八九八年には岩手県書記官を非職になるが、間もなく青森県に転じ、同年貴族院書記官に栄転した。

一九〇〇(明治三三)年末、台湾総督府の奨励で三井物産の益田孝らによって台湾製糖株式会社が設立されたが、総督府は台湾製糖業の振興策を図るため、一九〇二年六月糖務局を創設。浅田は一九〇一年四月、台湾澎湖庁長となり、一九〇二年六月臨時台湾糖務局参事官となった。一九〇三年四月、臨時台湾糖務局庶務課長となり、新渡戸稲造局長をよく補佐した。一九〇五年五月、臨時台湾糖務局台南支局長となり、新渡戸の後を襲って糖務局長に就任、保護奨励による台湾製糖事業の近代化に尽力した。

糖務局長を退き、自ら製糖事業に手を染め、大倉喜八郎らの出資により一九一〇年ごろ設立された新高製糖株式会社の専務取締役となり、事実上の社長代行として経営の任に当たった。台湾東洋製糖株式会社にも関係していたらしい。

青江舜二郎の『狩野亨吉の生涯』（明治書院、のち中公文庫）によると、一九一八（大正七）年七月、浅田知定は狩野亨吉の関係していた山本修三（鳥取県人で鳥取師範学校卒、第一高等学校仏法科中退）の鋼鉄及鑢《やすり》製造販売業「東京鋼鉄製作所」に、刀剣二四本を抵当に三〇〇〇円を投資している。浅田は寺島村に東京刃物製作所を経営しており、狩野亨吉・山本修三の東京鋼鉄製作所にさらに一五〇〇円を追加投資し、職工の求人まで援助していた。

浅田は「小手先の利いた事務家で、かつ経済学の素養があった」（『岩手県政物語』）と言われるように、官僚としては小手先の利いた能吏の才があり、実業界に入っては貨殖の才もかなりのものを持っていたと思われる。郷里を共に後にした菅虎雄と浅田知定であったが、清廉淡泊な菅は利殖に執着する浅田を晩年には嫌っていたという。

東京下落合に侯伯の邸宅にも劣らない宏壮な屋敷を構え、悠々閑雅な生活をしていた浅田は、一九二六（大正一五）年一〇月一六日、東京府豊多摩郡落合町大字下落合四七三番地の自宅で歿した。享年六六。

後半生において浅田が漱石と接触した形跡はない。しかし、菅は学生時代から漱石の死に至るまで変わらぬ友情と信頼を持ち続けた唯一ともいえる友であった。漱石を国民的文豪に押し上げた『坊っちやん』誕生に関わった二人の筑後人、菅 虎雄と浅田知定の人間性には対照的な面があった。漱石の生涯に陰影を与えた人物として、二人ながらもっと記憶されてよいと思う。

（『漱石全集』第一三巻、月報、岩波書店、二〇〇三年四月）

第三節　熊本

③漱石の宿帳――宮島・巌物――

二〇〇〇年一〇月、突然愛媛県砥部町の山崎善啓という未知の郷土史家からお手紙をいただいた。自分は伊予史談会の会員であるが、漱石が松山中学を退職して熊本の五高に赴任した時の松山・熊本間の旅程の研究を委嘱され、機関誌の『伊予史談』に発表することになった、ついては漱石の親友、菅 虎雄について知りたいと思って久留米市教育委員会に問い合わせたところ、私を紹介してくれたということである。私は快く協力を約束した。やがて多量の資料と共に論文の草稿が送られてきた。

高浜虚子
『明治文学全集』56「高浜虚子集」1967年5月15日刊

その資料の大半は私の既に入手したものであったが、あっと驚いたものが一つあった。それは漱石が高浜虚子と一緒に宮島に泊まった時の宿帳があったことである。一八九六(明治二九)年四月一〇日、松山の愛媛県尋常中学校から熊本の第五高等学校に赴任途中、虚子と宮島に立ち寄ったことは、高浜虚子の『漱石氏と私』によっ

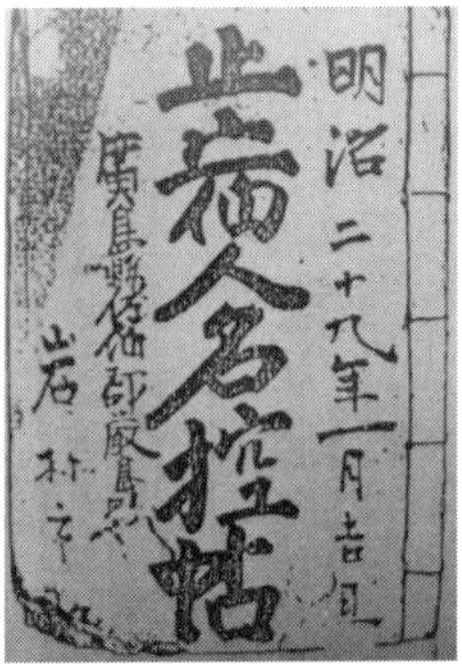

明治二十九年一月吉日
止宿人名控帖
広島県佐伯郡厳島町
岩村市□《不明》

て明らかであった。しかし、宮島の何という旅館に泊まったかは、よくわからなかった。おそらく紅葉谷公園の「巌惣《いわそう》」に泊まったであろうと推定して、私は拙著『夏目漱石と菅 虎雄』の中でそう書いた。だが、確固たる証拠はなかった。ところが今回、「明治二十九年一月吉日　止宿人名控帖　広島県佐伯郡厳島町　岩村市□《不明》」のコピーが入手でき、一〇〇年以上も昔の宿帳が残っていることに驚嘆した。その明治二九年四月一〇日の宿帳によると、「氏名年齢夏目金之助」と「高浜清」があるではないか。私の推定はぴったり立証された。

「氏名年齢夏目金之助」の次には「職業」の欄があるが、読めない。次は「身分士族」とあるが、漱石本人が「士族」と言ったのだろうか。夏目家は「平民」である。旅館側がその風体から「士族」と判断したのだろう。次は「住所東京牛込区菊井町壱番地」とあり、元の松山でもなく、新しい熊本でもない。次は「相貌別徴色白面長五尺三寸」とあるのは、ちょっと笑わせる。この欄が設けられたのは、おそらく警察などの治安当局からのお達しで、犯罪防止・捜査の意味があったのだろう。高浜虚子の「相貌別徴」も同じ「色白面長五尺三寸」で、前後もみな「色白面長」と

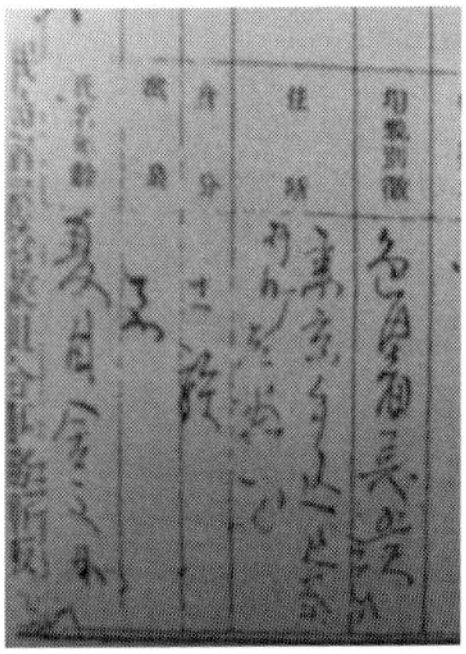

夏目金之助宿帖
色白面長
五尺三寸
東京牛込区
菊井町壱番地
士族

あり、旅館側は面倒くさがって、あまり真剣に記録しているとは見られない。漱石の痘痕面を「色白」と書いているのは、あばたづら御愛嬌である。「面長」というのはまああ当たっていると言ってよいだろう。そもそも「色白面長」というのは、容貌の褒め言葉で、大抵の顔は無難に「色白面長」で済ませていたのだろう。「五尺三寸」は一六〇・六センチ、当時の成人男性の平均的身長である。漱石はそれよりも一、二センチ低かったようだ。正確に測定するわけではないので、虚子と同じように平均的な「五尺三寸」を安易に書いたものと思われる。その後は「行先地名」「出立月日時」の欄があるが、特段の記載はない。これらの記載は、旅館の者によって書かれたようで、筆跡は一人の手である。こう見ていくと、一枚の宿帳の中にも止宿人夏目金之助と旅館「巌惣」との思いが感じられ、漱石作品の解釈と鑑賞には直接関係はないが、当時の社会的歴史的背景も窺えて、興味津々、しばし一九世紀末の宮島旅行を漱石と共に楽しむことができた。

（『虹』第一号、小郡読書会、二〇〇一年三月三一日）

④夏目漱石の五高採用と菅 虎雄

愛媛県尋常中学校嘱託教員夏目金之助（漱石）から不平を述べた書簡が、第五高等学校教授菅虎雄に盛んにやって来た。松山の中学校英語教員の口は、帝国大学時代の友人である菅 虎雄が、同郷久留米の愛媛県参事官浅田知定の依頼で、斡旋したのであったから、困惑していたところ、第五高等学校中川元《はじめ》校長が、英語教師欠員のため、適任者はいないだろうかと、相談を受けた。菅は渡りに船と夏目漱石を推薦すると、漱石は婚約して東京に帰りたがっていたが、岳父となる貴族院書記官長中根重一の権威をもってしても、東京に適当な職はなく、またしても菅 虎雄に頼ることになった。

一九七八年七月、私は熊本大学法文学部（当時）で旧制第五高等学校関係公文書を調査する機会を得て、夏目漱石の五高採用時の、五高側の動きを知ることができた。五高関係資料によって、漱石の五高採用時の、五高側の動きを見てみよう。

①「愛媛県知事へ照会電案の件
貴県尋常中学校教員夏目金之助ヲ当校教員ニ採用シタシ　御差支ナキヤ」
一八九五（明治二八）年一二月二八日、第五高等学校校長中川元から愛媛県知事小牧昌業宛に照

会の電報（電文はカタカナ書きであるが、読み易く漢字交じり文に改めた）が発信された。

②「二十八日電信ノ御返事アリタシ」

同年三月三一日、五高校長中川元より愛媛県知事宛、二八日夏目採用の可否に関する問い合わせについて返事がないので、五高から催促した。

③「夏目金之助採用差支ナシ」

同年四月一日、愛媛県知事から五高校長宛に返電が来た。

この電報によって夏目金之助の第五高等学校教員の採用が内定した。

同年四月二日、夏目金之助採用について、五高校長中川元から文部大臣の許可を願った。

④「夏目金之助嘱託伺ノ件

北海道庁平民

夏目金之助

右ハ当校英語科ノ教授一週付二十四時間ヲ嘱託シ為報酬一ヶ月金百円贈与致度履歴書相添候段相伺候也

年　月　日　　　　校長

文部大臣殿」

同年四月二日、五高校長中川元より文部大臣秘書官への電文。夏目金之助採用について、文部大臣の許可を願ったものである。

⑤「秘書官へ添書之件

別紙上申夏目金之助嘱託伺之儀ハ差掛候事情有之候ニ付御裁可ノ上ハ電信ニテ御指令相成度
（後略）
年　月　日　　　　校長
文部大臣秘書官宛
追申　夏目金之助儀ハ愛媛県知事へ照会済ニ有之候此ノ如ク候也」
④「夏目金之助嘱託伺」と同時に文部大臣秘書官に出したもので、文部省の裁可を求めたものである。
⑥「夏目金之助ニ授業嘱託ノ件許可ス
文部大臣
五高校長」
同年四月七日、文部大臣から五高校長中川元宛に夏目金之助の採用許可が来た。四月七日で夏目金之助の五高採用は、正式に決定した。
⑦「夏目金之助へ出向命令ノ件
当校へ出向スベシ
第五高等学校」
文部省の許可が出たので、五高では夏目金之助を五高に呼び出す命令を発した。この電文には付箋がついており、「伊予松山二番町上野方」という夏目金之助の住所が明記されていた。

この七点の資料の中、①②④⑤⑦の五点は、五高庶務掛の余田司馬人によって起案された電文であり、③は愛媛県知事からの返電であり、⑥は文部大臣からの返電である。いずれも原文そのものではなく、保存用に記録した公文書である。

さて、四月九日午前九時、正式採用決定を受けた夏目漱石は、愛媛県尋常中学校講堂で行われた告別式に出席し、生徒たちに離別の挨拶をした（愛媛県尋常中学校校友会雑誌『保恵会雑誌』第四七号）。

四月一〇日、三津浜港を出港、宮島に一泊、一一日大阪商船馬関線一四時五〇分宮島港から門司に向け出航した。漱石は船中計らずも大阪の俳人水落露石・武富瓦全に邂逅、露石から蛙の俳句を所望されている。漱石は露石・瓦全と同行して、博多・太宰府天満宮・観世音寺・都府楼跡を見学し、久留米では五高教授で親友菅 虎雄の実家（呉服町）で泊まった。

一三日午前中、水天宮に参詣、漱石・菅・露石・瓦全の四人は久留米発一二時五〇分の九州鉄道で池田駅（現・上熊本駅）一五時五九分到着した。漱石は人力車で京町の坂を登り、菅 虎雄の先導で菅の仮寓に着いた。

従来、菅 虎雄の仮寓は蒲池正紀の発見した五月三日付水落露石宛漱石書簡によって、熊本市薬園町六二番地というのが定説になっていた。ところが、尚絅《しょうけい》大学森正人学長が『尚絅語文』第六号（尚絅大学文化言語学部、日本文化懇話会、二〇一七年三月一六日）に発表された「菅 虎雄の妹ジュンと尚絅女学校」によると、菅ジュンが通学していた尚絅女学校の学籍簿が発見され、一八九六年（明治二九）四月一三日入学の住所が、詫摩郡黒髪村大字宇留毛四三〇番地になっていた。当時、学問好きの菅ジュンは久留米高等小学校を卒業し、父京山、母テイの膝下を離れ、熊本の兄虎雄を保証人として、尚絅女学校に入学して学ぼうとしていた。奇しくもジュン入学の日は、漱石が熊本に赴任した日だった。その住所は薬園町ではなく、宇留毛であったのである。漱石が来熊第一夜を過ごし、数週間寄留した菅 虎雄宅は、薬園町ではなく、宇留毛であった、と修正しなければなるまい。

そもそも、一八九六年五月三日付水落露石宛漱石書簡の封筒は岩波書店『漱石全集』編集部でも未見であった。封筒がないのに、発見者蒲池正紀は何によって菅 虎雄宅が熊本市薬園町六二番地であると、認定したのだろうか。発見者が故人となった今、確かめる方法がない。この露石宛書簡が岩波書店『漱石全集』に収録されたのは、新書版『漱石全集』第三五巻「補遺」（一九八〇年五月六日）からであった。しかし、〔封筒未見〕と書かれたのは、『漱石全集』第二二巻（一九九六年三月一九日）だけである。

漱石書簡中、熊本到着以来五月一六日まで二三日間、六通の書簡が現存している（岩波書店『漱石全集』第二二巻。一九九六年三月）。光琳寺町に落ち着くまで一ヶ月余、家屋払底、居所不安定のため、書簡の差出人住所は勤務先「熊本第五高等学校」であり、ただ露石宛書簡のみ例外で、住所が明記されているのが、不思議であった。畢竟、薬園町説は根拠不明で、一応除外してもいいのではないかと思っている。

ちなみに私が菅 虎雄調査を始めた一九七四年頃、虎雄の四男高重、妹ジュンの長男一冨丈夫・

長女満子（育子）に取材した時、虎雄・ジュンの言葉として、「熊本では宇留毛に住んでいた」と伝えて、薬園町居住は聞いたことがなかった。

菅ジュン
森正人「菅 虎雄の妹ジュンと尚絅女学校」『尚絅語文』第六号、2017年3月16日

（書き下ろし：二〇一八年五月一四日擱筆）

⑤夏目漱石の熊本第一夜を過ごした菅 虎雄宅

帝大以来の親友、第五高等学校教授（ドイツ語）菅 虎雄の周旋で熊本の五高に赴任することになった夏目漱石は、一八九六（明治二九）年四月一三日、瀬戸内海航路の船中偶然出会った大阪の俳人水落露石を連れて、菅 虎雄宅に落ち着いた。その後、約一ヶ月間、漱石は熊本の家屋払底のため菅宅に寄留していた。漱石が菅宅に来た時、五高学生が三名離れに下宿していたが、漱石を寄宿させるため、学生は玄関脇に移された。虎雄は生前、四男高重に語ったところによると、漱石が熊本に赴任した時、自分の家に俣野という久留米市出身の学生が寄食していたという。彼こそ『吾輩は猫である』の多々良三平のモデルとなった俣野義郎《またのよしろう》である。

この菅 虎雄宅が、「薬園町六二番地」であると初めて提唱されたのは、蒲池正紀「熊本の漱石雑考」（『熊本商大論集』第四五号、一九七五年三月三一日）であり、一八九六年五月三日付水落露石宛漱石書簡の発見によってであり、ほぼ定説化された。

①菊判『漱石全集』第一四巻「書簡集」（一九六六年一二月二四日）までの全集には、「一八九六年五月三日付水落露石宛漱石書簡」は収録されていない。以下、『漱石全集』はすべて岩波書店版。

②「一八九六年五月三日付水落露石宛漱石書簡」が、岩波書店『漱石全集』に初めて収録されたのは、新書版『漱石全集』第三五巻「補遺」（一九八〇年五月六日）であり、「熊本市薬園町六二菅 虎雄方より　水落義一へ」とある。「露石」は俳号、「義一」は本名である。

③新版『漱石全集』第二二巻「書簡　上」（一九九六年三月一九日）の「明治二九年五月三日付水落露石宛漱石書簡」は「水落義一宛　熊本市薬園町六二番地菅 虎雄方より」とありながら、〔封筒未見、記載は全集（昭三〇）による〕という〔　〕書きが付け加えられた。

本文に差出人漱石の住所がなく、封筒もないのに、どうして「熊本市薬園町六二番地」と差出人住所がわかったのだろうか。論文「熊本の漱石雑考」の筆者に訊きたいが、故人になられ、それはかなえられない。

新版『漱石全集』（一九九六年）の〔封筒未見〕とは、岩波書店の新しい編集部（故・秋山豊）が、封筒を検証することができなかったという意味であろう。新書版『漱石全集』「補遺」（一九八〇年）では、旧編集部は蒲池論文を信じて、封筒まで確認していなかったのであろう。

「記載は全集（昭三〇）による」とあるが、新書版『漱石全集』第二七巻「書簡集一」（一九五七年六月二七日）には収録されておらず、新書版『漱石全集』第三五巻「補遺」に初めて収録された。「全集（昭三〇）」とは、昭和三〇年発行という意味ではなく、新書版『漱石全集』という意味に解釈したい。

この露石宛書簡を書いた五月三日には他に坪内逍遥宛と狩野亨吉宛と合計三通の手紙を書いて

いる。露石宛のみ菅　虎雄の住所を書き、坪内宛や狩野宛の書簡には「熊本第五高等学校」を差出人住所にしている。もっと広く言えば、四月一五日から五月一六日までの約一ヶ月間、住所定まらず不安定なので、六通の現存書簡中五通は、連絡先として勤務先「熊本第五高等学校」を仮の差出人住所に指定していた。ただ露石宛書簡のみ菅宅の住所を明記した。

もし仮に露石のみ菅の住所を書いたとしたら、それはなぜだろう。露石も菅宅に漱石と共に行ったので、菅の住所を知らせるつもりで書いたのであろうか。いずれにしても「薬園町」の根拠が不明確である。

ところが、尚絅大学森正人学長が『尚絅語文』第六号（二〇一七年三月一六日）に発表された「菅虎雄の妹ジュンと尚絅女学校」によると、虎雄の妹菅ジュン（明治一二年五月一二日生）が通学していた尚絅女学校の学籍簿が発見され、一八九六（明治二九）年四月一三日入学の住所が、「託麻郡黒髪村大字宇留毛四三〇番地」になっていた（正しくはこの年四月一日に託麻郡と飽田郡が合併して成立した「飽託郡」となるべきである。また黒髪村は合併する前は飽田郡だった）。当時、学問好きの勝ち気な満一六歳の菅ジュンは、久留米高等小学校を卒業し、父京山、母テイの膝下（久留米市呉服町四二番地）を離れ、熊本の兄虎雄を保証人として、尚絅女学校に入学して学ぼうとしていた。しかもジュンの尚絅女学校入学の日と漱石の熊本到着の日が奇《く》しくも同じ一八九六（明治二九）年四月一三日だったのである。一三日熊本に着いた漱石が来任第一夜を過ごしたのは宇留毛の菅宅であることは、もはや疑う余地はない。菅が薬園町から宇留毛に転居した時期は従来考えられた六月（五高生春山作樹在学証書保証人住所）よりも早く、少なくとも四月一三日よりも遡らなければならないと考えられる。菅の薬園町住所の最も遅いものは、一八九五（明治二八）年一一月一九日付龍貫一在学証書保証人菅 虎雄の住所熊本市坪井薬園町六二番地である。熊本市長松崎為己の菅住所証明は九六年一月九日である。従って菅が薬園町から宇留毛に転居したのは、一八九六（明治二九）年一月一〇日から四月一二日の間ということになる。漱石は来熊後約一ヶ月、宇留毛の菅宅に寄留した。

なお、ジュンは尚絅女学校高等科一年に入学し、同年一一月一六日退学している。退学の理由はわからない。

（『日本英学史学会九州支部発足四〇周年記念集録』第二号、日本英学史学会九州支部、二〇一八年一月）

⑥漱石が熊本に降り立った日

日本で二人目の英文学専攻文学士である、漱石夏目金之助が愛媛の松山中学校へ赴任したのは、久留米出身の菅 虎雄の紹介だった。一年後、熊本の第五高等学校に赴任したのも、当時五高でドイツ語教授だった菅 虎雄の紹介だった。菅 虎雄は、漱石が死ぬまで面倒をみた。漱石の墓は雑司ヶ谷にあるが、その墓碑銘は菅 虎雄が書いた。菅は死んだ後まで、漱石の面倒を見たことになる。

松山に招いたのは、久留米出身の浅田知定である。浅田は菅の幼馴染《おさななじみ》で、内務官僚で、当時愛媛県の参事官をしていた。金之助の前任者はお雇い外国人だったが、給料が高く、その代わりに日本一流の英語教師を呼んだがよいということで、菅を通じて夏目金之助が招かれたのである。

ところで、漱石は一九一〇（明治四三）年修善寺で倒れ、三〇分間意識不明になり、九死に一生を得て、その体験をもとに『思ひ出す事など』を書いている。その「二八」に次の話がある。漱石は帝国大学を出てから、小石川の法蔵院の隣房に尼が寄宿していたが、法蔵院の住職から手相を見てもらった。その住職が「あなたの顔は、親の死に目に会えない顔だ。またあなたには西へ西へと行く相がある。顔の上半分と下半分が釣り合わないので、髯を生やしなさい」と言う。親の死に目に会わないは、母親の時も、熊本在住中、父親が死んだ時も会えなくて当たった。西へ西へ行く相というのも松山から熊本、そしてロンドンと当たっている。

今日は漱石が松山からどういう経路で、どんな時間に熊本へ来たのか、お話ししてみたいと思う。

実は今年の一月に郷土史家の山崎善啓という方の訪問を受け、菅　虎雄や漱石の松山・熊本間の旅程についてのお尋ねがあり、福岡・太宰府・久留米の漱石曽遊の地を案内した。その後、『伊予史談』三二〇号という雑誌に掲載された氏の「夏目漱石の松山・熊本間の旅程の考察」という論文を戴いた。その論文が参考になった。

松山出発は一八九六(明治二九)年四月一〇日である。時間は三津浜を午前九時に出発している。今までは一〇時としていたが、九時に改めた。船便は一日一便しかない。

見送りに来た人は校長の横地石太郎、俳人の村上霽月《せいげつ》、下宿していた上野の姪宮本より江、この人は少女で、後に九州帝大耳鼻咽喉科初代教授久保猪之吉夫人になった人である。九時に三津浜を発ち、午後一時四〇分に宇品着。同行の高浜虚子と厳島に行き、その日は虚子と「巌惣《いわそう》」という旅館に一泊。山崎氏に「止宿人名控帖」の写を見せられたが、一〇日に夏目金之助と高浜清の名前が出ている。面白いのは、相貌別徴(顔かたちの特徴)に色白、面長とあることだ。高浜清も色白、面長、他も皆同じように書いてある。背丈は五尺三寸、皆同じである。宿の人の字で、住所は「東京牛込区菊井町壱番地」である。宿帳が残っているのは面白かった。

翌一一日は虚子と別れ、午後二時五〇分宮島発。その船中で、夏目金之助と記名された弓を見て、九州俳諧行脚中の大阪の俳人水落露石《みずおちろせき》と、従弟の武富瓦全《たけとみがぜん》が名乗りをあげ、一緒についてくることになる。露石は正岡子規の俳句仲間で、夏目金之助の名前は知っていた。露石は蛙が好きで蛙の句を集めていた。船中でも漱石に蛙の句を所望したらしい。門司着は一二日午前四時一〇分。当時は門司まで船である。九州鉄道門司発午前八時、博多着は一一時一〇分である。ここで博多に泊まったかという疑問が生じる。博多には泊まらず、二日市へ行き、一一時二六分に着き、太宰府天満宮、観世音寺、都府楼を見物、二日市を午後五時二四分に発ち、久留米に六時二六分に着き、その夜は久留米市呉服町（現・城南町）の菅 虎雄の実家に泊まったのではないか。これは菅氏の息子さんが父がそう言っていたというので、それを信用すれば博多泊まりはない。

翌日、水天宮に行っている。これは露石の「西国行脚駄句日記」（新聞『日本』）に出てくるが、漱石も露石らと同行していると考えられる。久留米を同一三日の一二時五〇分に発ち、熊本池田駅着は午後三時五九分となる。漱石の横地石太郎宛書簡に「十日発十三日午後当地に着致候」とあるので、一〇日出発、一三日午後熊本着は動かぬ所だろう。熊本に着いた漱石、水落露石、武冨瓦全、そして久留米まで出迎えた菅 虎雄の四人は、人力車四台を連ねて宇留毛の菅 虎雄宅に向かった。菅 虎雄宅に着くと、すぐ漱石は俳句を作り、露石に贈る。「市中《まちなか》に君に飼はれて鳴く蛙」の句である。『漱石全集』に出ている。今、熊本にも「漱石の道」があるが、久留米にも「漱石の道」がようやくできた。一八九七（明治三〇）年三月末から四月初めにかけて、漱石が高良山《こうらさん》に登り、「菜の花の遙かに黄なり筑後川」と詠んだ道である。

『草枕』は季節は春で、あの冒頭の一節「山路を登りながら、かう考へた」は、久留米体験ではないか。作家はいろんな体験を重ね合わせて小説を作るので、熊本体験と久留米体験が一緒になってあの『草枕』ができたのではないか、ということを付け加えてこの講演を終わります。

(『くまもと漱石倶楽部会報』創刊号、「講演要旨」、二〇〇二年四月一五日)

⑦熊本・夏目漱石・菅 虎雄

一八九六（明治二九）年三月、第五高等学校教授（ドイツ語）菅 虎雄は、自分が斡旋した愛媛県尋常中学校雇教員夏目金之助（漱石）が盛んに松山の不平を並べ、よそに移りたいと言うので責任を感じ、何とか次の口を世話しなくてはと思っている時、五高校長中川元から英語教師を一名探していると聞いて早速漱石に知らせると、漱石は東京に帰りたかったが口はなし、菅に頼る気になっていたので、五高赴任を承諾した。

私がかつて熊本大学で五高資料を調査した時、五高との間に交わされた電文（案）を見付けた（拙著『夏目漱石と菅 虎雄』）。

①一八九六年三月二八日付。貴県尋常中学校教員夏目金之助ヲ当校ニ採用シタシ御差支ナキヤ　校長ヨリ知事へ

②三月三一日付。二八日電信ノ御返事アリタシ　校長ヨリ知事へ

③四月一日付。夏目金之助採用差支ナシ　知事ヨリ校長へ

④四月二日付。夏目金之助嘱託伺ノ件　北海道平民　夏目金之助　右ハ当校英語科ノ教授　一週付二十四時間ヲ嘱託シ為報酬一ヶ月金百円贈与致度履歴書相添候段相伺候　校長ヨリ文

部大臣へ

⑤四月二日付。別紙上申夏目金之助嘱託伺之儀ハ差掛候事情有之候ニ付御裁可ノ上ハ電信ニテ御指令相成度　校長ヨリ文部大臣秘書官へ

⑥四月七日付。夏目金之助ニ授業嘱託ノ件許可ス　大臣ヨリ校長へ

⑦四月八日付。当校へ出向スベシ　第五高等学校ヨリ夏目金之助へ

以上を観ると、採用照会から出向命令まで一週間余りと、実に慌ただしい。かくて菅と漱石は五高で同僚になった。

四月一〇日、漱石は松山を出発し、宮島を見物、瀬戸内海航路の船中、大阪の俳人水落露石と初めて出会い、熊本宇留毛の菅宅まで同行し、露石は後日新聞『日本』に「宇品より門司に航する船中はからず漱石夏目氏に会す」と紀行文「西国行脚駄句日記」に発表した。熊本の菅宅に着くや否や墨を摺って、蛙の句を集めている露石（『圭虫句集』を編纂中）に、「市中や君に飼はれて鳴く蛙」の句を書いてやった。その後、家屋払底で菅宅に一ヶ月余り寄宿していたようである。漱石が菅宅に来た時、五高生が三名離れに寄宿していたが、漱石が来たので彼らは玄関脇に移された。その中の一人が『吾輩は猫である』の多々良三平のモデル俣野義郎（久留米出身）である。

六月上旬に光琳寺町に家を借りた漱石は、九日中根鏡子と結婚式を挙げた。経費は七円五〇銭。菅虎雄を初め、五高関係者も知人も誰一人招待しない珍妙な結婚式だった。

漱石はドイツ留学中の学友大塚保治に「当地は菅法師抔も有之大に都合よく御座候」（一八九六

年七月二八日付）と近況を報告している。「無為」の居士号を持つ菅は公私にわたって漱石の面倒をみた。大学院生時代、菅の紹介で鎌倉円覚寺塔頭帰源院の釈宗演に参禅した漱石は、熊本でも菅の紹介で見性寺住職葆岳に参禅した。正岡子規宛漱石書簡（一一月一五日付）に一度だけ見性寺の語が出る。

熊本時代の漱石は盛んに俳句を作り、子規に送って添削を乞うているが、菅にも句作を勧めている。夏目鏡子の『漱石の思ひ出』によれば、菅は「桐の葉のドブンと川に落ちにけり」と詠んで、「蛙じゃあるまいし、ドブンと落ちる木の葉があるものか」と漱石から笑われた。「友人菅 虎雄の句も同時に御批評被下度候」（九月二六日付子規宛書簡）と、自分の句と共に菅（無為）の句も送って、批点を乞うている。菅の句では「谷川の小石の上の螢かな」「先生は姓は菅原梅の花」「破寺や初日さし込む阿弥陀仏」が二つ丸を付けて返された。村田由美氏の御調査により『九州日々新聞』掲載の菅 虎雄の投句が多数発見された（本書二五〇～二五一頁）。一八九六年八月末、鏡子の叔父中根與吉を訪ね、福岡県の箱崎・香椎・太宰府を廻り、九月初めに久留米の梅林寺で「碧巌を提唱す山内《やま》の夜ぞ長き」と詠んだ。梅林寺は菅 虎雄の菩提寺なので、菅の紹介で訪れたことは確かである。もしかしたら、菅も同道したかもしれない。

一八九七（明治三〇）年三月末、漱石は久留米に旅行した。小宮豊隆『夏目漱石』に「是は親友の菅 虎雄が病気の為め五高を辞して、郷里久留米に引き籠つたのを見舞ふための旅行であつた」とあるが、漱石は一月に一三日、二月に九日間欠勤しているが、三、四、五月は皆勤である（五高資料「職員出欠表」）。同年三月？日付狩野亨吉宛書簡に「菅氏病気に付御問合せ」とあるのは一、二月の病気のことで、漱石の三、四月旅行時は病気見舞いではなく、休暇中の菅に会いに行ったのである。小宮は菅が辞職したかのように書いているが、五月二四日に舎監兼任を命じられている。しかし六月に病気が再発して二三日間欠勤した。七月一七日、転地療養のため上京し、八月一四日非職を命じられた。かくて菅 虎雄は熊本を二年余りで去ったのである。

なお、久留米旅行で漱石は菅を訪ね、高良山に登り、耳納《みのう》連山を越え、広漠たる筑後平野の田園に咲き乱れる菜の花を一望の内に眼下に収め、雲雀《ひばり》の囀《さえず》りに恍惚となり、時々春雨に濡れながら発心《ほっしん》に下って、桜を見た。おそらく病後の菅は同道していないだろう。しかし、この山越えは後に『草枕』冒頭の峠の茶屋に至る原体験となった。『草枕』は熊本だけの体験ではなかったのである。

(『くまもと漱石倶楽部会報』第一一号、二〇一一年三月三一日)

⑧夏目漱石と菅 虎雄 in Kumamoto

今回のお話の結論をまず最初に言っておきます。一つは夏目漱石を熊本に招いた人は菅 虎雄であるということ。二つ目に『草枕』の冒頭の「山路を登りながらかう考へた」という部分は、実は久留米であるということです。あれは春の風景で、漱石が久留米に行った時の体験です。高良山に登り、今の耳納《みのう》スカイラインですね。久留米市ではそこを「漱石の道」と名付けて句碑を五つ作りました。その他、追分にもう一つあります。私もその仕掛け人の一人です。三年前に、私は「菅 虎雄先生顕彰会」という会を立ち上げまして、漱石句碑と菅 虎雄先生顕彰碑を久留米の梅林寺外苑に建てる運動を始めました。

菅 虎雄が第五高等学校に赴任したのは、一八九五（明治二八）年八月三一日です。五高にドイツ語と論理学の嘱託としてやって来て、一〇月三日に教授になっています。舎監事務取扱にもなっております。次の年、一八九六（明治二九）年になって、当時の中川元《はじめ》校長から英語教師の候補者はいないかという相談がありました。そのことを菅 虎雄は『漱石全集』の月報に書いておりますが、「私が熊本の高等学校に行つてゐる際、当時松山中学に行つてゐた夏目君からいろいろ不平を並べた書簡を貰つた」ということで、漱石を松山から呼ぶことにしたということです。つまり、菅 虎雄の紹介があったからこそ漱石は五高に来たということです。

そこで漱石が第五高等学校に来ることになりました。一八九六（明治二九）年の四月一〇日に松山を出発して、直接熊本にやって来たんですね。高浜虚子と一緒に松山を出発し、宮島に立ち寄り、厳島町の「巌惣《いわそう》」という旅館に泊まっています。そこに「止宿人名控帖」というのがあって、一八九六（明治二九）年四月一〇日の分が現在も残っています。私はその写真を頂きまして、私の二冊目の本『喪章を着けた千円札の漱石』のグラビアにその写真を載せました。この宿帳を見ますと、漱石を「色白面長」と書いています。高浜虚子もその前後も全部「色白面長」なんですね。それから身長が「五尺三寸」なんです。それも全部そうなんです。住所はそれぞれ違います。筆跡が全く同じ字なんですね。宿の人が代筆しているのです。しかし四月一〇日に二人が「巌惣」に泊まったということだけは真実だろうと思います。

次に、広島の宇品から門司までの船中で、水落露石という大阪の俳人に出会っています。一八九六（明治二九）年四月二八日の新聞『日本』に、水落露石が「西国行脚駄句日記」という紀行文を書いていますが、その中に「宇品より門司に航する船中はからず漱石夏目氏に会す」とあります。露石は従兄弟の俳人武富瓦全と一緒でした。露石は非常に蛙が好きで、自分の家の庭を聴蛙亭と名付けて蛙をたくさん飼っていました。それで蛙の句を集めて『圭虫句集』というのを作っていて（序文は正岡子規）、船中で漱石に蛙の句を詠むよう依頼します。この露石の「駄句日記」を読みますと、途中一行は二日市温泉、太宰府天満宮、久留米の水天宮に立ち寄っていますが、菅 虎雄が久留米で一行を出迎えたと思われます。息子さんが「親父がそう言っていた」と言っています。漱石・菅 虎雄・露石・瓦全の四人は一緒に熊本に着き、人力車に乗って宇留

毛の菅 虎雄の家に着きます。このとき露石に書いてやった俳句が「市中や君に飼はれて鳴く蛙」。これが漱石熊本到着第一日目の出来事です。

漱石は菅 虎雄の家に何週間かいて、光琳寺、合羽町、大江、井川淵、内坪井、北千反畑と六回家を替わります。しかし正確には宇留毛の菅 虎雄の家が第一の旧居だと思います。当時横地石太郎に出した手紙に、「当地非常に家屋払底にて漸くの事一週間程前敗屋を借り受候へども何分住み切れぬ故又々移転仕る覚悟に御座候」とあります。菅 虎雄の家を出て、敗屋に一週間ほど住んで、それから光琳寺に行ったとすると、熊本の旧居は六つある上に更に二つ継ぎ足して八回家を借りたのだと私は思っております。

次に漱石の見性寺参禅のことです。これに関係する人として浅井栄凞という人がいます。この浅井栄凞の子息栄資氏と知り合いになりましたので、浅井栄凞のことは私が一番詳しく調べただろうと思っています。この方は東京商船大学（現・東京海洋大学）の学長をされた方です。私はこの栄資氏から資料をたくさん頂き、浅井栄凞のことを調べて『喪章を着けた千円札の漱石』に詳しく書きました。菅 虎雄は「無為」という居士号を鎌倉の円覚寺でもらっているほど禅宗に詳しい人です。浅井栄凞の居士号は「自哲」といいます。おそらく熊本の見性寺でもらったものと思われます。師家から認められて居士号を頂くのですが、禅宗では公案を解かなきゃいけないんですね。漱石の場合ですと「父母未生以前、本来の面目は何ぞや」とかですね。漱石はとうとう最後まで解けなかったので、居士号をもらっていません。浅井栄凞は五高の同僚となった菅 虎雄を見性寺の宗般玄芳老師に紹介しています。次の年漱石がやって来ましたから、菅と浅井で漱石を見性寺にまた紹介したということです。一八九七（明治三〇）年三月に浅井は辞職していますから、浅井との同僚関係はわずか一年に過ぎませんでした。この人が重要な役割を果たすのは、鏡子夫人が白川に飛び込んで自殺を企てた時です。これが新聞種にならないように働きかけたのがこの浅井栄凞なんですね。

このことまでは小宮豊隆の伝記『夏目漱石』（「三二　結婚生活」、岩波書店）に出て来ます。私が調べたのは働きかけた相手は誰なのかということです。それは今の『熊本日日新聞』、前の『九州日日新聞』の社長だった山田珠一ということがわかりました。この人が浅井栄凞と非常に仲が良い、それで山田珠一に頼み込んでスキャンダルになるのを防いだということです。実際、記事にはなりませんでした。

その後、この浅井栄凞と漱石が韓国のソウルで会っています。『満韓ところぐ〵』の旅で、「先生三等郵便局の主人たり」と「日記」に書いております。漱石はわざわざ時間をとってこの三等郵便局にやって来た。そこで「膝を容るるとは正に是なり。余と陶山さんが這入つたらあとは何する事も出来ない。浅井さん大いに喜ぶ。其顔を見たのが甚だ愉快であつた」と、一九〇九（明治四二）年一〇月六日の日記に書いています。

最後に菅　虎雄のことについてもう少しお話しますと、久留米に生まれて帝国大学独逸文学科を第一期生として卒業した。つまり日本の大学で独逸文学科卒業生はこの菅　虎雄が最初の一人です。当時鎌倉の円覚寺で今北洪川という老師に参禅しました。そして漱石が非常に悩んでいる時に鎌倉円覚寺塔頭「帰源院」の釈宗演に紹介しました。居士号の入門控え帳（現在、鎌倉東慶寺にある）の夏目金之助の名前の上に「菅 虎雄氏紹介」と書かれています。小説『門』のモデルとなった体験というのは菅 虎雄がきっかけを作っていたということです。

最後に、一八九七（明治三〇）年三月の終わりから四月の初め、漱石が久留米方面に旅行しています。小宮豊隆はこの旅のことを「親友菅 虎雄が病気の為め五高を辞して、郷里久留米に引き籠つたのを見舞ふための旅行であつた」と書いていますが、これは誤りです。その証拠として、熊本大学に保管されている五高の資料に職員出欠表がありまして、一八九七（明治三〇）年の菅虎雄のところを見ますと、漱石が久留米に行った三月は皆勤です。四月も皆勤、五月も皆勤です。六月から二三日欠勤しているんです。ということは、漱石が久留米に行った時は病気で久留米に引っ込んだのではなくて、春休みだから帰省していたのです。久留米で菅 虎雄と漱石は出会っていたかもしれません。小宮豊隆は「五高を辞して」と、辞職したように書いていますけれども、辞めてはいません。五月二四日には舎監の兼任を命ぜられています。そして六月から病気が再発して、その後七月には東京に出て大西眼科医院に寄留したということです。この大西眼科というのは菅 虎雄の奥さんの妹婿の大西克知のことで、後に九州帝国大学の眼科教授になります。菅は八月一四日に非職を命じられています。そして茅ヶ崎で療養生活をし、その後、第一高等学校の教授になります。漱石と菅の五高での縁は明治三〇年五月頃までの約一年間ですが、後にまた東京で二人は出会うことになります。

一九〇七（明治四〇）年四月、東大・一高を辞職した漱石は、朝日新聞社に入社し、京都旅行に行きます。そして菅 虎雄と比叡山に登り、『虞美人草』を入社第一作として発表します。漱石

は終生菅 虎雄を信頼し、『虞美人草』の宗近一《むねちかはじめ》は菅 虎雄をモデルとしたものと言われています。
また菅 虎雄も漱石の『文学評論』の題字、夏目家の表札、夫妻の墓誌などを揮毫してやり、その友情を永遠に後世に伝えています。

夏目漱石著『文学評論』
扉の陰刻の題字（拓本）、菅 虎雄 書、春陽堂、1909年3月16日発行、「名著復刻 漱石文学館」

（『くまもと漱石倶楽部会報』第一二号、二〇一三年三月三一日、第三回例会（九月一九日）放送大学熊本学習センターでの講演〈要約〉）

⑨夏目漱石から英語授業を参観された加藤延年

一八九七（明治三〇）年一〇月二九日、五高教授夏目漱石が「学術研究ノ為メ福岡佐賀両県下へ出張ヲ命ズ」という辞令を受けていることは、小宮豊隆の『夏目漱石』「三二　旅行」によって知られていた。

「然し漱石がこの時、どことどことをあるいたものかは分らない。然し是は中学の英語授業の視察だつたのだから、恐らく両県下の目ぼしい中学は、ほぼあるいたものに違ひない。」とある。

私は一九七八年七月、熊本大学の五高資料を調査した結果、「佐賀福岡尋常中学校参観報告書」を発見、現在、新版『漱石全集』第二六巻「別冊　中」（一九九六年一二月一〇日）に収録されている。

報告書によると、漱石は一八九七（明治三〇）年一一月八日佐賀尋常中学校（現・佐賀県立佐賀西高等学校）では三時間、九日福岡の修猷館（現・福岡県立修猷館高等学校）では四時間、一〇日久留米の明善校（現・福岡県立明善高等学校）では三時間、一一日柳川の伝習館（現・福岡県立伝習館高等学校）では四時間、英語の授業を参観し、学年・科目・教科書・教師名・生徒数・教授法・生徒の傾向など詳しく授業の講評を記録している。

その中で四日目、伝習館で二限目、和文英訳の授業をした教師は、報告書では「同志社卒業生某氏」とあるが、伝習館の明治期旧職員履歴書を調査したところ、明治三〇年一一月当時、伝習

加藤延年

「父加藤延年と私」加藤延雄『わたしと同志社―回顧八十年』1980年12月1日発行、1942年頃の写真

館の同志社卒業生は「加藤延年《のぶと》」唯一人であったので、私は初出『国文学』「熊本時代漱石の『佐賀福岡尋常中学校参観報告書』」（学燈社、一九七九年一月二〇日）や新版『漱石全集』第二六巻「別冊　中」（一九九六年一二月一〇日）では、同志社卒業生は「加藤延年」であると推定して書いた。

最近、加藤延年の長男延雄著『わたしと同志社――回顧八十年――』（加藤延雄先生遺稿集編集発行会、一九八〇年一二月一日）「父加藤延年と私」を読むと、「郷里の伝習館では英語を教えていたらしい。そのころ夏目漱石氏が参観に来られ、父の授業を一時間もねばって見られたので大変困ったとよく話していた。」とあったので、私の推定は当たっていたと確信した。

漱石が見た加藤の授業は、科目和文英訳、教科書『崎山元吉編述英語教授書』、生徒数五〇名内外、教授法は教科書中の和文を英訳させ、順番に黒板に書かせて訂正する。漱石は、このような教科書を厳密に教えたならば、大変利益になるだろうが、生徒の文章中、文法の誤りがあるのは問わないとしても、綴字が乱雑なことは、二年生になってまだ英字を習い始めて時日が短いためか、と欠点を寛容かつ同情的に見ている。

加藤延年は一八六六（慶応二）年五月一七日、筑後国山門郡宮内村大畠二四七番地、柳川藩士の長男として生まれた。漱石の一歳年上である。柳川中学校初等科・高等科に学び、久留米中学校に転じ、八五年二月同郷の親戚海老名弾正の誘いで、京都同志社英学校に転入学、八六年六月同志社教会において受洗、一八八九（明治二二）年六月同志社普通科を卒業した。同年七月より九五年四月まで熊本県私立熊本英学校教員となる。その間、九一年九月より九二年二月まで校費をもって京都同志社波里須理化学校に入学修学した。一八九五（明治二八）年四月二〇日、福岡県立尋常中学伝習館雇教員を命じられ、月俸二五円を給せられ、九九年四月依願退職した。

同年四月、母校の招聘を受け、同志社普通学校（一九一六年同志社中学と改称。四三年同志社中学校と改称）に勤務、理科・地理・歴史などを同志社大学予科・高等商業学校でも教えた。三一年三月、定年退職した。

加藤の業績として「加藤コレクション」は絶滅寸前の貴重な生物八千種の標本が保管されていた。同志社にも付属博物館があってもいいと言って、「同志社自然博物館」設立を要望していた。一九四五年五月三日、敗戦を知らず、博物館もできずに永眠した。「加藤コレクション」は一九五〇年「同志社標本館」（醇化館）となって京都市左京区岩倉大鷺町に実現した。加藤は博学多識、話好きで、動物の新種発見に情熱を燃やし、私財を投じて、標本収集に奔走した。しかし、老朽化いかんともしがたく、二〇一一年二月上旬をもって閉鎖解体されたのは、残念なことである。

（『日本古書通信』第一〇五七号、日本古書通信社、二〇一七年八月一五日）

⑩漱石の歩いた北部九州① 福岡・筑後新婚旅行（明治二九年九月）

中根重一
漱石の岳父。松岡譲編『漱石写真帖』34、1929年1月9日刊、第一書房

夏目鏡子（旧姓 中根）
松岡譲編『漱石写真帖』34、1929年1月9日刊、第一書房、1895年2月3日、新シ橋丸木利陽撮影

親友第五高等学校教授菅 虎雄の斡旋で熊本の第五高等学校英語教師になった夏目漱石は、一八九六（明治二九）年四月、熊本に着任した。借家が払底していたので、しばらく宇留毛の菅 虎雄の家に寄寓していた。同年五月、熊本市通称光琳寺町に一戸を構える。前年末に愛媛県尋常中学校教師だった時、帰京した折に見合い、婚約した貴族院書記官長中根重一の長女鏡子を迎え、同年六月、付き添って来た父とお手伝いだけのささやかな結婚式を挙げた。

一八九六（明治二九）年九月の初め、漱石夫妻は『吾輩は猫である』に出てくる軽口屋の迷亭のモデルと言われる福岡の叔父中根與吉《なかねよきち》を訪ねて、福岡・筑後方面のいわば、新婚旅行に出掛けた。

漱石は一八九六（明治二九）年正岡子規宛書簡によると、「小生当夏は一週間程九州地方汽車旅行仕候《つかまつりそうろう》」（九月二五日付）末尾に「駄句少々御目にかけ候」と書き、四〇句を同封した。そのうち、冒頭の十句が福岡・筑後地方の新婚吟行の句である。幸いにも、この十句は、国立国会図書館に「夏目漱石真蹟俳稿」として「デジタルコレクション」に所蔵され、パソコンで見ることができる。

博多公園　〇初秋《はつあき》の千本の松動きけり

前書《まえがき》と句との間の「〇」は正岡子規から送り返された評点である。三段階評価であって、上位は◎、中位は〇、下位は無印である。

「博多公園」は現在の東公園のことであって、白砂青松の海岸で、蒙古襲来の時、激戦地となった。一八七六（明治九）年公園となり、七九年「東松原公園」として開園、「箱崎公園」とも称せられたが、「博多公園」と言われたことはなく、漱石の造語であろう。「東公園」と改称されたのは、「西公園」に対して、一九〇〇（明治三三）年のことであった。初秋の強風が千代の松原の松を吹き飛ばさんばかりの勢いで、蒙古襲来を連想させる。

箱崎八幡　◎鹹《しお》はゆき露にぬれたる鳥居《とりい》哉《かな》

「箱崎八幡」は「筥崎八幡宮」ともいい、福岡市東区箱崎にあり、祭神は応神天皇・神功皇后・玉依姫命を祀る。九二三（延長元）年、穂波郡の大分宮《だいぶ》（飯塚市筑穂町）から移設されて創建された。表参道に並ぶ「一の鳥居」は一六〇九（慶長一四）年九月、筑前福岡藩主黒田長政の建立したもので、「肥前鳥居」の一種であるが、その笠木と島木を一つ石に刻んだ形の特異さから「筥崎鳥居」と称された。

明治期は鳥居近くまで博多湾の海岸が迫っていたので、石も露に濡れ、海近くであるので、さぞかし、鹹はゆい（塩辛い）ことだろうとユーモラスに表現した。

香椎宮　◎秋立つや千早古る世《ふ》の杉ありて

「香椎宮」は福岡市東区香椎にある旧官幣大社。祭神は仲哀天皇・神功皇后・応神天皇・住吉大神を祀る。『万葉集』巻六でも大宰《だざい》の帥大伴旅人《そちおおとものたびと》たちが香椎の廟《やしろ》に参拝し、大宰府に帰る時、馬を香椎の浦に留めて、旅人ら三人が感慨を短歌に詠んでいる。「秋立つ」とは言え、立秋からは既に一ヶ月余り過ぎている。

「千早ぶる」は本来、「神」に関係のあるものにかかる枕詞であった。一般に「千早振る」と表記するが、漱石は「千早古る」と表記して、千年も生き続けた神聖な、敬虔なる神木「綾杉」に対する渇仰を詠んでいる。

「綾杉」は神功皇后伝説の一つで、神功皇后が三韓征伐から帰還の時、持って行った剣・鉾・

杖などの兵器を埋めた目印に、皇后自ら挿した杉の枝が生い茂り、その葉が綾をなして、今に在るという。

天拝山　○見上げたる尾の上《え》に秋の松高し

「天拝山」は筑紫野市にあり、低い山だが、配流になった菅原道真が山頂に登り、無罪を天に訴えたということからその名があり、二日市から間近に見える。「尾の上」とは峰の上、尾根である。山頂に「天拝の松」と言われた堂々たる一本松が聳えていた。博多湾に入港する船が目印にした大木であったが、一九三〇（昭和五）年の台風で倒壊してしまった。

筑紫野市古賀八―二の天理教天拝分教会内に漱石「見上げたる尾の上に秋の松高し」「温泉の町や踊ると見えてさんざめく」の句碑が一九九九（平成一一）年に建てられた。

太宰府天神　◎反橋《そりばし》の小さく見ゆる芙蓉《ふよう》哉

「太宰府天神」は正しくは「太宰府天満宮」、旧官幣中社であるから、筥崎宮・香椎宮よりも格下であるが、参拝者動員数は圧倒的西日本一である。

本来「大宰府」と表記するのが正しいが、現代では市をはじめ、地名・天満宮関係では「太宰府」と点の付いた方に統一された。ただし、歴史的に律令制下における西海道（九州）を総括する官衙《かんが》としての「大宰府」政庁関係の場合は、点のない「大宰府」と表記する。

「太宰府天満宮」の祭神は菅原道真。藤原時平らの陰謀で失脚し、大宰権帥《ごんのそち》に左遷され、九〇三（延喜三）年二月、配所で亡くなった。翌々年門弟味酒安行《うまざけやすゆき》は祠廟を建立、九一九年に安楽寺となり、後に神仏習合の天満宮安楽寺となり、明治初頭の神仏分離まで、安楽寺別当が全体を統率した。道真を祭った天満宮を天神と言う。

「反橋」は中央が高く、弓状に曲線を描いている橋で、太鼓橋ともいう。「芙蓉」はアオイ科の落葉低木。

今、漱石は妻鏡子と共に心字池の畔に佇み、気品あり清楚に咲く白い芙蓉の花の存在感に圧倒されて、遠く池の向こうの朱色の反橋は小さく見えるのである。季語は「芙蓉」（秋）。

西鉄太宰府駅前広場には、高燈籠に大伴坂上郎女《おおとものさかのうえのいらつめ》（東）、菅原道真（南）、仙厓（西）、夏目漱石「反橋の小さく見ゆる芙蓉哉」（北）が彫られている。

観世音寺　　古《ふ》りけりな道風《とうふう》の額《がく》秋の風

「観世音寺」は太宰府市にある天台宗寺院。中大兄皇子（後の天智天皇）は母斉明天皇の追福のため、観世音寺を七〇九（和銅二）年二月、発願、建立した。

観世音寺額は小野道風筆の伝承が語り継がれ、「小野道風扁額　観世音寺と書す。むかし大門の前に木の鳥居ありけるに掲たる額なり。今模写して本堂に掲ぐ。」とあるので、今のものは真筆ではない。

漱石は伝承通りに伝道風を信じたことにして、その蒼然たる古色を詠んだ。

都府楼　　鴫《しぎ》立つや礎《いしずえ》残る事五十《ごじゅう》

都府楼跡に「太宰府址碑」（一八八〇年作）、「都督府古趾」（一八七一作）の二本の石碑が立っていた。「大宰府」の名称が史料に現れるのは、六七一（天智天皇一〇）年であって、九州統治と対外交渉の基地としてであった。しかし、国際情勢の緊張が和らぎ、九州統治の中心として「遠《とお》の朝廷《みかど》」と呼ばれるようになった。

建物には礎石を用い、一八二〇（文政三）年に書かれたものでは、二〇三個の礎石が描かれている。江戸末期以降、多数の礎石が失われたという。漱石の見た当時でも、八〇個くらいはあったと思われる。累々と広がる、かつて栄華を誇った万葉の歌人たちの宴の跡である。

日も西に傾き、水田から鴫が鳴いて飛び立った。西行の歌「心なき身にもあはれは知られけり鴫立つ沢の秋の夕暮」がふと口をついて出た。往古を追懐する情と鴫立つ秋の夕暮れとの「あはれ」の融合である。季語は「鴫」（秋）。

二日市温泉　○温泉《ゆ》の町や踊ると見えてざんざめく

二日市温泉は古くは「次田《すいた》の温泉《ゆ》」（『万葉集』巻六）・「筑紫の湯」（『竹取物語』）・（『古今集』巻八）・「武蔵《むさし》温泉」と呼ばれていたが、現在は「二日市温泉」に統一された。漱石が訪れた時は一般に「武蔵温泉」と言われ、「二日市温泉」は珍しい。

二日市村が二日市町に昇格したのは、一八九五（明治二八）年であるから、漱石が二日市温泉に来た時は、確かに「温泉の町」になっていたのである。

「踊る」は季語としては、盆踊り（秋）を指すが、二日市地方にはもともと盆踊りの風習はなく、日暮れとともにどこかで宴会が始まったらしく、三味線に太鼓の音が聞こえてくる。芸妓たちの嬌声と酔客の蛮声。浮かれた男女は踊り出したらしい。大勢で賑やかに大声を上げて騒ぐことを、「ざざめく」と言い、「ざんざめく」「さんざめく」ともいう。

「夏目漱石真蹟俳稿」（国立国会図書館所蔵デジタルコレクション）によると、明らかに「ざんざめく」であるが、岩波書店『漱石全集』では、大正版から平成版まで、いずれも「さんざめく」となり、一度も漱石真筆の「ざんざめく」になった「全集」がなかった。大槻文彦『新訂大言海』では「ざんざめく」騒然〔さざめくノ音便。音、高ク立ツヲ云フニ因リテ、濁ラス、ぞめくト云フ語モ同ジ、ざんざらめくハ、音調ナリ。衆人、同音ニ言ヒハヤス。共鳴ス。〕又、ざんざらめく。「酒宴ノ唱歌、ざんざめく」とあり、「さんざめく」の項目はない。一方、現代の『広辞苑』第六版（岩波書店）では「さんざめく」はあるが、「ざんざめく」はない。

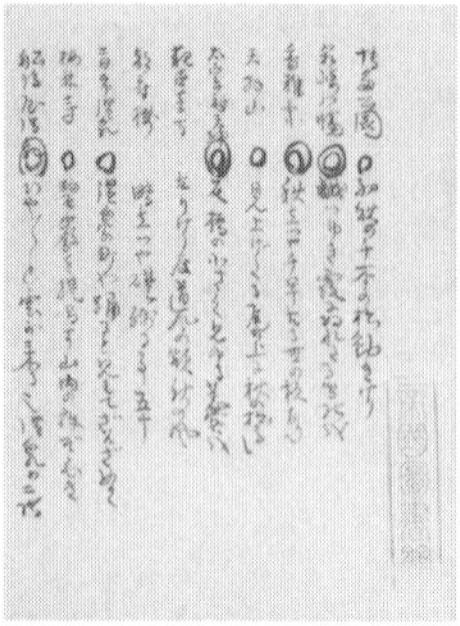

夏目漱石真蹟俳稿
国立国会図書館所蔵デジタルコレクション

（拡大）

筑紫野市湯町の御前湯に「温泉のまちや踊ると見えてさんざめく」の句碑が建てられているが、なぜか、「町」を「まち」と変更するか。勝手に原作者の原文を変更しないでもらいたい。

一九九六年二月、私は筑紫野市職員の案内で、この御前湯の漱石句碑を初めて見たが、驚いたことに「踊る」が「舞る」となっているではないか。「直ぐに訂正しないと、筑紫野市の恥ですよ。」と、私は強く要求した。その後、「舞」は「踊」に正されたのはよかったが、「町」は「まち」のまま、残ってしまったのは、残念なことである。「舞」を強く抗議して、「まち」を軽く異議申し立てしたので、職員は訂正を失念したのであろうか。

梅林寺　○碧巌《へきがん》を提唱《ていしょう》す山内《やま》の夜ぞ長き

「梅林寺」は久留米市京町にあり、臨済宗妙心寺派九州禅林道場で、江南山梅林禅寺ともいう。旧久留米藩主有馬家の菩提寺であるとともに菅　虎雄の菩提寺でもある。久留米藩初代藩主有馬豊氏《とようじ》が丹波福知山（京都府）から移封に伴い、ここにあった瑞巌寺《ずいがんじ》を移し、一六二一（元和《げんな》七）年、禹門玄級を請じて開山創建された。

「碧巌」は普通『碧巌録』といい、一一二五（中国、宋の宣和《せんわ》七）年完成。雪竇《せっちょう》重顕《じゅうけん》が百則の公案を選び、評釈を加えたものである。「提唱」は師家が宗旨の要諦を大衆に提示して説法することである。この時の住職は三生軒東海猷禅で、菅虎雄の紹介により提唱を受けた。「山内」は「やま」と読み、寺の境内のことである。永田満徳氏『漱石熊本百句』（坪内稔典、あざ蓉子編、創風社出版）のように「さんない」と読んでは字余りになり、季語・定型を守る漱石の趣旨に反する。

深々として秋の夜長は更け行く。漱石は朗々と響く老師の説法を聴きつつ、かつて円覚寺塔頭《たっちゅう》帰源院に参禅した時を思い出していたかもしれない。

二〇一三（平成二五）年一〇月二〇日菅虎雄先生顕彰会（会長　原武哲）は久留米市京町の梅林寺外苑に漱石句碑「碧巌を提唱す山内の夜ぞ長き」と菅虎雄顕彰碑「気如龍（気、龍のごとし）」を建立し、楢原利則久留米市長、東海大玄梅林寺住職臨席の下、除幕式が挙行された。漱石真筆の句碑は九州では初めてである。

船後屋温泉　◎ひやひやと雲が来る也温泉《ゆ》の二階

「船後屋温泉」は「船小屋温泉」の誤りで、筑後市尾島にある鉱泉。江戸期には柳河藩土木用船格納の小屋が置かれた。

岩波書店『漱石俳句研究』（一九二五年初版）で取り上げられ、福岡県出身の蓬里雨（小宮豊隆）は「船小屋の位置は知らないが、恐らく箱根の様な山の深い高い処にあるのだらう。」と言っているが、船小屋は山の中ではなく、筑後平野の中にある。寅日子（寺田寅彦）が「雲が実際に二階に入って来るでせうか。」と問題にして、松根東洋城は、実際自分の所に雲がやって来る、と言い、蓬里雨は雲が入ってくるのではなく、二階の向こうの方を往来している、と言い、寅日子は雲の去来を見て、入ってくるような湿っぽい空気を感じた、と言った。季語は「ひやひや」（秋）。

船小屋鉱泉場北側には、「ひやひやと雲が来るなり温泉の二階　漱石」の句碑ができたが、漱石直筆ではなく、現代の書家である。

夏目鏡子『漱石の思ひ出』によると、「その頃の九州の宿屋温泉宿の汚さ、夜具の襟なども垢だらけで、浴槽はぬるぬるすべつて、気持の悪いつたらありません。ひどく不愉快なので、私はこりこりしまして、それ以来九州旅行は誘はれても行く気になれませんでした。」（四　新家庭）とあるが、九州の宿屋温泉宿とは二日市温泉か船小屋温泉か。

なお、この一八九六（明治二九）年「福岡・筑後新婚旅行」の漱石直筆は、国立国会図書館がデジタル資料として「夏目漱石真蹟俳稿」を公開している。

句の頭に付いた〇は正岡子規から送り返された評点である。上位は◎、中位は〇、下位は無印である。

（『筑後地域文化誌　あげな　どげな』第九号、二〇一六年八月五日。第一〇号、二〇一七年三月一〇日）

⑪漱石の歩いた北部九州② 久留米旅行（明治三〇年三月）

伊予松山の中学校教師になった漱石は、田舎の中学生に手を焼いて、斡旋してくれた親友の菅虎雄（五高〈現・熊本大学〉教授。久留米出身）に盛んに不平を訴えた。ちょうど五高校長中川元から英語教授がほしいが適当な人材を推薦してくれと打診された菅は、すぐ漱石に知らせると、一八九六（明治二九）年四月、漱石は二つ返事で熊本にやってきた。

漱石は一八九七（明治三〇）年三月、春休みに帰省中の同僚菅 虎雄を訪ねて、久留米に行った。正岡子規宛漱石書簡によると、「今春期休に久留米に到り高良山に登り夫より山越を致し発心と申す処の桜を見物致候」（一八九七年四月一六日付）と書き、久留米で詠んだ一〇句を含めて近作五一句を添えて送り、評点を仰いだ。

この久留米訪問は菅に対する病気見舞いという小宮豊隆説もあるが、二、三、四月は欠勤もなく、健康は旧に復していた。遺族の証言によると、虎雄の妹じゅん（順）の嫁ぎ先一冨家（善導寺木塚）に滞在していたらしい。

漱石は筑後国一の宮高良神社（一九四九年高良大社と改名）に参詣するため、まず石造大鳥居（一六五四年有馬忠頼寄進）をくぐる。山に向かって左側の「高良大社」と書かれた石標の文字は菅 虎雄が書いたもの（一九二八年六月）である。菅が書いたのは「国幣大社高良神社」であったが、戦後、社格廃止により社名変更し、文字を拾って「高良大社」と改刻し直したのである。高良山を登ると、茶店に着き、石段の下に出る。以下、漱石の俳句。

石磴や曇《くも》る肥前の春の山

「石磴」の「磴」は石偏であるから石の階段のことで、火偏の石燈籠のことではない。一三一段の階段を登り切ったところで一息ついて、振り返ると、肥前の国（佐賀県）と筑前の国（福岡県）の県境の山、背振山（一〇五五m）が今にも降り出しそうな薄曇りの中にけむって見えた。句碑は作られていない。

拝殿に花吹き込むや鈴の音

「拝殿」は一六六〇（万治三）年第三代藩主有馬頼利が造営寄進した本殿である。斎藤英雄氏（元九州大谷短大教授）は須佐能哀《すさのお》神社と言われるが、やはり高良山の拝殿と言えば高良大社の本殿であろう。一九七二（昭和四七）年、高良大社の社殿は石造大鳥居と共に重要文化財の指定を受けた。かつては高良玉垂宮と言われていたが、一八七一（明治四）年、高良神社と改称、国幣中社に列せられた。一九一五（大正四）年には国幣大社に昇格した。祭神は高良玉垂命・八幡大神・住吉大神の三座。桜の花が満開となり、春風に吹かれて、花弁が拝殿に吹き込んできた。折柄参詣者が綱を引いて鰐口（鈴）を打ち鳴らした。句碑はない。

拝殿を左に廻り裏に行くと、山道になる。漱石は雲雀《ひばり》の囀《さえず》りに誘われて、東に向かった。高良山の森を抜け出た所に小高い台地があって、右にやや上ると、飛雲台という展望台がある。ここに、

菜の花の遼かに黄なり筑後川

の句碑がある。久留米で詠んだ句としては代表的な句になっている。久留米一〇句の中で句碑に刻された五句の中では、楕円形の石に筑後川を配したデザイン（デザイン：今村修、書：北村久峰）が最もいい。

今は耳納スカイラインと呼ばれる車道が完成されているが、漱石が歩いた明治三〇年当時の山道は、杉や檜ではなく、いくらかの立木や灌木が混じるススキやカヤの原野が広がっていた。漱石は耳納登山で体験した菜の花・雲雀・曇る・雨・桜は、後の『草枕』の冒頭部分に活かされた。

そして『草枕』に描かれているように、「しばらくは路が平で、右は雑木林、左は菜の花の見続けである。」「菜の花が一面に見える。」「雲雀はあすこへ落ちるのかと思つた。」のである。飛雲台を降りると、森林つつじ公園に着く。森林つつじ公園からし

漱石句碑「菜の花の遙かに黄なり筑後川」
久留米市耳納スカイライン飛雲台、1897年３月下旬詠む

ばらく行くと、

人に逢はず雨ふる山の花盛《はなざかり》

の句碑が左手にある。「逢はず」がどういうわけか、「逢わず」になっている。いくら漱石でも、戦後の現代仮名遣いまでは予言できまい。漱石の書いた通りに彫っていただきたかった。

雨に雲に桜濡れたり山の陰

花に濡るゝ傘なき人の雨を寒《さむ》み

この両句は句碑になっていない。前の句とほぼ似たような趣向であるが、「人に逢はず」は人っ子一人いない山道の孤独感、寂寥が感じられ、「傘なき人」は自分のことだろうが、雨に濡れた春寒を桜の花がそっと癒やしてくれるのである。「雨を寒み」の「み」は接尾辞で、形容詞および形容詞型活用の助動詞の語幹に付き、これを名詞化する。多くは上に間投助詞「を」を伴って、原因・理由を表す。〜のゆえに、〜によって、〜なので、と訳す。「雨を寒み」は、雨が寒いので、という意味である。さらに森林つつじ公園東方八〇〇mほど行くと、

筑後路や丸い山吹く春の風

の変わった句碑（制作：熊井和彦、書：寿蓮）がある。二本の高さの異なる三角柱に、遠眼鏡のような穴が二つ開いている。眼鏡の穴の先には「丸い山」があるのだろうかと、つい覗いてみたくなる。耳納連山（水縄《みのう》山地）の尾根の南部は八女《やめ》の山地で、北部には久留米市内、三井《みい》郡、浮羽《うきは》郡が広がっていた。一体、この「丸い山」とはどの山を指しているのだろうか。①斎藤英雄氏は兜山《かぶとやま》（三一六m。けしけし山）説。②野口健司氏（九州大学名誉教授）は句碑から東へ三㎞ほど山路を歩いた地点からの眺め説。③耳納山（三六七・九m）④桝形山（六〇八・七m）⑤グライダー山（六四〇m）⑥白山（六七七m）などがある。なかなか決め手がないが、②の野口説あたりが順当か。

耳納スカイラインを高良大社石段下から七㎞ほど東進したところに三叉路があり、中央コース「発心城址三・五㎞グライダー山二・五㎞」の標示に従って進むと左側、発心城址《ほっしんじょうし》西方（久留米市草野町）に句碑（制作：毛利陽出春、書：森史陽）がある。

濃《こまや》かに弥生《やよい》の雲の流れけり

高い山から見た「雲の流れ」の微妙な色濃さ、細密さを精巧に詠んでいる。「弥生」は陰暦三月、春の季語である。

句碑はないが、

山高し動《やや》ともすれば春曇る

も「濃かに」と同じくらいの山の高さで詠んでいる。「動ともすれば」は、とかくある状態になりやすい様で、「どうかすると」という意味である。とにかく雲の成り行きでは春の曇りとなり、やがて雨となるのである。

発心城址からもと来た西方に戻り、三叉路から北方（右側）に下ると、発心公園に到る。

松をもて囲ひし谷の桜かな

発心公園の正面にある句碑は、中央に漱石の頭部のレリーフを円形で囲み、下部に句を三行に配している。左右には高さの異なる二本ずつの石柱が観音開きのように置かれている。

漱石の見た桜は、一八二八（文政一一）年三月、第七代久留米藩主有馬頼徸《よりゆき》が発心山に桜樹の植え継ぎを命じ、しばしば花見に来たものである。

敗戦後、アメリカ占領軍兵士が桜見物に来て、婦女子の暴行に及んでは大変だということで、一時切り倒されてしまった。その後何事もなかったので、再び植樹され、久留米有数の憩いの花見場所となっている。

（筑後地域文化誌『あげな　どげな』第八号、二〇一六年二月二〇日）

⑫漱石の歩いた北部九州③　佐賀・福岡県尋常中学校英語授業視察

（明治三〇年一一月）

一八九七（明治三〇）年一〇月二九日、第五高等学校教授夏目金之助（漱石）が「学術研究ノ為メ福岡佐賀両県下へ出張ヲ命ズ」という辞令を受けていたことは、既に小宮豊隆『夏目漱石』（三一旅行）によって広く知られていた。

「然し漱石がこの時、どこどことをあるいたものかは分からない。然し是は中学の英語授業の視察だつたのだから、恐らく両県下の目ぼしい中学は、ほぼあるいたものに違ひない。」と書かれていたので、この疑問は永遠に閉ざされたままか、と思われていた。

一九七八年七月、私は熊本大学保管旧制五高書類閲覧許可を得て、調査したところ、未公開の夏目金之助自筆の「佐賀福岡尋常中学校参観報告書」を発見することができた。一八九七年秋の福岡佐賀両県尋常中学校英語授業を視察した報告書によって、英語授業の全貌が明らかになり、英語教師漱石の考え方も明らかになった。

◎佐賀県尋常中学校

（現・佐賀県立佐賀西高等学校）

一一月八日、漱石は佐賀県尋常中学校（佐賀市赤松町旧城内）を訪ねた。午前八時より海軍少佐長井群吉の海軍に関する講演があり、漱石も乞われて、英語学習に関する講話をした。この「講話」は佐賀中学校の栄城会雑誌『栄城』第三号（一八九七年一二月三一日）に掲載された。一世紀後発見され、『文学』（岩波書店、二〇〇〇年一・二月号）に「夏目教授の説演」として紹介された。

英語授業は午前一〇時から四年のマコーレー著論文の訳読を参観したが、教師生徒ともに意義を解することのみを努めて発音、暗誦などに注意しないことに不満を感じていた。三年の「文部省会話読本」を使っての訳読では、生徒は発音に冷淡で、会話読本を用いながら、会話をしないことに漱石は不審を抱いている。二年の会話作文文法を指導した教諭平山久太郎（慶応義塾卒）の授業は生徒に暗誦させ、暗誦させた英語の続き一、二句を日本語で与え、生徒に英訳させ、生徒の英訳を黒板で正す。正した英訳について文法上の質問をする。平山は西洋人に学んだだけあって、会話作文文法の三科を融合して指導する有効な教授法で、この教師の授業を受けたならば、（旧制）高校入試には充分であろうと漱石は褒めている。後に漱石は平山の就職の斡旋を頼まれた。

藤井乙男
京都帝国大学教授、『近代文学研究叢書』55、「藤井乙男」昭和女子大学、1983年12月1日刊

その夜、漱石は帝国大学文科大学の後輩で、国文学科卒業の修猷館教諭藤井乙男（俳号、紫影。近世文学）の家（福岡市春吉）に泊まった。

「紫影に別るゝ時
菊の頃なれば帰りの急がれて　漱石」（『漱石俳句集』）

◎福岡県尋常中学修猷館

（現・福岡県立修猷館高等学校）

一一月九日は福岡県尋常中学修猷館（福岡市大名町堀端）に行き、午前九時から平山虎雄（東京大学法学部撰科修了）の二年の訳読を参観した。最初に綴字・発音の練習をして、読み方の教授は厳格で、少しの誤りも見逃さず、アクセントなど発音を練習させて、優れた指導をしていたと評価していた。

三年の鐸木《すずき》近吉（農学士）の訳読では生徒は予習をした上、教室にいる。指名された生徒は一節ずつ教科書を音読の上、和訳する。教師は重ねて和訳する。発音に重点を置かず、意義に重きを置いていた。

四年の小田堅立（同志社卒。アメリカ留学）の和文英訳は生徒二、三名に自作の英訳を黒板に書かせ、教師は批評訂正した。一遍訂正した者は浄書の上提出させる。小田は常に英語を用いて、ほとんど日本語を交えず、生徒も努めて英語を使用させた。中学四年生の文章にしては大いに観るべきものありと、漱石は褒めている。小田は五年の訳読ゴールドスミス「Essays and Poems」の授業では、生徒に一節ずつ和訳する他は少しも日本語を用いず、教師生徒共に英語を使用することに熱心であった。西洋人を使用しない学校でこれほど正則的に授業をするところは稀であって、その効果は著しい、と称賛している。

◎福岡県尋常中学明善校
（現・福岡県立明善高等学校）

一一月一〇日、福岡県尋常中学明善校（久留米市篠山町）に行った。この日は英語主任が欠席してその授業を観ることはできなかった。一年の訳読および綴りでは初めに単語の発音と意義の復習を行ない、次に訳読をした。その方法は直訳で「彼が彼の顔において落ちし」などの言語を用い、その後意訳する。従って、音読・直訳・意訳の三段階を踏んでいる。漱石は授業がうまくいかなかった場合、授業者の名誉を慮って、この教師名を書かず「失名」と記し、名前を失念したように装っている。敗者に対する温かい配慮というべきであろう。

四年の稲津雅通（久留米市日吉町生。慶応義塾卒）の授業は教師の一方的講義調であった。また「教科書比較的ニ難渋ナルノ感アリ」と書いているが、漱石はなるべく卑近なものを選んで高尚に失せざるように心がけるべきことを説いている。発音に注意を与えないことにも不満を感じている。

五年の訳読は校長の松下丈吉（久留米市両替町生。慶應義塾卒）自ら授業をした。松下が使用した教科書は「クリミヤ戦争記 The Crimean War」であった。漱石は「普通行ハル、処ノ輪講ニシテ別ニ目立チタル点ナシ」と言い、「五年生トシテハ一般ニ学力不足ナルガ如シ」と酷評した。「然レドモ質問ノ夥多ナルヨリ察スレバ生徒ハアナガチニ不勉強ナルニモアラザルベシ」と多少弁護的見方も寄せている。

◎福岡県尋常中学伝習館
（現・福岡県立伝習館高等学校）

一一月一一日（木）漱石は福岡県尋常中学伝習館（福岡県山門郡城内村）を訪ねた。一年の訳読および綴字の授業を行った玉真《たま ま》岩雄（福岡県山門郡城内村生。アメリカミシガン州アルビオン大学卒）の授業は、教科書中の言葉は日本語で説明するけれども、「書ヲ開ケ」「翻訳セヨ」などの命令的な言葉は英語を使用した。「一般ニ生徒ノ出来モ教師ノ教方モ可ナルガ如シ」と褒めている。

二年の和文英訳の授業を行なったのは、加藤延年（山門郡宮内村生。同志社卒）であった。漱石の報告書には「同志社卒業生某氏」としか書かれていないが、伝習館高校保管旧職員履歴書を調査した結果、一八九七（明治三〇）年当時、伝習館に在職していた教師の中で、同志社卒業生は加藤延年一人しかいない。加藤であることを確定した証拠資料として、延年の長男延雄の書いた『わたしと同志社――回顧八十年――』（一九八〇年一二月）「父加藤延年と私」の中に「郷里の伝習館では英語を教えていたらしい。そのころ夏目漱石氏が参観にこられ、父の授業を一時間もねばって見られたので大変困ったとよく話していた。」がある。これによって、「報告書」「伝習館履歴書」「父加藤延年と私」が繋がり、漱石と伝習館と加藤延年が結びついた（本書四九頁参照）。

加藤は教科書に『崎山元吉編述英語教授書』を用いているが、漱石は「此種ノ書ヲ厳密ニ教授セバ将来非常ノ利益アルベシ」と書いているが、「生徒ノ文章中文法ノ誤謬」や「綴字ノ乱雑」なことに驚いている。

三年の和文英訳と四年の訳読の授業を行なった「農学士某氏」とは、唯一人の札幌農学校卒業生水野喜太郎であった。水野の和文英訳は「只生徒ノ口答ニ止マル事多シ」と会話を主としたものであった。生徒の英語に対する不熱心さに驚いている。四年でも「読方等正則的訓練ニハ余リ意ヲ用イザルニ似タリ」と書き、「発音ヨカラヌコト」「訳読ノ力モ割合ニ進マザル」ことに低い評価を与えている。

（『筑後地域文化誌　あげな　どげな』第一一号、二〇一七年八月一〇日）

⑬漱石の歩いた北部九州④　大分県宇佐・耶馬渓・日田、福岡県吉井・追分俳諧行脚（明治三二年一月）

一八九九（明治三二）年一月一日、第五高等学校教授夏目金之助（漱石）は同僚英語教授奥 太一郎（本書「⑭夏目漱石と奥 太一郎」八一頁参照のこと）と共に冬休みを利用して長年希望していた耶馬渓を主とした豊前・豊後・筑後の俳諧行脚を試みた。漱石は津山尋常中学校教諭だった奥を五高に招き、共に謡曲を嗜み、俳句を教授した。しかし奥は漱石の期待ほど俳句に上達せず、耶馬渓旅行で漱石六六句の多数の句を作り正岡子規に送っているが、奥の句は残っていない。俳諧行脚は漱石の独り舞台になった。

元日屠蘇を酌んで家を出た。

金泥《きんでい》の鶴や朱塗《しゅぬり》の屠蘇《とそ》の盃《つき》

宇佐に行くや佳《よ》き日を選《えら》む初暦《はつごよみ》

池田駅（現・上熊本駅）から上り列車に乗車、二日市駅では博多に帰る、太宰府天満宮初詣参拝者で、車中は座る座席もない。

梅の神に如何《いか》なる恋や祈るらん

小倉で一泊する。

うつくしき蜑《あま》の頭《かしら》や春の鯛

一月二日、小倉から豊州鉄道（現・日豊本線）下りに乗り、宇佐駅（現・柳ヶ浦駅）で下車した。宇佐地方は陰暦（旧暦）で正月を祝うらしく、門松を立てている家はない。

蕭条《しょうじょう》たる古駅に入るや春の夕

駅から南に四キロばかり、暮れかかる蕭条たる田舎道を徒歩で宇佐八幡宮に向かった。宇佐八幡宮は豊前国の一ノ宮であり、全国八幡宮の総本山であり、神功皇后を祭祀し、弓矢の神として武士を中心として広く尊崇された。

兀《こつ》として鳥居立ちけり冬木立

松の苔《こけ》鶴痩《や》せながら神の春

漱石と奥は、宇佐八幡に参詣し、寄藻川に架けられた呉橋を渡った。

呉橋《くればし》や若菜を洗ふ寄藻川

灰色の空低《た》れかゝる枯野哉

宇佐の門前町より枯野の道を通って、駅館《やっかん》川を渡り、四日市（宇佐市四日市町）で一泊した。
三日、四日市より代官道を通って羅漢寺を目指した。

巌窟の羅漢共こそ寒からめ

羅漢寺（大分県中津市本耶馬渓町）は曹洞宗の古刹で、境内の無漏窟《むろくつ》に釈迦三尊像を安置し、五百羅漢の石像群は国の重要文化財に指定された。
一八八九（明治二二）年八月、一高生の漱石は大分県出身の川関らと房総旅行に行き、鋸山《のこぎりやま》の日本寺を訪れ、一五〇〇体余の羅漢像を見た。

川関は漱石に「私の故郷の耶馬渓はもっと広大で、峡谷の奇岩怪石はもっと壮大だ。」と自慢した。漱石は九州に来たら、ぜひ耶馬渓に行きたいと念願していた。

耶馬渓に入ると、渓谷はますます険峻となったが、頼山陽の称賛したほど名勝とは思わなかった。

　はたと逢ふ夜興引《よこびき》ならん岩の角

夜興引は、冬の夜、猟のために犬を連れて山中に入る人のことである。

　凩《こがらし》のまがりくねって響きけり

谷の中、柿坂（現・大分県中津市耶馬渓町）を過ぎ、守実（現・中津市山川町）で一泊した。

　吹きまくる雪の下なり日田の町

豊前の国から豊後の国に入る国境大石峠《おしがとう》を下る時、馬に蹴られて、雪の中に倒れた。漱石の知人狩野亨吉（一高校長）宛書簡にも峠で馬に蹴られた話を書き送っているし、妻鏡子にも話していた。

漸《よう》く《や》に又起きあがる吹雪《ふぶき》かな

日田では〝詩書画三絶〟の称がある平野五岳（一八〇九〜一八九三）が住職をしていた専念寺（浄土真宗大谷派）を訪ねた。一一歳で広瀬淡窓の咸宜園に入塾し情味宛転区格流暢な詩を詠み、画は田能村竹田の風を慕った。西南戦争を題材にした漢詩「熊本城下の作」は、たぶん漱石も読んだことであろう。

日田にて五岳を憶ひ
詩僧死して只凩の里なりき
（専念寺に句碑あり）

筑後川の上流日田から筑後吉井まで舟で下った。

蓆帆《むしろほ》の早瀬を上る霰《あられ》かな
つるぎ洗ふ武夫《もののふ》もなし玉霰《たまあられ》

「武夫」は征西将軍懐良《かねなが》親王を奉じて蜂起した菊池武光（南朝方）のことで、筑前大宰少弐《しょうに》頼尚《よりひさ》（北朝方）と戦った筑後川の合戦（一三五九〔正平一四・延文三〕）の古戦場（小郡市大保原）で、頼山陽の漢詩「筑後河を下り菊池正観公の戦処を過ぎ感じて作あり」を踏まえたものである。近くの三井郡には太刀洗の地名も残る。

吉井（うきは市）で舟から上陸し、宿屋「長崎屋」に泊まったらしい。

なつかしむ衾《ふすま》に聞くや馬の鈴　（うきは市中央公民館に句碑あり）

豊後の山道を抜け、平坦な筑後平野に入り、後二日で熊本に帰れる安堵感で床についた漱石の耳には、日田街道を通る荷駄馬の足音と共になつかしい鈴の音が聞こえてくる。

親方と呼びかけられし毛布《ケット》哉《かな》　（久留米市山川追分・南追分公園に句碑あり）

久留米市山川追分は吉井〜久留米間の山辺往還と北野（現在は久留米市）に向かう川辺往還との分かれ道であった。ここで客待ちをしていた人力車夫たちから、「親方、車に乗って行かんのう。」と久留米弁で誘われたらしい。江戸っ子の漱石は、方言が珍しく、「旦那」と呼ばれたことはあっても、「親方」と呼ばれたことは初めてだったのだろう。

よほど印象に残ったものか、後に『坊っちやん』三で「ケットを被つて、鎌倉の大仏を見物した時は車屋から親方と云はれた。」と利用された。

漱石たちは人力車に乗って、久留米駅に向かい、熊本に帰った。

句碑に、

「　追分とかいふ処にて車夫共の親方
　乗つて行かん喃《のう》といふがあまり可笑しかりければ
　親方と呼びかけられし毛布哉
　　　　　　夏目漱石　　　　」

とある。

（『筑後地域文化誌　あげな　どげな』第一三号、二〇一八年八月二五日）

⑭夏目漱石と奥　太一郎

夏目漱石（金之助）が第五高等学校教授当時、英語教師として招聘しようと奔走し、五高に迎え入れた一人の中学校教諭がいる。奥　太一郎という。奥は謹厳実直な男で、生涯漱石に恩義を感じ、五高在任中は同じ英語科の一員として忠実に漱石と交友し、小天温泉・日奈久温泉や耶馬溪旅行を共にしたり、加賀宝生の謡曲を一緒に習ったりした。温厚な人物で、目立たず派手なところがないので敵はなく、同僚や教え子から敬意を払われた。五高に一六年間勤務し、一九一四（大正三）年二月、満四三歳で五高依願免本官を機に一切の官学から身を引き、私学に移った。その後も終生五高に招いてくれた漱石に恩義を忘れず、作家となった漱石に近況を報告し、五高の英語人事などでも相談し、上京の折に漱石山房を訪ねたこともあった。

岩波書店『漱石全集』第二二～二四巻「書簡　上・中・下」（一九九六年三月一九日・九月一九日・一九九七年二月二一日）によると、奥　太一郎宛の漱石書簡は一〇通収録されている。しかし、漱石宛の奥書簡は多数あったと想像されるが、漱石は年末に書簡をまとめて焼却していたので、現存しない。少ない資料ではあるが、漱石と五高二年三ヶ月の同僚英語教師奥　太一郎との交流を中心に考察してみよう。

二

奥 太一郎
『漱石の四年三カ月 くまもとの青春』熊本日々新聞社、(熊本時代、ロンドン留学前の送別写真) 1900年重富写真館

奥太一郎は父輝太郎[1](旧名石川数馬。明治維新後、改名)、母まつ(あるいは美恵のいずれか)の次男として生まれた。輝太郎は岩倉具視の家臣だったので、代々京都に暮らし、維新後は岩倉に随伴して東京との間を往復したことと思われる。兄は亀太郎[2]、弟は菊次郎[3]という。

第五高等学校(現・熊本大学)・活水女学校(現・活水女子大学)履歴書によると、奥太一郎は「原籍東京市京橋区松屋町三丁目一七番地」[4]「東京府平民」[5]で、一八七〇(明治三)年五月二三日(活水履歴書では二二日)[6]、京都で生まれた。一八八二(明治一五)年一二月、京都市下京区公立永松小学校[7]において中等科全課を卒業した。八三年一月、京都市私立明倫館[8]に入り同年九月まで漢文学を修めた。幼年時代から兄弟はキリスト教に親しみ、教会に出入りして日曜学校に通い、兄亀太郎は新島襄から洗礼を受け、同志社に入学、八一年には卒業したので、太一郎も自然にその感化を受け、洗礼を受けたものと思われる。太一郎は八三年九月、京都市私立同志社学院[9]に入り五年間普通学を修め、八八年六月、京都市私立同志社学院において英語普通科を卒業した。

八八年一〇月、群馬県碓氷郡原市町私立碓氷英学校[10]教頭となり英語および数学を教授し、九〇年三月、同校教頭を辞職した。内村鑑三が辞任した「北越学館事件」後の九〇年四月、新潟県新潟市私立北越学館[11]教授となり英語・歴史・数学・経済学などを教授し、九二年三月、同校教授を辞職した。同年四月、そのころ岩野泡鳴（美衛）が生徒として在籍していた宮城県仙台市私立東北学院[12]教授となり英語・歴史・社会学などを教授し、九三年三月、同校教授を辞職した。『東北学院七十年史』には「明治二六年三月奥 太一郎先生送別会記念」（一〇一頁）の集合写真があり、東北学院予科三年生及び教員三五名が写っている。珍しいのは押川方義院長、押川方存（後の春浪）がいることである。ただし、岩野泡鳴は写っていない。島崎藤村（春樹）が東北学院に赴任する三年半前のことである。

九三年七月英文学科を卒業した夏目漱石と入れ替えに、同年九月奥 太一郎は帝国大学文科大学[13]に入り、三年間撰科生[14]として哲学を修めた。九六年六月一〇日、英語の科目に就き検定し尋常中学校[15]・高等女学校・尋常師範学校[16]教員の免許を授与された。同年六月二〇日、岡山県津山尋常中学校雇教員に任命され、月俸六〇円を受け、同年七月二九日、岡山県津山尋常中学校教諭に任ぜられた。同年一二月一日、尋常中学校倫理科・高等女学校修身科教育科・尋常師範学校修身科教育科教員の免許を授与された。一八九七年五月二五日、帝国大学文科大学より修業証書を授与せられた。五高教授夏目漱石を窓口として第五高等学校英語科教員に招かれたので、一八九八年三月三一日、願いにより岡山県津山尋常中学校教諭を免ぜられた。

一八九八（明治三一）年四月四日、第五高等学校[17]英語科の講師を嘱託せられ報酬として一ヶ月六五円を贈与せられた。同年一〇月一一日、第五高等学校教授に任ぜられ、[18]高等官七等に叙せられ、十級俸を下賜せられた。同年一二月一〇日、従七位に叙せられた。九九年九月一九日、工学部英語科主任を命ぜられた。同年一二月一六日、舎監心得を命ぜられた。同年一二月二二日、高等官六等を陞叙《しょうじょ》せられた。一九〇〇（明治三三）年一月二二日、第五高等学校舎監を兼任せられ、九級俸を下賜せられた。同年二月二〇日、正七位に叙せられた。〇二年四月五日、八級俸を下賜せられた。〇三年一月二二日、高等官五等を陞叙せられ、同年四月二〇日、従六位に叙せられた。同年一〇月一六日、大学予科評議員を命ぜられ、一一月一六日、大学予科担任（舎監）を命ぜられた。〇六年五月三一日、七級俸を下賜せられ、同年一〇月六日、高等官四等を陞叙せられ、同年一二月二七日、正六位に叙せられた。〇七年六月一五日、第五高等学校生徒監を兼任した。一〇年四月一五日、文部大臣小松原英太郎より「明治三一年四月第五高等学校講師トナリ尋イテ現官ニ任セラレシヨリ今日ニ至ルマテ前後一二年ノ間未ダ曽テ一日ノ欠勤ナク職務ニ尽瘁スルコト終始渝《かわ》ラス其ノ勤勉励精洵《まこと》ニ教員ノ模範トスヘシ。仍《よっ》テ特ニ之ヲ嘉賞ス」と賞状を授与された。同年九月一五日、生徒課主任を命ぜられた。同年一一月三〇日、六級俸を下賜された。同年一二月二六日、勲六等に叙せられ、[19]瑞宝章を授けられた。一一年一月二五日、高等官三等を陞叙せられ、同年三月二〇日、従五位に叙せられた。一九一三（大正二）年三月一七日、第五高等学校生徒監を免ぜられ、同年三月二〇日、生徒課主任を免ぜられた。一四年二月六日、四級俸を下賜せられ、願いにより本官を免ぜられ、正五位に叙せられた。

一九一四（大正三）年二月二〇日、長崎市私立[20]活水女学校教頭となり、英語・修身・教育学を担当した。一九年四月、長崎市私立活水女子専門学校教授を兼任し、二〇年八月三一日、活水女学校教頭ならびに活水女子専門学校教授を辞任した。

一九二〇（大正九）年九月より、[21]九州学院教頭となり修身・英語を担当し、神学部の英文学も兼任した。五高時代の同僚だった[22]遠山参良院長の誘いによるものだった。一九二三（大正一二）年三月、九州学院教頭を辞任した。

二三年四月、[23]日本女子大学校教授として東京に赴任した。五年間、日本女子大学校に勤め、現職のまま、一九二八（昭和三）年一〇月一三日、五九歳で死去した。

三

夏目漱石が奥 太一郎を知ったのは、一八九七（明治三〇）年七月、夏期休暇中、漱石が帰京して五高英語科教師一名人選のため、候補者選定に着手した時である。友人の[24]狩野亨《こう》吉（第四高等学校教授退職後、浪人中）、[25]菊池謙二郎（千葉県尋常中学校長）などと相談して人選を進めていた。第一候補者[26]赤木通弘（帝大文科大学哲学科一八九七年七月卒業。宮崎県出身）は狩野の事前調査も良好だったので採用になり、九月から赴任して来たが、赤木は万事控え目な謙譲の極みとも言うべき人物で弁論の才に乏しく、論理の講義は不分明という評判で生徒の質問に応ずることができない有様、とうとう一二月上旬、本人より辞表が提出され、神経質と眼病の理由で辞任となった。

そこで五高では九八年四月から英語教師を一名採用することになり、九七年三月まで津山中学校長だった菊池謙二郎を通じて候補者選定を進め、赤木採用時候補に挙がっていた奥 太一郎（九六年六月から津山中学に菊池校長の下で勤務）を再度候補に挙げ、性行・学力その他の調査と本人の意思確認を求めた。しかし、既に半年もたって前の人事を再度俎上に挙げたので、漱石は氏名を失念し[27]「奥泰二郎か」と記憶違いを犯している。当面、赤木の後任に狩野亨吉自身が教頭となり、英語・論理学を担当することで、九八年一月、熊本に赴任した。しかし、教頭職で授業を担当しても英語の授業時数が不足する。奥 太一郎は菊池謙二郎、撰科生当時の恩師神田乃武《ないぶ》[28]（帝大教授。ラテン語）の推薦により四月（第二学期）採用英語教師の第一候補となり、[29]月俸六五円、当分嘱託の条件で諾否を求められた。津山中学校教諭である奥は前任者赤木通弘辞任の経緯も仄聞していたのであろう、九州男児の蛮カラー風剛毅粗野に対して自身の温厚な性格で対処できるか不安を感じたらしい。[30]三月一八日、「やむを得ざる事故」が出来《しゅったい》したという理由で転任ができないと断ってきた。そこで、漱石は奥のみを推挙して文部省に上申するばかりになって、承諾の返電を待っている、ここに至って断られては英語科主任としての信用失墜はともかくとして、校長中川元[31]や教頭狩野亨吉の迷惑は当然のことと思われる、どうか再考願いたいと返信を送った。それで、奥も考え直したのであろう、無事三月末、津山尋常中学校教諭を依願免官になり、四月四日、英語科嘱託として第五高等学校に赴任した。この五高着任における漱石の配慮は、奥 太一郎の心情に後々まで感謝の念として残った。

夏目鏡子述、松岡譲筆録[32]『漱石の思ひ出』「八 『草枕』の素材」によると、一八九八（明治三二）年蚕のころ（五、六月ごろか）、狩野亨吉・[33]山川信次郎・奥 太一郎・[34]木村邦彦・漱石の五人で朝早く小天温泉に行き、[35]前田案山子《かかし》（覚之助）別荘（湯の浦）で昼食をしたため、長女[36]前田卓子《つな》の案内で本宅を見た。岩戸観音・鼓が滝などを見て、卓子は河内まで見送った。奥 太一郎が漱石と旅行したのは、多分これが最初であろう。なお、漱石が『草枕』の素材を得た旅行は、その前年九七年一二月二七、二八日ごろから翌九八年一月三、四日ごろにかけて、山川信次郎と共に小天温泉の前田家別荘三号室（現・漱石館）に泊まった時の体験である。従って、奥たち五名で行った小天旅行は漱石にとっては二回目に当たる。

夏目鏡子の『漱石の思ひ出』「一〇 長女誕生」によると、

「例のとほり元日から同じ学校の奥 太一郎さんと御一緒に、年来の希望であつた耶馬渓へと旅立ちました。旅の模様は知りませんでしたが、家へかへる前日か前々日のことでありませう。豊後の日田あたりの峠で馬に蹴られて雪の中に倒れたといつて、いやなしかめつ面をして帰つて参りました。それから無暗と歩いたものとみえて、足にまめをこしらへてをりました。山の中の旅行のこととて、鳥だといつては兎らしいものを食はせたなどと大分不機嫌でしたが、帰つてからまた例のとほり沢山句を作つて、子規さんの許へ送つてをりました。」

松岡 譲

『群像 日本の作家』「芥川龍之介」
第四次『新思潮』創刊（1916年２月）のころ、東大英文科４年
左より久米正雄・松岡譲・芥川龍之介

漱石は一八八九（明治二二）年八月、友人五人と千葉県鋸山に登った時、大分県人川関某が「耶馬渓広袤《こうぼう》数十里、岩壑《がんがく》之奇、固不止于此、而羅漢之勝、遂不能及焉」と郷里の耶馬渓の広大さと峻険さを自慢誇示したことを、「木屑録」に漢文で書き、「自是寺以羅漢著、遊者或比之豊之耶馬渓云」と九州の耶馬渓に憧憬を抱いた。

熊本の五高に赴任した漱石は、かねて耶馬渓を探勝したいと思っていたが、一八九七（明治三〇）年六月二九日、父の直克が八四歳で亡くなったので、夏季休暇中の北部九州旅行は中止せざるを得なくなり、試験終了後、七月早々上京した。その後も念願の耶馬渓探勝の機会がなかったが、やっと心許す弟分の奥 太一郎を得て、耶馬渓俳諧行脚の機が訪れた。

一八九九（明治三二）年一月一日、漱石は元日の屠蘇を酌んで、熊本市内坪井町の自宅を出発し、奥 太一郎と共に池田駅から乗車、博多・小倉を経て、宇佐八幡宮（宇佐に行くや佳き日を選む初暦　漱石）・耶馬溪に向かった。(37)一日は小倉泊まり（うつくしき蜑《あま》の頭や春の鯛　漱石）、二日は宇佐八幡宮（ぬかづいて曰く正月二日なり　漱石）に参詣し、四日市町（現・宇佐市）に泊まる。三日、曹洞宗羅漢寺（大分県下毛郡本耶馬溪町）に参詣（巌窟の羅漢共こそ寒からめ　漱石）し、口の林（現・耶馬溪町平田。短かくて毛布つぎ足す蒲団かな　漱石）に泊まる。四日は念願の耶馬溪（石の山凩に吹かれ裸なり　漱石）を観たが、頼山陽があまり賞讃しすぎたためであろうか、それほどまで名勝とも思わなかった。この時の体験は、『彼岸過迄』「風呂の後」三に利用された。柿坂（現・耶馬溪町柿坂。道端や氷りつきたる高箒　漱石）を経て、守実《もりざね》（下毛郡山国町守実。たまさかに据風呂焚くや冬の雨　漱石）に泊まった。五日、吹雪の中、大石峠《おしがとう》（日田街道。豊前国下毛郡と豊後国日田郡との国境）

を下る時、馬に蹴られて雪の中に転んだ（一八九九年一月一四日狩野亨吉宛漱石書簡）（漸くに又起きあがる吹雪かな　漱石）。日田市（吹きまくる雪の下なり日田の町　漱石）を通り、吉井（福岡県浮羽郡。現・うきは市。なつかしむ衾《ふすま》に聞くや馬の鈴　漱石）に一泊。六日、追分（久留米市山川追分）の立て場で車夫から「親方、乗って行かんのう」と誘われた（親方と呼びかけられし毛布《ケット》哉《かな》　漱石）。追分の体験は後に『坊っちゃん』三「ケットを被つて、鎌倉の大仏を見物した時は車屋から親方と云はれた。」に利用された。漱石・奥は久留米駅から汽車に乗り池田駅に帰った。

この耶馬溪紀行こそ唯一の漱石・奥 太一郎二人旅であり、忘れがたい思い出の旅であった。しかし、この吟行は奥 太一郎の存在感が全く感じられない。漱石が豊前豊後国境の峠で馬に蹴られて雪中に倒れたことはあったが、奥には取り立てて語るべきエピソードはなく、彼の俳句は一句も残っていない。漱石は一八九九年一月、正岡子規宛に「つまらぬ句許りに候然し紀行の代りとして御覧被下度冀《こいねがわ》くは大兄病中烟霞の僻万分の一を慰するに足らんか」と俳句七五句（内、六六句は耶馬溪紀行中のもの）を送り、子規の斧正を請うているが、奥 太一郎作の句は一句も含まれていない。漱石のことであるから、奥にも作句を慫慂したと想像されるが、遂に子規に添削を乞うほどの自信作はできなかったということであろう。

夏目鏡子の『漱石の思ひ出』「一〇　長女誕生」には、奥との交流について、次のようなことも書き残している。

「奥太一郎さんともよく往き来をしてゐましたが、夏目もその頃謡を始め、奥さんも同じく謡をやつてをられたので、謡の会などでも落ちあつてたやうです。夏目の謡の先生といふのは、同じ五高で工学部長をしてをられた桜井房記(38)さんが金沢のはうの方で、そこで加賀宝生が御上手とあつて、どういふ拍子で呻《うな》り出したものか、「紅葉狩」かを教へて戴くことになつたのですが、大層質《たち》がいいとのお賞《ほめ》にあづかつて、自分ではしきりに得意で大きな声を出して呻つてをりました。けれども根つからいい声らしくも思へないので、桜井さんにほめられたつて、そりやおだてで、なつてゐないぢやありませんかなどと、いつもの悪口の讐《かたき》でも取る気で浴せかけたものです。すると俺ののもそんなにいいと思つてるわけではないが、まあ、奥のをきいてみろ。お湯の中で屁が浮いたやうなひよろひよろ声を出すんだから、あれからみればといつた具合に、なかなか敗けません。そこで奥さんは奥さん、貴夫《あなた》は貴夫。人がどうあらうとその声は自慢になりませんよなどと憎まれ口を叩いてをりますと、ある日奥さんがいらして謡が始まりました。私は丁度お湯に入つてゐたのですが、さあ、始まると困つてしまひました。まつたく珍妙な謡ひ声なのですが、それよりもすぐとさきの尾籠な批評を思ひ出したからたまりません。たまりかねてお湯の中で手拭を口に当ててきこえないやうに笑つてをりますと、台所でも女中たちが笑ひをこらへてゐるのですが、これも笑ひがとまらず、えらい苦しみをしたことがあります」

とある。二人の交流が謡曲を通じて非常に親密であったことがうかがえる。この時の基礎があり、漱石は後に一九〇七（明治四〇）年一一月から一九一六（大正五）年四月ごろまで、宝生新から謡を習った。奥 太一郎がその後も謡を続けたか、どうかわからない。

一八九九（明治三二）年六月、第五高等学校卒業記念写真[39]を撮っているが、前から三列目二人目が帽子をかぶらず首を傾けた漱石、六人目は口髭を蓄えた奥 太一郎が写っている。

一八九九（明治三二）年七月一二日、漱石は狩野亨吉に宛てて書簡[40]を送り、帝大生以来の友人で漱石が五高に招いた山川信次郎が第一高等学校転任に際して年俸をいかほどにするか、相談した。そのついでに山川の後任として茨木清次郎が候補に挙がっていたが、性行・学術の点で人物調査を狩野に依頼した。茨木が教室の授業経験がなくとも充分生徒を指導するだけの才力があるかどうかを尋ねている。その際、知りたい条目を「人物　奥流なるや木村流なるや」「学問　学者的なるや通弁的なるや」と例を挙げて聞いた。「奥流」とは奥 太一郎のような温厚篤実、謹厳実直な人物と思われる。「木村流」とは木村邦彦のような人物と思われるが、一体どのような人間像だったのか。英語担当でクリスチャンの木村邦彦は一八九八年八月一九日講師となり、九九年九月五日教授に昇格、一九〇一年五月二九日に在職三年足らずで離任している。従って、多分奥 太一郎と対極的な人物像を想定しているものと思われる。

一八九九（明治三二）年七月、五高舎監だった奥 太一郎は、熊本女学校[41]（後の大江高等女学校。現・熊本フェイス学院高等学校）の校長竹崎順子[42]（徳富蘇峰・蘆花の伯母。横井小楠妻津世子の姉）の肝煎で同校舎監だった菅沼きく子（本名はキクであろう。当時の例のごとく、きく子、菊子と通称した。熊本女学校一八九六年三月二六日卒業）と結婚した。一八八七（明治二〇）年一〇月、竹崎順子が洗礼を受けた時、奥太一郎の兄奥亀太郎（同志社出身）は熊本草葉町教会牧師であった。奥太一郎も菅沼きく子も舎監同志であったこと、二人ともクリスチャンであったことなどから、竹崎順子が仲介したものと思われる。順子は奥を訪問、「きく子が病気ばかりして、相すまぬ」と懇ろに詫びたという。奥太一郎が九八年四月五高に赴任するについては、兄亀太郎が一八八六（明治一九）年一二月、伝道師として熊本に来て、この時既に熊本を去っていたが、兄縁りの地として大層心強く頼りにして着任したであろう。

きく子は竹崎順子の夫茶堂（律次郎）の門人菅沼安隆と徳富蘇峰・蘆花の長姉常子との間に生まれたが、母が同棲二年で不縁になったため、きく子は七夜のうちに母の乳房から父の許に引き取られた。継母が来て、異母兄弟が生まれた。一八九三（明治二六）年六月一三日、竹崎順子は亡くなった孫菊子（娘節子の娘）と同じ名を持つ菅沼きく子を引き取り、熊本女学校に入学させた。きく子は学資が得がたかったので、昼食の炊事をして食費を補助され、折々の使いをして授業料を免除された。水俣から「きく」の名を持つ新入生が二人来た時、順子は、

水俣より二人のきく子まいらるゝとて
時しあれば菊の二本《ふたもと》咲き出でて託麻《たくま》の原に香に匂ふなり

と孫菊子が死んで、新たに二本の菊が香る嬉しさを率直に悦んだ。

きく子は一八九六（明治二九）年三月二六日、第五回卒業生（四名）として卒業後も竹崎順子の側に侍し、一時、退職していたが、一八九七（明治三〇）年三月、竹崎順子が積年の衆望辞するに途《みち》なく、七三歳の高齢で校長になり、きく子も舎監として女学校に復帰した。きく子の両親（菅沼安隆・常子）の媒酌をしたが、離縁になり、不憫に思っていた竹崎順子は、きく子を孫の生まれ変わりとして、優しくそして厳しく指導し、五高の奥 太一郎に未来を託したのであった。奥きく子はその後も夫奥 太一郎と共に熊本女学校の熱烈な後援者として、竹崎順子を助け、母校の危機を救い、発展に寄与した。

キリスト教徒としても、日本福音ルーテル教会熊本教会に所属し、一九二一（大正一〇）年二月二四日、九州学院教会が設立されてからは、夫太一郎と共に九州学院教会に移籍した。東京移住後も東京教会で堅実な信徒としての良風を長く後進の間に遺したという。

若いころは蒲柳の質であったため、師竹崎順子を心配させたきく子は、後に壮健になり、夫太一郎より長寿を保ち、八四歳まで確認できるが、没年は未詳である。(44)

一九〇〇（明治三三）年一月、冬季休暇を利用して、五高教授の漱石、奥 太一郎、小島伊佐美（独逸語）たちは日奈久温泉に行き、旅館浜屋の二階で謡の稽古をした。(45)

一九〇〇（明治三三）年五月、夏目漱石は英語研究のため、文部省第一回給費留学生として満二ヶ年イギリス留学を命じられた。イギリス留学が五高校内で公表されると、教師・生徒の間で送別会が開かれた。重富写真館（熊本市明石橋通一六番）では送別記念写真が撮られた。その一枚に奥太一郎と一緒に撮影したものがある。東京都品川区の串田武彦氏所有のアルバムより複写したものが『漱石の四年三ヵ月　くまもとの青春』（'96くまもと漱石博推進一〇〇人委員会）に転用されている。それによると、四名が写っており、前列右は羽織袴で口髭をピーンと張った威厳のある漱石、前列左は羽織袴を着て口髭と顎鬚をつけた小柄で温厚そうな奥太一郎が腰掛けている。後列右は羽織袴を着た坊主頭の学生、左は学生服を着て七三に分けた長髪の学生が立っている。二人の学生の氏名は未詳。漱石・奥の交友を偲ばせる写真である。

漱石は七月に家財道具一切を処分して熊本を離れ、東京に帰り洋行の準備をした。漱石は第五高等学校教授の身分のまま留学するので、本来、熊本に帰任する義務がある。しかし、でき得れば東京で職を得たいと思い、熊本への退路を断ってしまった。奥太一郎とも懇ろに別れを告げ、その後二人が同僚として職場を共にすることは二度と来なかった。漱石は一九〇〇年九月八日、横浜から藤代禎輔[46]・芳賀矢一[47]・稲垣乙丙（農学）・戸塚機知（軍医学）らとドイツ船プロイセン号で留学の途に就いた。

四

一九〇一（明治三四）年二月二五日、奥太一郎は第五高等学校から「学術上取調ノ為メ長崎福[48]

岡佐賀大分地方へ出張ヲ命ズ」という辞令を受けた。一九〇一年二月二七日、池田駅を出発、大分県中津中学校、福岡県豊津中学校、福岡工業学校、福岡県修猷館、長崎県玖島学館、第五高等学校医学部（長崎）、長崎中学校、私立鎮西学館、私立活水女学校、佐賀県第一中学校、福岡県明善校、福岡県伝習館を訪問し、三月八日池田駅に帰着した。三月一八日中学校英語授業や寄宿舎を参観した復命書を提出した。[49]

夏目漱石の留学中、一九〇一年七月二二日、奥 太一郎から近況を知らせる便りがロンドンにもたらされた。漱石留学中の奥書簡は現存しないので、これ以外に送ったかどうかわからない。[50]漱石は約二年間の留学期限を経て、一九〇二年一二月五日、日本船博多丸でロンドンを出発、帰国の途に就いた。〇三年一月二〇日長崎入港、二三日神戸に上陸、神戸駅から汽車で二四日新橋駅に到着、東京市牛込区矢来町の岳父中根重一方に落ち着いた。[51][52]

帰国後、漱石が奥 太一郎に送った最初の書簡は〇三年三月八日付のものである。やむを得ざる事情で熊本に帰任せず東京にとどまることになったお詫びと遠山参良（五高教授。英語科主任）その他によろしく伝えてくれ、スウィートは好評で安堵した、ファーデルは解雇の由気の毒に思う、桜井房記校長が周旋の労をとっていると推察されるが思わしい就職口がないのは残念、「大兄は依然寄宿の方へ御関係に候や」など伝えた。[53][54][55]

その後、奥 太一郎から漱石に熊本の五高の状況が報告されたのであろう。同年四月一三日、[56]

その返信でスウィートが熱心に職務に尽力しているそうで満足の至りに堪えず、採用当時（漱石ロンドン留学中、一九〇一年六月八日、ロンドン大学のヘールズ教授の紹介でスウィートに面談、五高英語教師に推薦）別段の知己でもなかったので、幾分の危険を冒して周旋したが、このような熱心家を得て幸せに思う、感謝の意を伝えてくれ、自分のような者がいても五高のためにもならないだろうから遠山参良らと共に尽力してくれと激励した。

同年七月三日、漱石は奥 太一郎に、入学試験で毎日朝七時より出勤している、高校と大学の掛け持ちで両方とも碌なことはせず「勝手好加減主義」でやっている、「大兄などの様な真面目な人」から見れば、堕落の極みであろう、と手紙を書き送った。(57) 奥は漱石から「真面目な人」と書かれているのを見ると、やはりそうかと納得させられる。

漱石は、当時第一高等学校講師と東京帝国大学文科大学講師を兼任し、超多忙であった。一九〇五（明治三八）年一〇月六日、『吾輩ハ猫デアル』（上篇）が大倉書店・服部書店から出版され、二〇日間で初版は売り切れた。「薤露行」を執筆中の同月二〇日、奥 太一郎に書簡を寄せ、(58)「熊本も永く居ると存外あきる所に候が大兄の如き人は始終一日の如く御勤めにて敬服の至に不堪」と奥の勤勉と誠実さに感心している。引き換え、自分のごときは教師がいやで生涯悟れない業突く張りである、人は大学講師をうらやましく思うそうだが、金と引き換えならいつでも譲りたく思う、と心境を吐露している。奥の娘（名は未詳）の誕生に因んで、子どもはなかなか容易に成長しないようであるが、ずんずん伸びて行くには驚くこともある、後から子どもに追いかけられているような気持ちだ、最近は多忙なのに来客ばかり日々二、三名もあり、閉口しているため、五、六人に手紙を出して当分は来てはいけないよと言ったところ、その翌日その一人がすぐ来た。

高等学校は楽なものだ、自分は高等学校で食って余暇に自分の好きなことをしたいと思っている。「舎監抔は一日も致すべきものに無之と存候」は、奥が永年舎監や生徒監をやって来たことに対する律儀さに感服しているのであろう。第一高等学校は熊本よりだいぶ気楽で同僚の家に行くこともなく、先方から来ることもない、大学もその点はすこぶるのんきなるものだ、と書いている。思うに、文名が挙がるにつれて、同僚との交際は敬遠されて希薄になり、教え子たちは慕い寄って来るという現象が起きたのであろう。「閑窓に適意な書を読んで随所に山水に放浪したら一番人生の愉快かと存候」は教育と創作の二足の草鞋を履いた超多忙の苦痛から脱出して、自然の中で読書三昧に浸る閑適への渇望である。「小生は教育をしに学校へ参らず月給をとりに参り候。自余の諸先生も正に斯の如くに候」は気の置けない謹厳な奥を相手に、いささか誇張して偽悪的に本音を吐露したものと思われる。

一九〇六（明治三九）年一二月二二日、奥[59]太一郎からの書簡に対して、夏目漱石は返信を出した。「大多忙にて始終齷齪《あくせく》致し居り」と二足の草鞋に悪戦苦闘して、教師稼業からの脱出を模索していた。「学校も何だか○○○○○○○○○○○○○と存候右については○○○○○○○○○○○○○○○○○○○参り候由先日去る所より承はり候」は第五高等学校の近況を奥が報告したものに対して漱石が、別ルートからも聞き意見を述べたものと思われる。この伏せ字は岩波書店『漱石全集』大正六年版（第一回）以来の伏せ字である。その内容はわからないが、一般的に伏せ字にする場合、猥褻なもの・反国家的なもの・皇室に関するもの・反体制的なもの・個人を誹謗中傷するものなどが考えられる。ここは五高内の個人の消息や人物評価・毀誉褒貶の関するもので、編集委員会の判断で伏せ字にしたと思われる。その原資料の書簡は所在が不明（奥宛漱石書簡一〇通のうち五通は熊本近代文学館に所蔵されている）で確認することができないが、伏せ字の部分が判読不能というわけではなかろう。いずれにしても、このような個人の秘密に属するものを共有するほど二人は親密であったということである。漱石は東京で孤独、校長が変わろうと学長が変わろうとすこぶる呑気である。「東京は広い所に候」といっているのは、『三四郎』一の広田先生[60]の言葉を思い出す。

「保野義郎の事は面白く候」の保野[61]は漱石・奥共通の教え子で、『吾輩は猫である』に出てくる多々良三平のモデルであると噂され、漱石に五、六度も親展至急で厳重抗議を申し込んで来た男である。会社（三井鉱山）で保野を「多々良君」と呼ぶ者がたくさん現れて、迷惑しているので、ぜひ取り消してくれと請求した。「多々良三平は保野義郎にあらずと新聞に広告してはいけないか」と照会したら、いけないという。保野が三平に誤られるのは、双方とも筑後久留米の住人だからである。せめて三平の戸籍だけでも肥前唐津に移してくれといってきたので、漱石は三平の方を「肥前の国は唐津の住人多々良三平」と改めたことを指している。このことは『満韓ところどころ』一一や一九〇五（明治三八）年一二月三一日付鈴木三重吉宛漱石書簡にも保野義郎の多々良三平騒動について触れている。

五

一九〇七（明治四〇）年三月、東京帝国大学講師と第一高等学校講師を退職し、四月、東京朝日新聞社に入社した。専属作家として『東京朝日新聞』『大阪朝日新聞』に小説を連載することになった。奥太一郎は漱石の教育者から小説家への転進について大いなる期待と激励を送り、第五高等学校改革などの近況を報告した。これに対して同年五月二九日、奥に返信を送り、五高改革後、諸事旧に復し当分は無事、結構である。公職退職後は灌花栽培の楽しみもあるそうで、閑適の余事風流羨ましい限りである。自分は大学を退職後、小説家となり、講義の必要もなく高等学校の下調べのためセンチュリー辞典の厄介になることもなくなり、心中大いに愉快である。今の住居（駒込西片町）前後にすこしばかりの庭園がある。四季の眺めというほどのこともないけれども、見るもの悶えを晴らす花樹もあり多少得意である。人生五〇年流転のうちに残喘余命を託する身がいつ何時いずこへ転居するかも計りがたく、昔の人は一戸を構えるのを一人前の証拠のように言いはやしているが、必ずしも語弊とまでいえないであろう。毎日書斎で読書冥想、昼寝も時々している。しかし次から次へと雑用ができ、心は案外平穏ではない。子どもも見る間に成長した。何となく後ろから追いかけられるように思われる。早く何事かを成し遂げて生涯を終えたい。一日が四八時間になるか、脳が二通りできるか、いずれかにしたい。しかし、半生の鴻爪《こうそう》（自分の生きてきたこれまでの足跡）は全く痴夢に等しく、このまま枯れ木となっても苦しからず、そう観念して開き直ると、呑気になる。漱石は教師から作家への人生の一大転機に当たって、大事業を成し遂げるか、このまま「枯木」で終わるか、気の置けない奥を相手に飾らない真情を吐露したものと見える。

一九〇八（明治四一）年八月、第五高等学校教授奥 太一郎は五高の英語教師を探しに上京した。夏目漱石に相談するため、早稲田南町の漱石山房を訪問した。同月一六日、五高の教え子だった寺田寅彦[63]は漱石宅を訪問した時、五高が英語教師を探していると聞いた。寺田はその日午後一六、七年ぶりに面会した藤田貞次が教師の口を探していたので、藤田を奥に推薦しようと奥の宿所を探した。奥の宿所はわからないが、目白の日本女子大学校の麻生正蔵[64]が知っているかも知れないというので、寺田は麻生に問い合わせの手紙を出した。同月一九日、寺田は奥の宿所を聞くため、前第五高等学校校長桜井房記、前第五高等学校教頭渡辺又次郎[65]および第一高等学校に行って尋ねたが、わからなかった。漱石山房を訪ね対策を相談する。翌二〇日、寺田は奥 太一郎の宿所を聞きに日本女子大学校晩香寮に麻生正蔵を訪問したが、やはり、わからない。徳富（名は不明。蘆花か）方へも問い合わせたが、わからない。漱石山房に廻ると、一高の森巻吉[66]、西村濤蔭[67]が来合わせていた。昼食を食べながら、相談をする。二一日、奥から寺田に葉書が来た。桜井房記方で寺田が奥の宿所を尋ねていることを聞いて、奥の宿所を知らせて寄越して来たものである。二二日朝もしくは二三日朝九時までに来るようにとのことであった。翌二二日、寺田寅彦は朝六時四〇分巣鴨発の汽車で大久保に行き、奥 太一郎を訪問した。昨夜は外泊したそうで、しばらく待った。九時ごろ奥は帰宅、一〇年ぶりに寺田に面会した。五高英語教師選考の件で藤田貞次推薦を依頼した。藤田推薦のことは既に由比質《ただす》(68)より聞き知り、候補者の一人になっている由である。帰りに漱石を訪ね、経過の報告をした。しかし、寺田の推薦した藤田貞次は五高に採用されず、同年一〇月二五日夜、藤田が寺田を訪ね、近日中に熊本県八代中学校に赴任することが決まったと報告した。

一九〇九（明治四二）年七月三一日、漱石は奥 太一郎から照会文を受けた。誰の問い合わせなのか、わからない。やはり、人事に関する照会であろう。

一九一〇（明治四三）年六月一八日、血便反応があり胃潰瘍の疑いがある漱石は、麹町区内幸町の長与胃腸病院に入院した。七月三〇日、奥 太一郎が熊本から出京して、長与胃腸病院に漱石を病気見舞いに訪問した。翌三一日、漱石は長与胃腸病院を退院した。同年八月六日、転地療養のため、修善寺に向かい、同月二四日、大吐血し、「三〇分の死」を体験した。いわゆる修善寺の大患である。

かねて熊本の福音路帖《ルーテル》教会では宣教師宅を教室としたり、東子飼町の仮教室で神学学習を続けたりして、神学校設立を準備していたが、ようやく一九一一（明治四四）年四月一五日、熊本市外大江村字本で開校式をあげた。九州学院が男子中学校として開校したので、九州学院内に移転し、九州学院神学部と呼ばれた。九州学院初代院長遠山参良、主事C・L・ブラウンを中心に教職員の人選が進められ、五高教授奥 太一郎も非常勤で予科生に心理学・論理学を教えた。

六

一八九八（明治三一）年四月、岡山県津山中学校から第五高等学校に着任して以来一六年間精励恪勤した教授奥太一郎は、一九一四（大正三）年二月六日、満四三歳で官学を退き、私学に転進した。すなわち、長崎の私学活水女学校に教頭として迎えられ、英語・修身・教育学を担当した。奥は活水女学校への転出を夏目漱石に知らせた。漱石から丁重なるお祝いの返信が来た。(69)

拝復今度愈《いよいよ》御辞任の上長崎の方へ参られる事になりたる由拝承致候大兄の熊本行は実は小生の推薦の由それは御手紙にて漸く思ひ出したる位十六年の昔故それも道理かと存候然し大兄は小生の配慮を恩義の如く感ぜられわざ〳〵の御手紙小生は甚だ恐縮致候小生在熊中こそ種々御世話に相成御蔭にて左したる公務上の不都合もなく無事に引上げ候段深く感謝致居候大兄も十六年後の今日漸く別方面へ活動の余地をつくる為めの御転任なれば小生はたゞ心中より喜び申候長崎着の上は女子教育の方にて充分の御成効乍蔭切望致候先は右御挨拶迄匆々頓首

二月八日　　　　　　　　　　　　　　夏目金之助

奥太一郎様

奥は漱石の推薦によって五高に採用されたことを恩義に感じ、終生忘れなかった。だから、節目節目の消息を欠かさず、礼を尽くしていたのであろう。採用時にお世話になったことはそのつど触れることはなかったけれども、今度五高を退職するに当たって、漱石のお蔭で官学に勤務することができた感謝の言葉を書いたものと思われる。漱石は自分の推薦で奥が五高に採用されたことを失念していたのを思い出した。そして、私学の女子教育で新天地を開き、別方面の飛躍を期待し、祝福を送ったのである。長崎での現住所は活水学院の履歴書によると、長崎市今町三九番地であった。

奥 太一郎の活水女学校教頭就任は、活水学院高等教育の将来像と関連があるようである。つまり、高等科を発展充実させ、[70]活水女子専門学校設立を志向し、教師陣を増強していた。先ず外国人宣教師を七名内外に増加した。また従来中等科高学年からラテン語、高等科からギリシャ語、第二外国語としてドイツ語も学ばせていた。しかし、一九一四（大正三）年六月、古典語、ドイツ語を廃止し、専門学校設置認可申請書では外国語は英語だけとなり、授業時数は英文科予科一年で一五時間、二年で一二時間、本科で一〜一二時間と、英語に集中された。だから、英語教師の増強が急務になったのである。従って、奥 太一郎の教頭就任は活水女子専門学校英文科設立のための布石であったのである。

専門学校設立を目指すためには財政的基礎を確立しなければならなかったので、財団法人の活水女学財団を組織した。その最初の理事一二名が決まり、活水女学校教頭奥 太一郎もその一人となった。一九一八年七月一日、専門学校設置認可申請書は文部省に申請された。一九一九（大正八）年三月一三日、各種学校としての活水女学校から切り離して、予科二年本科四年制、人文科と英文科を置く専門学校として認可された。

同年四月、奥 太一郎は活水女学校教頭兼活水女子専門学校教授となった。やっと軌道に乗った翌一九二〇年三月、活水女子専門学校校長マリアナ・ヤングは帰国した。

奥 太一郎は五高で同僚（英語）だった遠山参良九州学院長から誘われていたので、九州学院に転任することになった。しかし、新任の校長ホワイトの要請もあり、校長を輔佐するため、赴任を三ヶ月延期して、一九二〇（大正九）年九月、九州学院教頭となり、修身（聖書による道徳教育。キリスト教人格教育）・英語を担当した。[71]九州学院には神学部（ルーテル神学大学）があり、奥は日本福音ルーテル教会熊本教会に属し、神学部でも英文学を教えた。一九二一年二月二四日、熊本教会から分離して九州学院教会（現・大江教会）が設立されたが、奥は妻キクと共に九州学院教会に移籍した。[72]「九州学院教会憲法」には妻キクと共に署名している。なお、九州学院寄宿舎を背にした九州学院神学部教授たちと神学生たちの集合写真（一九二一年撮影）がある。前列中央に創立者C・L・ブラウン博士、左隣に奥 太一郎が座っている。

一九二三（大正一二）年五月、日本女子大学校教授として、東京に赴任した。この日本女子大学校への招聘はたぶん第二代校長麻生正蔵の働きかけであろう。麻生が奥 太一郎を日本女子大学校に招いたのは、同志社の先輩後輩の関係であったこと、北越学館で同僚となったことからであろう。前述のように、一九〇八年八月、奥 太一郎が五高英語教師探しに上京した時、寺田寅彦が奥の居所を探すため、日本女子大学校の麻生に問い合わせたことによっても、麻生と奥との深い関係を寺田が知っていたことがわかる。

二五年八月、日本女子大学校の桜楓会夏季英語講座の講師を岸本能武太、正田淑子と共に勤める。[73]『日本女子大学英文学科七十年史』では、

「せいはお高くはなかったが、一寸外人らしい御容貌で、その御授業には、何となく気楽に寛げる雰囲気があった。Dickens の“The Cricket on the Hearth” などをテキストに読解を担当されたが、文法の御説明は大変くわしかった。留学された上代先生のあとを引き継ぎ、附属高女でも教えられたが、惜しいことに昭和三年一〇月一三日、五九才で逝去された。」

とある。ここでも、誠実で生真面目な一面がうかがえる。東京でも日本福音ルーテル教会東京教会に所属して、平信徒として堅実な信仰を守り、良風を後進に永く遺した。

碓氷英学校・北越学館・東北学院・津山中学校・活水女子専門学校・九州学院・日本女子大学校での奥 太一郎の動向について、調査不充分のため、除籍謄本、履歴書、業績、本人の回顧追想、同僚教え子の回想挿話類は直接資料不足の難点を免れえない。漱石との交流は一九一四年二月八日付奥 太一郎宛書簡が最後で、漱石は一九一六（大正五）年一二月九日、四九歳で易簀した。

思うに、奥 太一郎は温厚誠実、律儀な性格で、学生生徒にも信頼されていたからであろうか、

五高教師たちからは、責任のみ重く、嫌われ、煩瑣で多忙な舎監、生徒監、生徒課主任を永年精勤し、「職務勉励ニ付其賞トシテ金百円下賜」という賞金を一六年間で十回もらっている。その賞金の金額は上昇して二百五〇円にまで達した。前述のように一九一〇（明治四三）年四月一五日には一二年間一日も欠勤なく職務に尽瘁し、教員として模範とすべしという賞状を文部大臣から受けた。これらは奥の勤勉さを表しているが、一方、謙遜な態度、義理堅い忠実さは、派手さに欠け存在感の希薄さに通ずる。五高に一六年間在職した割にエピソードに乏しい。[74]『龍南回顧――第五高等学校創立八十周年記念出版――』には五高の教官・卒業生一五六編の回顧文が収録されているが、そのうち奥 太一郎在職当時の卒業生は三六名執筆している。その中で思い出に残る恩師として奥 太一郎に触れた卒業生は、たった二人桜井時雄（一九〇七年・一部卒業）と大野久磨夫（一九一三年・一部）だけである。桜井は奥の名を挙げただけ、大野は寄宿舎で大暴れして舎監の奥から「このようなところで飲み食いはやめろ」と叱られたことを書き記している。謙虚で地味な性格だったので、質実剛健、剛毅朴訥の風がある五高生の印象に明記されなかったのであろう。前記の『日本女子大学英文学科七十年史』の回想記にしても、五年という短期間ではあるが、地味で簡略な描写にとどまっている。

七

奥 太一郎は一中学校教諭に過ぎなかった自分を高等学校教授に引き上げてくれた第五高等学

校教授夏目金之助（漱石）を、終生恩義に感じて兄事した。漱石もまた温厚な奥 太一郎を弟分のように鍾愛した。五高で僅か二年四ヶ月（奥の五高赴任から漱石の離熊まで）という短期間ではあるが、帝大時代から知友であった菅 虎雄、狩野亨吉、山川信次郎を除けば、思いの外、濃密な交友関係を結んだ。しからば、漱石の作品上に何らかの影響を与えたであろうか。残念ながら、明確に奥 太一郎を描いたと思われる登場人物は、見当たらない。割合に地味で温和な奥は、漱石と共に謡曲を嗜んだが、俳句は勧められたと思われるにも拘らず、遂に句を残さなかった。

奥はキリスト教学校同志社に学び、碓氷英学校・北越学館・東北学院・活水女学校・九州学院・日本女子大学校のキリスト教学校で教鞭を執り、クリスチャンの妻を娶り、熊本・東京では日本福音ルーテル教会の堅実な信仰者であった。いつどこでキリスト教の洗礼を受けたかは、厳密にわからないが、兄亀太郎や菊次郎が、青年時代に京都で新島襄の影響で受洗したので、太一郎も京都時代に入信したであろう。一八九七年一一月調査の『基督教名鑑』（教文館、一八九八年一月二八日）には「岡山県津山尋常中学校　（教頭）（組合）奥　太一郎」とあり、一八九八年一一月調査『基督教名鑑』には「熊本市第五高等学校　（教授）奥　太一郎」とあり、『日本基督教徒名鑑』（谷龍平、中外興信所、一九一六年二月二五日）では「長崎県　活水女学校」に「教員　奥 太一郎　長崎市今町一八ノ三」とあり、終始敬虔な信仰を持ち続けたことが覗える。五高時代は遠山参良・木村邦彦・丸山通一たちと五高キリスト者の集まり(75)「花陵会」の賛助会員になっていた。キリスト教に一定の距離を置いていた漱石と宗教上でどのような接点があったか、痕跡は見つからない。

奥は英語英文学研究者としての研究論文・著書・翻訳書などを残していない。第五高等学校時

代の奥 太一郎出題自筆の試験問題は、東北大学漱[75]石文庫目録データベースとして「漱石文庫マイクロ版集成」に保管されている。また、五高時代の奥 太一郎出題試験問題は現在も熊本大学五高記念館に保管されているということだ。熊本時代の漱石年譜は熊本大学に保管されている旧制第五高等学校関係資料を調査した[76]「熊本時代の漱石年譜」が、資料的に最も詳細である。この中に奥 太一郎に関したものが、一一項目にわたって記載されているが、繁雑になるので本論考ではすべて触れることをあえてしなかった。

奥 太一郎は強烈な個性の持ち主ではなく、むしろ控え目な謙虚な人物だった。漱石から「大兄などの様な真面目な人」（一九〇三年七月三日付）や「大兄の如き人は始終一日の如く御勤め」（一九〇五年一〇月二〇日付）と書かれ、謹厳実直を絵に描いたような人物として受け取られ、小説のモデルにはなりにくい。従って強いて挙げるならば、「坊っちゃん」の中の「うらなり」的な「温良篤厚の士」であろう。

しかし、「うらなり」ほど、不当なことと知りつつ、抗議もせず、唯々諾々として長いものに巻かれる「底の知れないお人好し」ではない。奥は舎監、生徒監として質実剛健の五高生徒と永年渡り合ってきた。放埒無頼の青春真っ盛りの五高生を相手にすることが、いかに難儀なことか、漱石は既に「坊っちゃん」の中で描いている。教師たちから嫌がられる舎監を、漱石は「舎監抔は一日も致すべきものに無之と存候」（一九〇五年一〇月二〇日付）といい、奥の真面目に感嘆している。舎監や生徒監という教師側の先頭に立って、生徒側と折衝していくことは、教師たちの信頼がなければ、単にお人よしだけでは勤まらない。奥 太一郎が永年にわたって舎監の煩瑣な職務を、重責を負って遂行したことは、教師としての使命感や人間としての人間愛があったればこそと言える。それはクリスチャンとして彼の良心の問題であろう。

その点で奥 太一郎は五高英語教師の人事にも関与する積極的一面もあり、活水女学校や九州学院では教頭という管理職になり、活水女子専門学校認可を目指して活水女学財団の理事の一員になった。かくて奥 太一郎は、「うらなり」の「底の知れないお人好し」から脱却している。

漱石が「坊っちゃん」を執筆したのは、一九〇六（明治三九）年三月一七日ごろから三月末まで、「うらなり」を造型する時、奥の人の好さが念頭に浮かんだかもしれない。奥 太一郎宛の書簡でいうと、一九〇五年一〇月二〇日付から〇六年一二月二二日付までの間、この二通の書簡を詳細に検討すると、「うらなり」の原型をイメージすることができる。そして、主人公「坊っちゃん」の明るさの対極にありながら、「うらなり」の暗さは、送別会において自分を嘲弄愚弄する狸の校長や赤シャツ教頭に恭しくお礼を言う馬鹿馬鹿しいほどの善良さによって、「坊っちゃん」や山嵐のほろ苦い共鳴を呼び起こす役割を担った。漱石もまた営々と舎監の職務に尽瘁する奥 太一郎の中に、己にない一途な教育の原点をみる思いを禁じ得なかったであろう。こう考えると、奥も漱石の作品にある彩りを添えた一人の人物といえるのではなかろうか。

〔注解〕

1輝太郎＝『日本キリスト教歴史大事典』（教文館、一九八八年二月二〇日）の「奥亀太郎」（杉井六郎執筆）によれば、輝太郎は長男亀太郎の父で、岩倉具視の家臣、旧名を石川数馬といい、明治維新後、改名したという。次男太一郎、三男菊次郎の父でもある。維新後は岩倉に随伴して京都・東京間を往復したものと思われる。一八八五（明治一八）年一月夫婦ともに受洗して京都四条教会に入会した。

2亀太郎＝『日本キリスト教歴史大事典』の「奥亀太郎」によれば、（生年不詳―一九二四年七月）日本組合基督教会伝道師、教員。父輝太郎・母まつの長男として生まれる。一八七六（明治九）年一二月一〇日西京第三公会創立の日、新島襄から洗礼を受け、七九年一〇月西京第二公会に転会。八一年六月同志社普通科英学校本科を、八四年六月神学校英学校余科を卒業。大西祝らと共に学んだ。八五年二月愛媛県小松教会伝道師、八六年二月今治教会仮牧師、同年一二月～八八年三月熊本草葉町教会主任伝道師、八八年一〇月～九一年二月福岡警固教会牧師、九一年三月～九二年二月島之内教会仮牧師を歴任。九二年六月ハワイ伝道師岡部次郎とハワイに渡り、ホノルル、ヒロ教会を牧し、九四年六月まで日本人移民への伝道、教化に尽くした。アメリカ本土に渡り修学、九九年帰国後は東京で実業界に入り、明治火災保険に勤務。一九〇二年以降は京都第一商業学校教諭として、英語教育に当たった。

【資料】『日本キリスト教歴史大事典』（教文館、一九八八年二月二〇日）「奥亀太郎」（杉井六郎執筆）

3菊次郎＝伊庭菊次郎。一八七三（明治六）年五月一三日、滋賀県大津市堅田生まれ。父奥輝太郎、母美恵（兄亀太郎の母は「まつ」とあるが、後妻かは不明）の三男（『日本キリスト教歴史大事典』「伊庭菊次郎」では次男とあるが、兄は亀太郎、太一郎二人いるので、三男だろう）。母方の家督を継いで伊庭姓となる。一八八五年M・L・ゴードンより京都四条教会で受洗。岩倉具視に勧められ、同志社入学、九二年六月普通学校を卒業、神学校本科に学び、九五年卒業。共愛女学校教師および前橋組合教会副牧師として赴任したが、九八年高等師範学校（現・筑波大学）に入学し、一九〇一年卒業。広島県立師範学校教諭、山口中学校、沼津中学校各教諭を、水戸中学校教頭を経て、一九一一年八月、私立梅花女学校校長に招聘された。一九一三（大正二）年高等女学校となし、二二年女子専門学校を開校し、両校の校長・理事長を兼任した。二七（昭和二）年梅花教会が組織されると、日本組合教会で按手礼を受け、三〇年同教会牧師に就任した。第二次大戦後、新制中学校・高等学校を発足させ、学園復興に当たった。四九年辞任して名誉学園長となる。妻は鑑江、二男二女がいる。一九五六（昭和三一）年一一月一七日死去。

【資料】『信仰三〇年　基督者列伝』警醒社、一九二一年一一年二八日。

『日本キリスト教歴史大事典』（教文館、一九八八年二月二〇日）「伊庭菊次郎」（茂義樹執筆）

4東京府＝第五高等学校保管の履歴書では、「東京府」のみ記されているが、活水学院の履歴書は、区・町・番地が記載されている。

5平民＝五高・活水の履歴書に記載されたまま、記述した。人権尊重の立場から封建身分制を温存した呼称は削除すべきかもしれないが、学術的立場から原文を尊重した。『日本キリスト教歴史大事典』「奥亀太郎」では、父輝太郎は岩倉具視の家臣というから、「平民」は不審である。キリスト教の信仰上の立場から平民を名乗ったものか。

6京都＝本籍が東京府でありながら、京都で出生した経緯は、わからない。父輝太郎(旧名石川数馬)は岩倉具視の家臣だったというから、公家の陪臣である。従って、代々京都で暮らしてきたが、維新後東京に移籍したと思われる。しかし、やはり生活の本拠は京都に残っていたのではあるまいか。亀太郎・太一郎・菊次郎三兄弟は共に京都で受洗し、岩倉具視に勧められて同志社に入学した。『同志社校友会便覧』によると、亀太郎・太一郎・菊次郎とも、「出身府県」は「京都」になっている。

7永松小学校＝下京区寺町綾小路下ル東入にあった。現在は不明。

8明倫館＝京都の私塾明倫舎のあとに町衆によって一八六九(明治二)年に創立された学校のことか。当初は下京第三番組小学校といっていたが、後に明倫小学校(京都市中京区室町錦小路上ル)と改称。一九九三(平成五)年閉校。跡地は京都芸術センター。

9同志社学院＝一八七五(明治八)年一一月二九日、新島襄が京都に創立したキリスト教主義私立学校。七六年九月、京都市上京区今出川烏丸東入にある相国寺門前薩摩屋敷跡地の新校舎に移転した。同年秋、熊本洋学校の廃校により、熊本バンドの人々が編入学して英学校は活気を呈した。

【資料】『同志社校友会便覧』今井隆吉編、一九〇〇年一二月二七日。
『同志社百年史』通史編・資料編、一九七九年。

10碓氷英学校＝一八八六（明治一九）年七月、群馬県碓氷郡原市に宮口二郎（原市教会員。政治家・養蚕製糸業者）らによって創立。教科内容は慶応義塾、同志社神学校などの規則書を参考に立案された。教師は同志社に学んだ人物が多かったが、寄付金、生徒が集まらず、運営に行き詰まり、八八年四月に廃止された。奥 太一郎が碓氷英学校に赴任したのが、廃校後の同年一〇月ということは、再建されたということだろうか。

【資料】萩原進『明治時代群馬県史』国書刊行会、一九八〇年一〇月。

『日本キリスト教歴史大事典』教文館、一九八八年二月二〇日、（原誠執筆）。

11北越学館＝一八八七（明治二〇）年一〇月新潟市に成瀬仁蔵らにより開校したキリスト教主義男子学校。一八八八年八月、アメリカ留学から帰国した内村鑑三が北越学館教頭として招かれたが、宗教臭の問題で宣教師・牧師らと対立、一二月、生徒側に立つ内村は辞職した。「北越学館事件」で内村が去った後、麻生正蔵らが招かれ、同志社の後輩奥 太一郎が呼ばれたのであろう。一八九三年三月廃校。

【資料】『日本キリスト教歴史大事典』教文館、一九八八年二月二〇日、（本井康博執筆）。

『近代新潟におけるキリスト教教育――新潟女学校と北越学館――』本井康博、思文閣出版、二〇〇七年一一月二八日。

12東北学院＝一八八六（明治一九）年初夏、押川方義とアメリカ・ドイツ改革派教会宣教師W・E・ホーイが協力して開設した私塾形式の仙台神学校が起源のキリスト教主義学校。九一年に東北学院と改称した。仙台市南六軒丁にあった。

【資料】花輪庄三郎編『東北学院七十年史』『東北学院七十年写真誌』一九五九年七月二〇日。『東北学院百年史』資料編・各論編、三冊、一九八九〜一九九一年。

13 帝国大学文科大学＝一八八六（明治一九）年三月二日、帝国大学令が公布され、従来の東京大学は帝国大学に改組され、大学院と法・文・理・工・医の五つの分科大学（一八九〇年農科大学も加わる）で構成される。

【資料】『東京帝国大学五十年史』上冊、一九三二年一一月。

14 撰科生＝『帝国大学一覧』の「分科大学通則」中に「撰科規程」があるが、その第一条には「各分科大学課程中一課目又ハ数課目ヲ選ヒテ専修セント欲シ入学ヲ願出ツルトキハ各級正科生ニ欠員アルトキニ限リ毎学年ノ始メニ於テ撰科生トシテ之ヲ許可ス」とある。「撰科」は「選科」と書くこともある。

活水女学校提出修業証書（写し）

「

奥太一郎

文科大学撰科生トシテ左ノ科目ヲ修メ試問ヲ完ウセリ仍チ之ヲ證ス

哲学科

哲学概論、西洋哲学史、美学及美術史　Dr. R.Koeber

国文学　黒川真頼　漢文学　島田重禮　漢文学　田中義成

羅甸語　神田乃武　英語　オーガスタス、ウッド　独逸語　Dr. K.Florenz

史学　Dr. Ludwig Riess　史学　箕作元八　力物学　飯島魁

論理学及知識論学　中島力造　　社会学　外山正一　　心理学　元良勇次郎
教育学　野尻誠一　　精神病論　榊俶
右教員ノ証明ヲ認了シ授クルニ修業證書ヲ以テス
明治三〇年五月二五日　文科大学長正一《ママ》位勲三等文学博士　外山正一」

科目担当者の肩書きを省略した。

15尋常中学校＝一八八六（明治一九）年四月一〇日、中学校令が公布され、中学校は尋常中学校と高等中学校の二つに分け、尋常中学校は各府県に一校設置した。一八九九（明治三二）年二月中学校令が発令され、五月から尋常中学校は中学校と改称され、一九四八（昭和二三）年四月、戦後の学制改革で新制の高等学校となった。高等中学校は一八八六年に全国五校（第一東京、第二仙台、第三京都、第四金沢、第五熊本）できたが、一八九四（明治二七）六月二五日、高等学校令が公布され、高等中学校は高等学校と改称され、一九四九年四月、戦後の学制改革で新制の大学に移行した。

16尋常師範学校＝一八八六（明治一九）年四月一〇日、師範学校令が公布され、各県に尋常師範学校（小学校教員養成）を設置し、東京に高等師範学校（中等学校教員養成）を設置した。

17第五高等学校＝一八八六（明治一九）年一一月三〇日、高等中学校の設置区域を定め、長崎・福岡・大分・佐賀・熊本・宮崎・鹿児島の七県を第五区と定められた。一八八七年一一月一四日、第五高等中学校が熊本市黒髪町で第一回入学式を挙行、授業を開始。一八九四年九月、第五高等学校と改称された。

【資料】『五高五十年史』第五高等学校開校五十年記念会、一九三九年三月三日。『五高七十年史』五高創立七十周年記念会理事長　高森良人、一九五七年一〇月一一日。

18高等官＝旧憲法下における官吏等級の一つ。その任免に、天皇の裁可を要するもの。判任官の上位。親任式をもって叙任する親任官と、一等官から九等官に分かれる。一等官、二等官を勅任官、三等官以下九等官までを奏任官といった。

19瑞宝章＝一八八八（明治二一）年、官吏や軍人などの多年功労者に授与するために制定された勲章の一つ。社会・公共のために功労のある者に対して授与される勲章。

20活水女学校＝一八七九（明治一二）年一二月一日エリザベス・ラッセル宣教師によって、長崎に創立された。八二年六月、東山手一三の現在地に校舎を新築。ヨハネ四：一〇にちなんで活水女学校と命名。一八八七（明治二〇）年初等科・中等科・高等科・神学科・音楽科・技芸部を置く。

【資料】『活水学院百年史』一九八〇年三月三一日。

21九州学院＝一九一〇（明治四三）年一月一九日、アメリカ南部一致ルーテル教会宣教師チャールズ・L・ブラウン博士により設立認可される。一九一一年遠山参良初代院長に就任。開校。宣教師宅で神学教育を受けていた者も九州学院神学部に吸収された。第一回入学生一二一人。一九一三（大正二）年文部省より認定。一九一四年校訓を「敬天愛人」と定める。一九一五年文部省より指定。一九一六年第一回卒業式挙行。一九二一年九州学院教会設立。

【資料】『創立二十周年記念誌』九州学院、一九三一年一〇月一日。

『九州学院七十年史』九州学院、一九八一年一〇月三〇日。

22遠山参良＝（一八六六～一九三二）英語学・教育者。熊本県八代郡鏡町生まれ。熊本私立古城洋学校、同志社を経て、長崎の加伯利学校（鎮西学院）を卒業。アメリカ・オハイオ州ウエスレアン大学卒業、長崎県私立鎮西学院教師、活水女学校講師。一八九九年八月七日、第五高等学校英語講師、一九〇〇年一月二二日、同校教授。一九一〇年九月三〇日、退官、講師。一九一一年私立九州学院初代院長。一九一八（大正七）年一月一一日、福岡女学校初代理事長に就任。一九三二（昭和七）年院長のまま召天。漱石と遠山との交流については『九州学院七十年史』に述べられている。

【資料】日本福音ルーテル教会編『キリストの証人』一九六九年。

稲富肇『故遠山参良先生』一九三三年一二月。

23日本女子大学校＝一九〇一（明治三四）年四月二〇日成瀬仁蔵らによって創設された女子高等教育専門学校。二代目校長麻生正蔵と協力して単なる良妻賢母主義ではなく、「人として、婦人として、国民として」人間教育を第一とし、「信念徹底」「自発創生」「共同奉仕」の三つを教育実践綱領とした。一九四九（昭和二四）年四月、新制大学となり、「日本女子大学」と改称。

【資料】中村政雄『日本女子大学校四十年史』一九四二年四月。

24狩野亨吉＝（一八六五～一九四二）哲学者、教育者。秋田県大館町生まれ。一八九〇年帝国大学哲学科卒。四高、五高教授・教頭、一高校長、京都帝国大学文科大学初代学長。晩年は書画鑑定・著述業。

【資料】『狩野亨吉遺文集』安倍能成編、岩波書店、一九五八年一一月一日。
『狩野亨吉の生涯』青江舜二郎、明治書院、一九七四年一一月三〇日。後に中公文庫。
『狩野亨吉の思想』鈴木正、第三文明社、一九八一年三月三〇日。後に平凡社ライブラリー。
『伝・狩野亨吉』渡部和夫、秋田魁新報社、一九八五年四月。

菊池謙二郎
『菊池謙二郎』森田美比、耕人社、1976年9月10日

25菊池謙二郎＝（一八六七～一九四五）歴史学者、教育者。号は仙湖。水戸生まれ。一八九三年帝国大学国史学科卒。山口高校教授、一八九五年八月～九七年三月津山中学校長、二高校長、東亜同文書院教頭兼監督。南京三江師範学堂総教習。水戸中学校長。衆議院議員。『新定東湖全集』刊行。菊池は津山中学校で九ヶ月間奥 太一郎の上司だった。

【資料】『菊池謙二郎』森田美比《よしちか》、耕人社、一九七六年九月一〇日。

26赤木通弘＝宮崎県生まれ。一八九七年帝国大学哲学科卒。一八九七年九月九日から九八年一月一二日まで五高で英語・論理学教授。

27奥泰二郎＝一八九七（明治三〇）年一二月一七日付菊池謙二郎宛漱石書簡「津山尋常中学の英語教授奥（泰二郎氏か）は其後矢張同校に奉職被致居候や――中略――奥氏待遇上の希望抔も序に御問合被下度候又同氏は検定試験合格者と記臆致し居候が如何それも御知らせを乞ふ」（岩波書店『漱石全集』第二二巻、書簡番号一三八、一九九六年三月一九日発行）。「奥 太一郎」の誤り。漱石石の記憶違い。

28神田乃武＝（一八五七〜一九二三）英語学者。東京生まれ。神田孝平の養子。アマースト大卒。一高教授、帝国大学教授、外国語学校長。学習院教授、貴族院議員。

【資料】『神田乃武先生　追憶及遺稿』刀江書院、一九二七年七月一五日。

『近代文学研究叢書』第二三巻、昭和女子大学、一九六五年。

29月俸六五円＝一八九八（明治三一）年三月七日付奥 太一郎宛漱石書簡「待遇は六拾五円の月俸にて当分嘱托と申す条件に有之候」（『漱石全集』第二二巻、一四七）

30三月一八日＝一八九八年三月一八日付奥 太一郎宛漱石書簡「不得已事故御出来の由にて御転任なりがたき由敬承仕候左りながら今回の事は御申越の如くに貴電到来の日迄最後の手続見合せ居後御申越により始めて文部省へ上申仕候次第にて当校にては既に大兄のみ宛に致し居候事とて只今に至り御断候にては小生が学校に対する信用の失墜は兎角校長及び教頭の迷惑は然当の事と存候因て御事情の如何に関せず直ちに返電差上候次第不悪御諒察被下度右甚だ我儘の申条かは存じ不申候へども愚見相述御再考願い度と存候」（『漱石全集』第二二巻、一四九）

31中川元＝一八五一〜一九一三。教育者。長野県飯田生まれ。貢進生に選ばれ、大学南校に学ぶ。東京外国語学校教諭。文部省に入る。フランス留学。文部卿秘書官。文部省視学官。第四高等学校長、第五高等学校長、第二高等学校長。仙台高等工業学校長。

【資料】『中川元先生記念録』故中川先生頌徳謝恩記念資金会、一九一八年三月二六日

「中川元小伝」中川浩一『旧制高等学校史研究』七〜九号、一九七六年一、四、七月。

32『漱石の思ひ出』＝『漱石の思ひ出』夏目鏡子述、松岡譲筆録（改造社、一九二八年一一月二三日）「八　『草枕』の素材」。「蚕の頃になつて、狩野亨吉さん、山川さん、奥太一郎さん、木村さん、それに夏目の五人連れで、朝早く小天にいつて、湯の浦の別荘で中食をしたため、本宅がみたいからといふので、姉さんが案内されたさうです。本宅といふのは湯の浦の別荘から少し離れた山の中腹にあつて、白く塗ってあつて、遠見は丁度城のやうな家ださうで、二三里も先きからみえたといふから大したものだつたでせう。」

山川信次郎
松岡譲編『漱石写真帖』1929年1月9日刊、富士登山、1891年夏、新シ橋丸木利陽撮影

33山川信次郎＝（一八六七～？）英語教育者。埼玉県入間郡原市場村生まれ。第一高等中学校卒、帝国大学英文学科卒。五高教授、一高教授、浄土宗大学宗教大学英語教授、長崎高等商業学校教授、東京高等師範学校講師、五高教授。一九一五（大正四）年七月、休職満期。漱石は若いころ山川と親しかったが、晩年山川に対して批判的になった。

【資料】『夏目漱石と菅虎雄——布衣《ふい》禅情を楽しむ心友——』「膠漆の友去る」原武哲、教育出版センター、一九八三年一二月。

34木村邦彦＝英語担当。一八九八年八月一九日講師。九九年九月五日教授。一九〇一年五月二九日辞任（『五高五十年史』一九三九年三月三日）。小天温泉行が五、六月ごろであるとすれば、八月赴任の木村は参加していないことになる。

35前田案山子＝前田覚之助。大同倶楽部領袖。第一回衆議院議員。熊本県玉名郷区長。帝国議会の三美髯の一人。

36前田卓子＝（一八六八～一九三八）前田案山子の二女。一度結婚して離婚、実家に帰っていた一八九七（明治三〇）年暮れ、漱石と山川信次郎が小天温泉に来た時、初めて会う。「草枕」那美のモデルと言われている。後に結婚して東京目白の奥の雑木林の中の一軒家に住んでいた。

【資料】岩波書店『漱石全集』月報、第一号「漱石先生言行録一」『草枕』の女主人公」一九三五年一〇月。

37元日の屠蘇＝〔子規へ送りたる句稿　三二　七五句〕（一八九九年一月）（『漱石全集』第一七巻、一四三一～一四九六）

38桜井房記＝（一八五二～?）教育者・物理学者。石川県金沢生まれ。貢進生、大学南校物理学科卒業。東京師範学校、フランス留学、東京高等師範学校、一八九〇年二月一二日第五高等学校教頭、一九〇〇年四月一三日五高校長。一九〇七年一月一六日依願免官。日置流弓術の免許状を持ち、宝生流能楽の奥伝に達し、脇能の免許も持っていた。

39第五高等学校卒業記念写真＝『漱石写真帖』松岡譲編、（第一書房、一九二九年一月九日）五一。

40書簡＝一八九九年七月一二日付狩野亨吉宛漱石書簡「地方より東京へ転任と云ふ点より見ればことに本人の請願とある上は年俸千円にても不都合は無之べきか」

41熊本女学校＝一八八六（明治一九）年、徳富久により女子教育機関設立が発案、八七年三月、世話人不破つる、教育担当徳永規矩夫妻により熊本女学会を発足。同年五月創立の英語学会

（熊本英学校）附属女学校となる。初代校長は海老名弾正。英学校は九六年三月廃校となるが、九七年一月女学校は再認可され、三月竹崎順子校長となる。一九二九年二月大江高等女学校認可。一九四八年四月大江女子高等学校となり、大江高等学校、フェイス女学院高等学校、熊本フェイス学院高等学校となる。卒業はしなかったが、高群逸枝も通学した。

【資料】『七十五年の回顧』大江高等学校抱節会、一九六三年六月一〇日。

大江高等学校編『創立九〇周年記念誌』一九七八年。

42竹崎順子＝（一八二五〜一九〇五）教育家。肥後上益城郡津森村の惣庄屋矢嶋直明の三女。妹に徳富一敬の妻久（蘇峰・蘆花の母）、横井小楠の妻津世子、矢嶋楫子らがいる。一八四〇（天保一一）年玉名郡伊倉の農家竹崎家の養子律次郎（茶堂）と結婚。熊本に出て、夫が経営する日新堂で女生徒を教えた。八七（明治二〇）年一〇月熊本で受洗。八九年熊本女学校初代舎監。九七年熊本女学校校長となり、八年間校長として学校運営にかかわり召天。校母と讃えられた。

【資料】徳富健次郎（蘆花）『竹崎順子』（福永書店、大正一二年四月二一日。後に『蘆花全集』第一五巻、新潮社、昭和四年一一月五日に収録）。

『七十五年の回顧』大江高等学校抱節会、一九六三年六月一〇日。

上村希美雄『民権と国権のはざま』「みそ汁ヤソの灯――竹崎順子」葦書房、一九七六年二月二〇日。

43熊本草葉町教会＝日本基督教団教会。一八八五（明治一八）年七月、同志社卒業の辻密太郎によって熊本伝道が始まる。八六年一二月、五代目伝道師奥亀太郎が来任、八七年英語学会（後の熊本英学校）を創立して同会主任を兼ねた。同年宣教師O・H・ギューリック夫妻が着任して、教会と学校を助けた。同年九月、海老名弾正が赴任して牧会三年、その間、海老名は熊本英学校、熊本女学校の校長も兼ね、教勢は盛んとなり、講義所は仮教会に認定された。海老名の転出後、一年間柏木義円が牧会。三度の移転後、九二年熊本市草葉町の現在地に新会堂が落成。同年熊本英学校事件が起こり、同校は分裂、後に廃校となり、教会の信徒は四散した。九七年藤原直信の赴任により教会の新たな基礎固めがされ、一九一三（大正二）年和田信次の就任に際し、教会は独立して日本組合熊本基督教会と称した（『日本キリスト教歴史大事典』教文館、一九八八年二月二〇日。矢崎邦彦執筆）。

【資料】『日本組合熊本基督教会沿革』一九二六年一月。
国宗晋『熊本草葉町教会物語』全二巻、一九六一年四月。

44 八四歳＝『七十五年の回顧』（大江高等学校抱節会、一九六三年六月一〇日）中村アイ「ありがたい学校」による。九〇頁。

45 浜屋＝浜崎曲汀「熊本時代の夏目漱石」（『文芸春秋』一九三四年七月号）による。「浜屋」は「現・熊本県八代市日奈久中西町四一八、福田クリニック産婦人科内科のあたり」という。村田秀明・谷口絹枝「熊本時代の漱石年譜」『方位』第一九号「熊本の漱石」熊本近代文学研究会、によれば、日奈久温泉地図および浜屋については、日奈久観光案内および武士屋旅館の穂多田正典の情報である。

46 藤代禎輔＝（一八六八〜一九二七）独文学者。号は素人。千葉県検見川生まれ。帝国大学独文学

藤代禎輔
原武 哲著『夏目漱石と菅虎雄』教育出版センター、1983年12月刊、1900年7月、今井直撮影、菅 高重氏提供

科卒。第一高等学校教授、東京帝国大学講師、ドイツ留学、京都帝国大学教授、京都市立絵画専門学校長兼京都市立美術工芸学校長。京都帝国大学文学部長。

【資料】『芸文』藤代博士追悼号、京都文学会、一九二七年七月一日。『独逸文学』第三輯、京大教授藤代博士追悼号、東京帝国大学独逸文学研究室、一九二八年六月五日。

『近代文学研究叢書』第二六巻、昭和女子大学、一九六四年一二月一日。


47芳賀矢一＝（一八六七～一九二七）国語国文学者。福井生まれ。宮城中学校卒。大学予備門、帝国大学国文学科卒。第一高等学校教授、高等師範学校教授、東京帝国大学助教授。ドイツ留学。東京帝国大学教授。国学院大学長。

【資料】『芳賀矢一文集』芳賀檀編、冨山房、一九三七年二月六日。

「芳賀先生伝記資料」島村剛一『国学院雑誌』一九三八年六月～三九年一二月。

『近代文学研究叢書』第二六巻、昭和女子大学、一九六四年一二月一日。


48学術上取調＝熊本大学保管旧五高関係資料「奥太一郎履歴書」。

芳賀矢一
『国語と国文学』「芳賀博士追悼号」1927年4月1日刊、1922年4月10日、T. 長谷川撮影

49復命書＝「英語授業視察復命書と奥 太一郎――明治三十年代英語教育史研究（二）――」隈慶秀、『英学史論叢』第九号、日本英学史学会中国・四国支部、二〇〇六年五月二七日。「英語授業視察復命書と奥 太一郎　その二――明治三十年代英語教育史研究（二）――」隈慶秀、『英学史論叢』第一〇号、日本英学史学会中国・四国支部、二〇〇七年五月二六日。

50便り＝一九〇一（明治三四）年七月二二日付漱石日記「熊本の奥」。

51長崎入港＝夏目金之助の「英国留学始末書」（明治三六年一月二六日付、文部大臣男爵菊池大麓宛）によると、「同三六年一月二〇日長崎港着同二一日熊本着」とあることにより、長崎港停泊中いったん熊本に帰任したという説があるが、予定通りに到着・出港しない当時の航海事情や帰国途中の情報不足の中で二二日正午長崎出帆に間に合うように熊本帰任のスケジュールを組むことは実際上困難だろう。もし五高に帰任していたならば、桜井房記校長・渡辺又次郎教頭、遠山参良英語科主任、奥 太一郎たちの出迎えを受けているはずである。しかし帰任した漱石に会った者は誰もいない。漱石は単に書類だけの形式を整えるために虚偽を書くはずはないという意見もあるが、漱石は五高を辞任するために、呉秀三に神経衰弱の診断書を書いてくれるよう、菅 虎雄に依頼しているところをみると、形式を整えることに対して厳格には考えていないと思われる。

52中根重一＝（一八五一～一九〇六）官僚。漱石の岳父。広島県福山生まれ。貢進生、大学東校入学、中退。新潟医学所助教授。法制局参事官兼書記官、逓信省参事官、貴族院書記官長。長女鏡子が漱石と結婚。行政裁判所評定官、内務省地方局長。晩年は借金に苦しめられ、金策と就職運動に奔走した。娘婿漱石の青臭さが気に入らず、疎遠になった。『道草』の細君（御住）の父（健三の岳父）のモデル。

【資料】『漱石と越後・新潟』安田道義、新潟日報事業社出版部、一九八八年。

53 〇三年三月八日＝一九〇三（明治三六）年三月八日付奥 太一郎宛漱石書簡「矢張熊本向へ下向の筈の処色々事情有之当地にとゞまる事と相成候に就ては当分乍遺憾不得拝顔目下英語部の状況如何に御座候や」（『漱石全集』第二二巻、二六一）。

54 スウィート＝漱石の表記は「スヰート」。William Edward Laxon Sweet 第五高等学校長桜井房記の依頼（一九〇一年五月二三日漱石日記）で西洋人の英語教師一名を五高に招聘したいので人選を任された。King's College の Prof. Hales に手紙を出し、候補者の推薦（二九日日記）を依頼した。六月八日、King's College で Sweet に会う。一四日、Sweet からの手紙で質問があったのだろう、返事を書く。桜井校長にも手紙を出す。Sweet からの返事では三年契約を希望している。二二日、King's College で Sweet と再度会う。これで Sweet の日本行きはほぼ決まったと思われる。八月一〇日、桜井校長から電報が着たが、たぶん Sweet の採用人事が決定したのだろう。その日に Sweet に手紙を出している。三〇日、漱石は Albert Dock に日本に赴任する Sweet を見送った。漱石が世話したので、Sweet の五高での評判は気になっていた。一九〇一年一〇月一六日就任、一九〇六年七月三一日（『五高五十年史』では〇六年であるが、『五高七十年史』では〇九年とある。どちらが正しいか未調査）退任した。三年契約を希望していたが、五年間在任したところを見ると、よほど評判がよかったのであろう。

55ファーデル＝Henry L. Fardel 一八六六年一月一八日、スイス生まれ。一八八四年、ローザンヌ大学においてバッチェロラー・オブ・アーツの学位を取得。一八八七年来日、横浜ビクトリア学校の副校長、九二年校長となる。一八九四年一二月一日、ラフカデオ・ハーンの請いにより五高に就任。英語・フランス語担当。一九〇三年七月三〇日退任（『五高五十年史』による）。漱石の五高在任はファーデルと完全に重なる。ファーデルの五高解職の理由はわからないが、一九〇三年、東京高等商業学校（現・一橋大学）に転じ、さらに高知県立第一中学校、上海男子パブリック・スクールなどに勤務、一九二三年九月の関東大震災で亡くなったという。

【資料】「旧制第五高等学校外国人教師に関わる調査・研究（その2）」池辺和彦『熊本工業大学研究報告』第二五巻第一号、二〇〇一年三月。

56同年四月一三日＝一九〇三年四月一三日付奥 太一郎宛漱石書簡「御地英語部内の状況逐々御報知被下先々無事に進行致居候模様安心致居候」（『漱石全集』第二二巻、二六八）。

57同年七月三日＝一九〇三年七月三日付奥 太一郎宛漱石書簡「小生は高等学校と大学とかけもちにて両方とも碌な事は致せもせず致さうともせず勝手好加減主義にてやり居候」（『漱石全集』第二二巻、二八〇）。

58書簡＝一九〇五年一〇月二〇日付奥 太一郎宛漱石書簡「熊本も其後大分移動有之候の様子奈須川君には当地にて一寸面会致候」（『漱石全集』第二二巻、四七七）。このころの奥の住所は熊本市内坪井町一二七番地である。

59奥 太一郎からの書簡＝一九〇六年一一月二二日付奥 太一郎宛漱石書簡「御手紙拝見其後は御

無沙汰実は大多忙にて始終齷齪致し居りたるために候」（『漱石全集』第二二巻、七四五）。

60広田先生の言葉＝「熊本より東京は広い。東京より日本は広い。日本より……」「日本より頭の中の方が広いでせう」（『三四郎』一の八）（『漱石全集』第五巻）。

61俣野義郎＝漱石五高時代の教え子。五高卒業後、東京帝国大学法科大学卒業。満鉄社員、大連海関旬報社長、公益公司出張所長、満蒙経済時報社長、大連市会議員。「多々良三平と自認せる俣野義郎なるもの五六度も親展至急で大学へむけ猫中の取消を申し来る。新聞で広告して取り消してやらうかと云つたら御免と云ふてきました。当人は人格を傷けられたとか何とか不平をいふて居る。呑気なものである。人身攻撃も文学的滑稽も区別が出来ないで自ら大豪傑を以て任じて居るのは余程気丈の至りだと思ふ」（一九〇五年一二月三一日付鈴木三重吉宛漱石書簡）。

【資料】『喪章を着けた千円札の漱石―伝記と考証―』「『吾輩は猫である』中の久留米の住人・多々良三平――畸人・俣野義郎のこと――」原武 哲、笠間書院、二〇〇三年一〇月二二日（本書「⑯夏目漱石の熊本時代の人間関係――門下生俣野義郎と同僚黒本植の場合――」を参照のこと）。

62同年五月二九日＝一九〇七年五月二九日付奥 太一郎宛漱石書簡「其後は打絶頓と御無沙汰に打過候処忽然芳音に接し感謝」（『漱石全集』第二三巻、八三九）。

63寺田寅彦＝（一八七八～一九三五）随筆家・物理学者。漱石・奥五高時代の教え子。五高卒業後、東京帝国大学理科大学物理学科卒業。ドイツ留学後、東京帝国大学理科大学

寺田寅彦
『寺田寅彦全集』1. 五高学生時代、1897 年撮影

教授。「寺田寅彦日記」一九〇八年八月一六日、一九日、二〇日、二一日、二二日（『寺田寅彦全集』第一九巻、岩波書店、一九九八年八月六日）。

64麻生正蔵＝一八六四（文久四）年一月九日、豊後（大分県）玖珠郡東飯田村に生まれ。一八八二年京都の同志社英学校普通科に入学し新島襄に師事した。一八八七（明治二〇）年六月同志社英学校英語科卒業、同年九月同志社神学科に入学したが、八八年帝国大学文科大学哲学科撰科生となる。一八八九（明治二二）年北越学館教授となり、新潟女学校創設に尽力していた成瀬仁蔵や奥太一郎との交流が始まる。九二年成瀬が関係していた梅花女学校教頭に就任した。一八九四（明治二七）年九月から九七年まで同志社女学校専門科の教師を歴任した。成瀬仁蔵と共に日本女子大学校創設に努め、一九〇一（明治三四）年開校とともに学監となり、倫理学、教育学を教授した。一九一九（大正八）年第二代校長になった。一九四九（昭和二四）年一一月二八日、八五歳で死去した。

【資料】『日本女子大学校四十年史』日本女子大学校、一九四二年四月。『麻生正蔵著作集』日本女子大学、一九九二年三月三一日。

65渡辺又次郎＝倫理学・論理学・心理学担当。一九〇〇年八月二日第五高等学校教頭、一九〇七年一月二四日辞任（『五高五十年史』）。『近世倫理学史』哲学館、一八九八年刊。

66森巻吉＝一八七七〜一九三九。英文学者。石川県出身。一九〇四（明治三七）年東京帝国大学英文学科卒業。一九〇九年第一高等学校教授。一九二九(昭和四)年七月二日第一高等学校校長。一九三七年四月二二日退任。

67西村濤蔭＝本名は西村誠三郎。一高を中退か。早稲田大学卒業（「満洲早稲田大学校友会」名簿。『明治四十五年満洲商工人名録』）。小説家志望。漱石の木曜会に出席。『三四郎』『文学評論』の校正を手伝う。漱石から借金する。漱石宅の書生として寄食。夏目家の御手伝いお梅（漱石の媒酌で美添《よしぞえ》紫気と結婚）の兄。一九〇九年満洲に渡り、満鉄、満洲日日新聞社勤務、後に満洲宣伝協会会長。著書に『満洲物語』（一九四二年）。

68由比質＝一八七〇～一九三〇。西洋史担当。高知県出身。一八九六年七月帝国大学史学科卒業。山口高校を経て一九〇七年二月二日第五高等学校教授・教頭・生徒監、一九一三（大正二）一〇月一三日辞任（『五高五十年史』）。第三高等学校教授、一九一九年四月一五日松山高等学校長。第七高等学校長。

69活水女子専門学校＝一九一九（大正八）年活水女学校大学部を改組し、専門学校令により活水女子専門学校を設置し、英文科を置く。一九二二年活水女学校専門部に家政科を置く。

【資料】『活水学院百年史』一九八〇年三月三一日。

70日本福音ルーテル教会熊本教会＝福山猛『日本福音ルーテル教会史』一九五四年四月三〇日、ルーテル社。

71「九州学院教会憲法」＝九州学院高等学校教頭藤本誠氏の御教示によると、

「　九州学院教会憲法

一、名称並ニ所属　本教会ハ日本福音ルーテル教会ニ属シ九州学院教会ト称ス

二、教義ノ基礎

(イ) 神ノ啓示タル旧新約聖書ヲ以テ信仰ト生活ノ規準トス
(ロ) 使徒信経ニケヤ信経アウグスブルグ信条ヲ以テ信仰ト生活ニ関スル聖書ノ教ヲ正確ニ表示スルモノトス
(ハ) ルーテルノ教理問答ヲ以テ求道者及年少受洗者ノ宗教教育ニ最モ適当ナルモノトス

（途中不明）

員会ニ提出シ役員会ハ予メ其ノ修正案ト開会ノ日時及場所トヲ二回ノ日曜礼拝ニ於テ報告スベシ

左記ノ者ハ本憲法ヲ承認シテ九州学院教会ヲ組織ス

大正拾年弐月弐拾四日

」

とある。なお、本憲法を承認し署名した者の中に「奥 太一郎」、「奥キク」の名はあるが、「遠山参良」の名はない。遠山参良はメソジスト会員だったので、自分は九州学院教会には所属せず、妻の「遠山うて」のみ入会している。

72『日本女子大学英文学科七十年史』＝一九七六年七月三日発行。
73『龍南回顧――第五高等学校創立八十周年記念出版――』＝東京五高会（一九六七（昭和四二）年一〇月一〇日）。
74「花陵会」＝『五高・熊大キリスト者の青春――花陵会一〇〇年史――』熊本大学 YMCA 花陵会、

一九九六年一二月一日。

75漱石文庫目録データベース＝奥　太一郎出題の自筆試験問題は八部あり、①工理農一一九〇〇年三月二七日　②工理農二年一八九九年三月三〇日　③工理農一年一八九八年一二月　④工理農一年一八九九年六月二六日　⑤法科一年　⑥法科一年一八九八年六月三〇日　⑦法科一年一八九九年六月二九日　⑧工理農二年一八九九年六月二三日実施のものが保管されている。インターネットで検索できるが、不鮮明で判読困難である。

76「熊本時代の漱石年譜」＝『方位』「熊本の漱石」第一九号、「熊本時代の漱石年譜」村田秀明谷口絹枝、熊本近代文学研究会、一九九六年九月二五日。

〔付記〕

資料収集では三一年前、熊本大学の旧五高関係書類を調査した時のものを使用した。活水女子大学奥野政元学長、九州学院高等学校藤本誠教頭、福岡県立明善高等学校隈慶秀教諭、同志社大学校友平岡正君の御協力には深く感謝申し上げる。

本稿は夏目漱石・寺田寅彦・奥　太一郎・徳富蘆花側からの少ない資料を用いたが、戸籍謄本（除籍謄本）が取れず、遺族・子孫・墓地も不明で、出身校、勤務校からの原資料発掘も個人情報保護の立場から困難を極めている。地道に資料を探索する以外、方法がないのが、実情である。

（『近代文學論集』第三五号、日本近代文学会九州支部、二〇〇九年一一月三〇日）

⑮藤村 作《つくる》と夏目漱石――立花政樹と菅 虎雄とを関連づけて――

過分なご紹介をいただき恐縮しております。私はここで「藤村 作と夏目漱石」というタイトルを掲げたんですけれども、まずちょっと悩んだのは「先生」という言葉を入れるべきかどうか、前の方のタイトルを見ると大抵藤村 作先生と敬称が入っております。私は敬称なしにしてしまったんですけれども、というのは一つは漱石も故人だし、藤村先生も故人でいらっしゃる。それから私自身は藤村先生とは直接謦咳に接したこともございませんし、もちろん直弟子でもありませんので、そういう場合は個人的な関係があれば別ですが、無ければ敬称をつけないのが普通ではないかと思って、こういうふうに敬称なしにしました。

藤村 作
『国文学者藤村 作先生を偲ぶ』東大退官時、1936年撮影

ところがよく考えてみますと、松田紀子先生とご一緒に九大国文科で勉強していた当時の教授で芭蕉研究家の杉浦正一郎という、東大国文科で直接藤村先生の授業や指導を受けた先生が、私達の恩師でございました。それから久松潜一というこれまた東大教授をされて名誉教授でいらっしゃった先生が、集中講義でお見えになりました。松田先生とご一緒に授業を受けて、私の成績は悪かったんでしょうけど、単位だけはいただ

きました。まあそういうことで私達の恩師にあたる先生が、藤村先生のお弟子さんであったと、そういうご縁があったということがまず一つですね、藤村先生や久松先生の孫弟子というのは恥ずかしくてちょっと言えませんけれども。それからもう一つは私は大学時代の卒業論文に井原西鶴を選びました。その当時『譯註西鶴全集』(至文堂)という藤村先生のご本が、至文堂から続々と発行されていました。私は西鶴の中でもあまり人が読まないような地誌的な本で「一目玉鉾」のことを調べていました。その中で藤村先生の『譯註西鶴全集』をずいぶん利用しました。ボロボロになるという程ではないんですが、まあ韋編三絶まではいきませんけれども、一度糸が切れるくらいはよく利用させていただきました。それから新潮社から出た『日本文学大辞典』も、大いに利用させていただきました。そういうことで藤村先生の学問にはたいへんお世話になっております。ですからそういう意味で、藤村 作先生の顕彰会でお話ができるということは、私にとっても名誉だし光栄に存じます。本当にお世話の方々有り難うございます。

　さっそく今日の本題に入りたいと思いますけれども、私の今研究していることは夏目漱石の中でも伝記的或いは考証的なことをやっております。皆さんもうすでにお読みになったと思いますが、藤村先生の『八恩記』の中で夏目漱石のことが出てくるのは、五高時代のことを書かれたところですね。私の資料の中にも引用しておりますけれども、ちょっとご覧下さい。この資料は藤村先生の略年譜と漱石の略年譜、それからサ

立花政樹
『英語青年』1980年12月号

ブタイトルにも書きましたが立花政樹という伝習館の県立になってからの初代館長、それから菅虎雄これはドイツ語の先生、五高で藤村先生が習った先生です。漱石と立花政樹と菅虎雄この三人はいずれも東大時代の今で言うと文学部、その当時は文科大学と言っていますが、その同窓と言っていいでしょう。立花政樹は柳川の出身でしかも東大英文科の第一回卒業生なんですね。日本中で立花政樹は英文学を専攻した文学士として第一号なんです。これは大いに誇っていいことだと思います。その方が伝習館の県立になった時の初代館長ですね。立花政樹と菅虎雄は同期に入学、卒業し、立花は柳川出身、菅虎雄は久留米出身ということで、いずれも筑後の人間です。漱石は二期下なんですね。これは年譜をご覧になればすぐ分かることなんですけれども、英文科は立花政樹が第一回生で、その次の年は専攻生が一人もいません。その次の年に漱石がたった一人です。ですからその当時の英文科っていうのは、実に少数精鋭ですね。今の日本中に大学がいくつあるかよく知りませんが、その中で英語、英文学を専攻する学生は何万人いるか、よくわからないくらい沢山の人が英文科を卒業すると思いますけれども、当時はわずかに一人、次の年はいない、その次の年にやっと漱石が二人目ということでございました。

藤村先生のことについては皆さんすでによくご存じですから、年譜について改めて説明は致しませんけれども漱石との関係で、その前に立花政樹と藤村先生との関係を申しますと、（資料二頁の立花政樹略年譜）一八九二（明治二五）年立花政樹は伝習館の館長になります。その当時は橘蔭学館という名で、私立だったわけですね。藤村先生はどうかというと、それに相応ずるところがまず一八八九（明治二二）年橘蔭学館に入学しまして、それから東京にちょっと出て、蘇峰の『国民新聞』等の関係で一年間居て、また柳川に帰ってきて橘蔭学館の二年生になるわけです。そこで例の学校改革を企てるということで、藤村先生は退学になります。しかしその後また全員復学が出来る。この騒動を収めるために、（今まで藤村先生たちが批判した先生方はかなりやめていく、校長もやめます。）後を収拾する校長には誰がいいかということで、立花政樹が呼ばれるわけです。立花は最初来たときは、そういう乱暴者といいますか、反乱分子は危険だという印象があっただろうと思いますけれども、実際に接してみるとむしろそういう退学させられた人のほうが本当に学校を思う気持ちが強いということが、分かってくるわけですね。そういうことから藤村先生たちはいったん退学し復学しますが、かえってその人たちが真面目に学校のことを思い、勉強もやるということが分かりまして、そういう復学者の方を重く見るようになってくるわけです。その頃文学の方では、『帝国文学』等の雑誌が出来たりして、非常に文学が盛んになってきました。尾崎紅葉などそういう人達もそれに参加したりしておったので、立花政樹は藤村先生に「文学をやりなさい」という指導をされたようです。「じゃあ文学は何をしたらいいでしょうか」と聞いたときに、「国文学をやりなさい」と知恵を授けられまして、藤村先生はその後第五高等学校文科に進学するわけですね。立花政樹館長の助言によって藤村先生は文学、国文学を学んだということが、この『八恩記』の中に書かれております。

藤村先生はその後五高に進学してから、文科ですから（その当時の文科というのは語学が非常に重視されておりました。）英語とドイツ語を学ばれるわけですけれども、この『八恩記』を読みますと、これは私の資料の中の三頁の五、藤村作が描く夏目金之助――『八恩記』四六　英語教師夏目金之助教授――という項目の中に書かれています。「日本一の大学出の夏目金之助教授が松山中学から来られることになった」これは一八九六（明治二九）年のことです。年譜を併せてご覧になれば分かりますね。一八九六（明治二九）年四月、最初は講師だったんですが七月には教授に昇格しています。講師というのはまあ試用期間みたいな形で、数ヵ月講師になりそれから教授。藤村先生が英語を習ったその当時、日本人教師、外国人教師も英語の先生は居られたんですけれども、そういう先生方の英語のレベルというのは、大変低かった。ですから藤村先生のような優秀な学生にはもの足りない。ネイティブの先生は英語は上手、ネイティブですから英語はすばらしいけれども日本語が全然出来ないとか、テキストを読んでも日本語に訳し方が全くまずいわけですね。そういうことで大変不満であった。一方日本人の先生ももの足りないということで、非常に学生の中にも不満があったわけです。伝習館でもそうだったんですけれども、藤村先生ぐらいのすばらしい能力の方というのは、先生達もたじたじ、それで学校騒動が起こったわけです。今度は五高に行っても同じですね。英語の先生にはちょっともの足りないという不満を抱いていた時に、夏目漱石がやって来ました。藤村先生が五高に入学したのは、一年前の一八九五（明治二八）年です。漱石が翌一八九六年五高に赴任します。日本の大学で初めて英語を専攻した日本人の先生が来るということで、大変期待しておりました。その当時の漱石はもちろん小説も書いていませんし、論文をちょっと書いた程度で、正岡子規の弟子として俳句を新聞などに出すくらいの程度で、五高の生徒たちは夏目金之助と言ったって全然知りませんでした。しかし日本の英文科を卒業した先生だということで、生徒たちは期待しておったようです。俳人漱石としては一般にはあまり知られていなかった夏目先生ですけれども、先生は大体解釈を中心としていました。その前の先生たちは注釈を中心として、一つ一つの単語の注釈は詳しくやるけれども、全体として捉える解釈はどうもまずい、日本語そのものがまずい。そういう所に夏目教授がやってきて、小さなことにはあまりこだわらないで大きくつかむ、そういう特色があったようです。

ところが漱石の授業は、学生からはものすごく怖がられていたし、また辛辣な批評をするわけですね。たいへん怖い先生で、しかも辛辣な批評をするということで、生徒たちから一面では反発を食らっているようです。そこにテキストはディッケンズの「オーピアムイーター」をやったと書いてありますけれど、これは間違いです。ディッケンズじゃなくて、これはトマス・ドゥ・クインシーという人の作品です。「アヘン吸飲者の告白」というような日本語のタイトルになっております。オーピアムイーターというのはアヘン中毒者ですね。これはディッケンズが書いたんじゃないんです。ここはどなたが間違われたか、藤村先生が間違ったか、これを記録した人が間違ったのか分かりませんけれども、そういうちょっとした間違いがあります。この「オーピアムイーター」であったと思うが、先生は解釈を主として授業をされ、まず学生を指名する。読んで解釈させるわけですね。その後で、漱石がいろいろ質問をする。それに対して学生が答える、というような形式でやっておったようです。それから今度は生徒の方から質問をさせて、先生がそれに答える。これは他の所にちょっと書いたんですけれども、間違いがあると先生は「君は一体どこから来たか」と言うんですね。その生徒が例えば「修猷館中学から来ました」と答えると、漱石は鼻でフンと言って「君は一体中学で何を習ってきたのか」というように、かなり辛辣にその生徒を罵倒するというか、けなすわけです。そして「中学校からやり直せ」というようなことを言われると、生徒の方は非常に名誉を傷つけられる。自分たちはその中学では秀才で来ているわけです。みんなそれこそ各中学で一人か二人しか合格しないような時代ですから、エリート意識をみんな身につけている生徒たちが、夏目先生からコテンパンにやっつけられるから、「今度の先生は非常に口が悪い」と憤激するわけです。ひとつ夏目先生をやっつけようと、藤村先生のクラスではみんなが分担して、一生懸命下調べをしていきます。こんな質問をしたら恐らく夏目先生は答えることが出来ないだろう、と思ってみんな下調べを深くするわけです。そしていよいよ授業が始まると、生徒が手を挙げていろいろ質問します。ところが夏目先生はそれに対して平然として、滔々とそれに答えるわけですね。どれを質問しても、みんなちゃんとまともな答が返ってくる。とうとう生徒たちの方がお手上げになってしまった。もし「辞書にはこう書いてます」とか言うと、「いやそんな辞書は間違いだから訂正をしとけ」と、辞書の方を直させるとか、そういうようなことがありました。その後は生徒たちも夏目先生にはかなわないと、尊敬をするようになった。正規の授業だけではもの足りないので課外授業をやってもらおう、というような話になります。「課外授業としてはシェクスピアをやって下さい」と生徒たちが言うものですから、ではシェクスピアの「ハムレット」をやろう、それから「オセロ」もやってますね。そういうことで課外授業を生徒たちから求めてくる。これは朝一時間目の前ですね、朝の七時頃からやるわけです。それでも生徒たちは、十分それに食らいついて勉強した、というようなことが伝えられております。夏休みは自宅に生徒を呼んで教えていますけれども、出来ないとガミガミ怒ります。

それを奥さんが裏の方で聞いておって、「あんなに生徒に怒らなくてもいいじゃないですか」と鏡子夫人が言うと。「いやあのくらい言ってちょうどいいんだ。来なくなったら考えるけれども、ちゃんと来るから大丈夫だ」と、奥さんに言ったそうです。

そういうことで、漱石の授業に対する本当に真摯な指導法が学生たちにだんだん伝わってきて、おおいに慕われたというようなことがありました。結局藤村先生の『八恩記』に書かれている所を見ると、「……漱石氏は英文学専攻大学出として、相当の力を持って居られる上に、文豪となられた人だけに、教室に於ける解釈には頗る表現の豊富なものがあって……」と、この「表現の豊富なものがあ」るということは、以前の先生達の解釈は、単語単語の細かいところを、重箱の隅をつつくようにしてやるけれども、全体の解釈はどちらかというとおろそかになっていた。それに対して漱石の方は、細かいところにこだわるよりも大きなところをうまくつかんでいく、しかもその日本語の表現が実に適切であった、というようなことだろうと思います。従来五高の生徒たちが学んだ英語は、テキストを終わりまでやったことがなかったそうですね。結局、始めを詳しくやるもんですから、教科書の途中ぐらいで終わってしまう。教科書を一冊全部読み通したのは、夏目先生から習って初めて経験した、というようなことを他の生徒たちが言っている。せっかく貰ったテキスト、まあ私達もなかなか終わりまで行かないんですけれども、ちゃんと最後まで読むにはかなりのスピードでやらないと、一冊を最後まで読み上げることは難しいですね。藤村先生の場合も、「ハムレット」、「オセロ」は最後までやったと書かれていますので、その作品を最後まで読み通すということは、全体を大きくつかむということで進めていかれた授業が、多かったのじゃないかと思います。注釈中心じゃなくて解釈中心だったと言われてますね。そして藤村先生も、夏目漱石は非常に怖い先生だったということを書いておられますね。

それから『八恩記』の中の「三無記」に、「四十七　当時の独逸語教授」というのがあります。ここで申し上げたいのは菅 虎雄のことですが、菅 虎雄はドイツ語の先生です。菅は東大ドイツ文学専攻の第一期生です。藤代禎輔という人と二人だけが、ドイツ文学専攻の日本で最初の学生なんです。菅 虎雄が一八九五（明治二八）年に、第五高等学校の教授としてドイツ語を教えています。藤村先生は菅 虎雄からドイツ語を習っています。そのことはこの『八恩記』の中に次のように書かれています。藤村先生はドイツから招聘された、日本語を全然知らない青年外人教師からもドイツ語を習っていました。また、外国の本を用いて教える助教授もいました。菅 虎雄は英語を母国一語にしている者のために作られた、「ジャーマン・コース」という教科書を用いました。この教科書は一章、二章と順を追うたもので、その章にいくつかのドイツ語の単語を書いて、その語を組み合わせると、また一つの句なり章なりが出来るようにしてあり、その後に応用問題があるという形で、つまり単語と文法をごく初歩から次に積み上げて、それが積もって全体の力を作り上げていくというものでした。青年ドイツ人教師の授業は全然日本語を解せず、教室に通訳のドイツ語教師が入る始末でした。藤村先生は不満なドイツ語授業の中で、唯一、菅教授の「ジャーマン・コース」が役に立つ授業として賞賛しています。帝大に入学して、フローレンツ博士や藤代禎輔にドイツ文学の講義を聴き理解できたのは、この「ジャーマン・コース」から得た力であったと絶賛しています。

また、菅虎雄について次のようなエピソードを伝えています。当時、五高寄宿舎には美少年・稚児趣味と言いますか、男色愛好。同性愛の流行がありました。藤村先生は柳川にはない、熊本や鹿児島の蛮風と言っておられますが、旧制高校の男子寄宿舎では多かれ少なかれ、どこでもあったようです。男女交際が厳しく禁止されていた封建時代から若衆趣味、男色、衆道は抑圧された、歪曲の性として存在しました。藤村先生は二年生になったので、寄宿舎を出て素人下宿に移りました。同郷の後輩が入学、寄宿舎生活を始めると、この蛮風に悩まされ、先輩の藤村先生に相談しました。藤村先生はもし舎監がよいと言うなら、自分が保護する覚悟で当時舎監だった菅虎雄を訪ねました。藤村先生は伝習館の立花政樹校長から、菅は久留米出身で立派な人格者だから入学したら挨拶するように、と紹介されて家に行ったことがありました。菅舎監に事情を話して、この後輩を寄宿舎から出してもらい、自分が保護すると申し込みました。すると菅虎雄は、「それは困るよ。君も知っている通り、高校生は一年間寄宿舎に入る義務を負っているから、特別な取り計らいは出来ない」と断られました。藤村先生は、「先生が舎監として、万一この後輩の身体に特殊な意味での触れ方をしようとする者があったら、先生がご自分で保護するという保証を与えて下さい」と言われました。菅は、舎監としての責任は負うても、学生のそういう点までは干渉されない。そういう意味での保護は出来るものではないから断る」と言った。そこで藤村先生は「私にお任せ下さい。私が責任をもって保護してやります」と誠心誠意、強く迫ると、菅舎監は「困った、困った」を繰り返していたが、結局菅は決断し、「よし、それでは君に託する」と藤村先生を信頼されました。先生は後輩を呼んで、「舎監の許可が出たから寄宿舎を出て、僕の下宿に来たまえ」と言って、卒業するまで彼と同居、保護しました。藤村先生は菅　虎雄の温情に深く感謝したということです。

藤村先生がお世話になった夏目漱石、立花政樹、菅　虎雄の三人の恩師は、共に一高、帝大の同窓生で深い友情に結ばれていました。菅　虎雄は漱石を松山中や五高に紹介、斡旋し、『坊っちゃん』や『草枕』が書かれるきっかけを作りました。立花政樹は漱石ただ一人の東大英文科の先輩で、漱石英国留学途中の上海や満韓旅行中大連で再会し、『満韓ところぐ〳〵』で懐かしく回顧されています。この三人の恩師に見守られて、藤村　作先生の学問は豊かに奔放に飛躍したと確信します。

ご清聴ありがとうございました。

(「第一七回藤村　作先生を偲ぶ会」講話、福岡県柳川市、於「御花」対月館、二〇〇四年一二月一日)

⑯夏目漱石の熊本時代の人間関係——門下生俣野義郎と同僚黒本植の場合——

一

作家夏目漱石にとって熊本時代の四年三ヵ月は、俳句創作を趣味とする一英語教師であり、雌伏のモラトリアムの期間であった。結婚して身を固めたとはいうものの、二九歳から三三歳までの熟成の期間を異郷の熊本で生きるということは、まだ地に足のつかない居心地の悪さを痛感する旅人であった。

しかしまた、正課以外に朝七時から課外授業をして、生徒を鍛える誠実勤勉な教師であった。「江湖の処士」として煩わしい塵界から遊離して天然のまま閑雅に生きたくても、現実はそうはいかず、諸々の縁につながって憂き世を渡って行く以外仕方がない。

ここでは熊本雌伏時代に焦点を合わせて、教え子俣野義郎と同僚教師黒本植を選んで、漱石の人間関係の典型を見てみよう。

二

一八九六（明治二九）年四月、漱石はまたも友人菅　虎雄（第五高等学校教授・ドイツ語）の斡旋で熊本の第五高等学校の英語教師となり、松山から赴任した。下宿払底のため黒髪村宇留毛の菅宅にしばらく同居することになり、離れの部屋にいた五高生三人を玄関脇の部屋に移し、漱石が離れの部屋を借りた。この五高生の一人俣野義郎は、菅　虎雄の同郷久留米の人で、菅が肺患のため五高非職を命ぜられ熊本を去った後、一八九七年九月から借りた飽託郡大江村の漱石の借家（現在、家屋は水前寺公園裏に移転）に押しかけ書生となった。鯨飲馬食の大食漢俣野は、漱石夫妻より早く朝食をとり、味噌汁の実の美味いところを平らげ、漱石が食べる頃は汁だけであった。いつもお手伝いのテルと大喧嘩となり、後に漱石夫妻の分は先に別の鍋に取り、残りを書生たちに提供した。

俣野義郎
原武 哲著『喪章を着けた千円札の漱石』笠間書院、2003年10月22日刊、俣野仁一氏提供、晩年撮影

漱石の弁当は書生が交代で五高に持って行っては、持って帰る。或る日、「今日のおかずは、まずくて食えなかったよ。」と漱石が妻の鏡子に注意すると、妻は怪訝な顔をして、「だって、弁当箱は空になっていましたが。」と反論した。半分以上も食い残したはずの弁当箱が空になるとは不思議だと思っていたところ、数日後、ほんの一口箸をつけたばかりで、おかずの小言を言うと、妻は「それで

も、みんな召し上がっているじゃありませんか。」と言った。案の定、犯人は俣野義郎であった。以後、俣野が持って行き帰る時は、弁当に封印をすることになったと言う。

一個五銭か六銭の当時、鏡子専用の八〇銭の高級石鹸がずんずんと激しく減るので、犯人を捜していたお手伝いは、俣野の顔の匂いから見つかってしまった。ものぐさで、ずうずうしく、人の気遣いなど感ずることのできない俣野は、鏡子やお手伝いとしばしば衝突、手を焼いたが、憎めない人の好さがあり、最後には周囲が根負けして、笑わせられてしまう始末だった。

一八九八年三月、大江村の漱石宅の家主落合東郭が帰熊するので、家を明け渡さなければなくなり、井川淵町に転居した。漱石は俣野・土屋を呼び、「今度引っ越す家は狭くて、とうてい君たちを収容しかねる。ついては、君たちは寄宿舎に入って勉強したまえ。食費は僕が出してやるから。」と宣告した。「私たちはあと三、四か月で卒業しますので、ご迷惑でもどうか卒業まで置いてください。どんな狭いところでも結構ですから。」と、涙を浮かべて懇請した。情にもろい漱石は「それでは、昼間は玄関の二畳にいて、夜だけ座敷の八畳に寝ろ。」と言ったが、俣野の無頓着は止まなかった。今時、貧学生のために食費を負担してやる大学教師が幾人いるだろうか。

土屋忠治
『日本法曹界人物辞典』2、旭川区裁判所検事、1921年刊

卒業まで漱石宅に下宿していた俣野と土屋《つちや》忠治《ただじ》（後に検事・弁護士）は、九八年七月、何とか五高を卒業し、東京帝国大学法科大学に入学した。漱石は経済的困難を抱えて上京した二人を心配し、土屋を鏡子の実家中《なか》

根重一《ねしげかず》貴族院書記官長官邸の書生に世話した。

五高教授在職のまま英国留学した漱石は、しばしば郷愁の思いを妻に訴え、文を送らぬ妻への不満を募らせているが、その中でヨーロッパ行汽船プロイセン号より「湯浅（後に三高・大谷大教授・漢文学）、土屋、俣野へ宜敷願上候《よろしくねがいあげそうろう》」（〇〇、九、一〇鏡子宛）と熊本時代の教え子に対して深い気遣いを見せている。その後も「湯浅土屋俣野時々参り候よしよく御あしらひ可被成候《なるべくそうろう》」（〇〇、一二、二六）、「俣野湯浅土屋へは無沙汰をして居るよろしく言つて呉れたまに来たら焼芋でも食はしてやるがいゝ」（〇一、一、二四）「湯浅だの俣野、土屋抔《など》にも逢ひ度《たし》」（〇一、二、二〇）と貧乏学生たちへ心温まる気遣いや人恋し心情を示している。

ロンドン留学中の漱石が最も気にかけた教え子は、寺田寅彦、藤村作、内丸最一郎など後に東大教授になった秀才ではなく、学業成績で落第したり、経済的不如意で学資や学生生活の心配をしたりした俣野義郎・土屋忠治・湯浅廉孫たちであった。上京した彼らを在京の元五高で指導した菅虎雄や狩野亨吉《かのうこうきち》らにも「参上の節は随分御訓示願上候」（菅宛）「御邪魔に参上する事と存候よろしく御教訓可被下候《くださるべくそうろう》」（狩野宛）と指導を依頼している。

俣野義郎は一九〇一年七月に東大を卒業予定であったが、土屋・湯浅と共に落第した。漱石も落第の経験者であるから、三人を元気付けるよう、「落第のよし気の毒に候　落第なんか恐れる様では仕様がない　落第は良き経験だ　奮発してやる様に御申聞可被成候《なさるべくそうろう》」と鏡子に書き送っている。

「俣野湯浅土屋抔時々参る様子貧乏しても貧乏なりによく御遇あるべく候彼らは余の不在にも

関らず訪問致しくれ候は甚だ感心の事に候」（〇二、四、一七）と、決して秀才ではなかったが、不在の師の留守宅を慰撫する貧乏書生に感心している。

一九〇四（明治三七）年七月、俣野は三年制の当時の大学を六年間かけて東大英法科を卒業、三井物産鉱山部に勤務した。

一九〇五年一月、漱石は『ホト、ギス』一月号に「吾輩は猫である」を発表、歴史的な作家出発となった。当初一回切りの読み切りとして発表されたが、好評につき「続篇」「三」と書き継がれ、「五」（『ホト、ギス』臨時増刊第八巻第一〇号・明治三八年七月）に「筑後の国は久留米の住人多々良三平」という苦沙弥先生の教え子で実業家志望の奇人が登場する。当時、俣野義郎は三井物産鉱山部（「猫」では六ツ井ともじっている）の三池炭鉱（大牟田市）に勤務していたが、多々良三平のモデルは俣野義郎であるという評判が立って、俣野を捕まえて「おい、多々良君。」と言う者が続出したそうである。

そこで俣野は大いに憤慨して、至急親展を漱石に送り、ぜひ取り消してくれと請求した。多々良三平の件を削除しては全巻を改版することになるから簡単明瞭に、「『多々良三平は俣野義郎にあらず』と新聞広告してはいけないか。」と照会したら、俣野は「いけない。」と断って来た。三、四度猛烈な抗議文の末、次のような条件を出してきた。

「自分が三平と誤られるのは、双方とも筑後久留米の住人だからである。幸い、肥前唐津に多々良の浜という名所があるから、せめて三平の戸籍だけでも移してくれ。」とあったので、漱石はとうとう単行本『吾輩ハ猫デアル』（明治三八年一〇月）では、第六版から三平の戸籍を肥前唐津の住人に改めた。

漱石も俣野にはよほど手を焼いたと見えて、鈴木三重吉宛書簡に、「人身攻撃も文学的滑稽も区別が出来ないで自ら大豪傑を以て任じて居る」「気丈の至りだ」と匙を投げている。

しかし、一九〇九年九月、満韓旅行では大連で満鉄社員となった俣野と再会を果たし、過去の三平戸籍騒動のことはきれいさっぱり忘れて、拘りのない俣野は、恩師夏目先生の大連市内案内に奔走した。漱石は俣野の家にも立ち寄り、座敷から海や突兀《とっこつ》きわまる山脈を見渡しつつ、晩餐を共にし、紀行文「満韓ところぐ〳〵」一一に三平戸籍騒動を書き込んだ。

かくて、漱石の教え子の中でも、常識的な規矩縄墨では律しきれない破天荒な人物で、妻の鏡子も随分悩まされたが、漱石からは愛され、師、先輩に対する情誼は極めて厚く、晩年多額の借財に苦しんだが、漱石に書いてもらった書や軸など遺品は金に換えられぬと大切に秘蔵した。応召中の二男仁一氏の留守を守っていた美枝夫人が大連から帰国する際、生命の危険をも顧みず、再びこの世に出現しない漱石遺墨を日本に持って帰られた。師、よくその子弟を知る。子弟もまたよく師を知るというべきであろう。

三

一八九七(明治三〇)年一〇月一〇日、第五高等学校第七回開校記念式典で、夏目漱石は教員総代として祝辞を読んだ。「夫れ教育は建国の基礎にして子弟の和熟は育英の大本たり。」という

黒本 植
『稼堂叢書』巻1、1931年4月刊、晩年撮影

文言は、現在、五高の後身たる熊本大学黒髪キャンパス校庭に記念碑として刻まれ、肖像とともに大学のシンボルになっている。ところが、この祝辞に、同僚の五高教授黒本植《しょく》（号・稼堂《かどう》）の代作・代筆説（鹿子木敏範）が提出され、話題になった。

この漢詩人・漢学者黒本植は一八五八（安政五）年石川県に生まれ、石川県師範学校を卒業し、小学校、中学校、尋常師範学校などの教員を経て、一八八八（明治二一）年四月、第四高等中学校（現・金沢大学）に雇われ、九一年五月助教授に任ぜられた。しかし、校内で人事をめぐる騒動が起き、黒本は巻き込まれて、非職を命ぜられ、金沢を去った。ところが、非職を命じた元四高校長中川元《なかがわはじめ》は、五高校長に転勤、黒本の学殖と人格を惜しんで、一八九三（明治二六）一一月、五高に招き、助教授に任ぜられ、和漢混淆文の改良と指導を命ぜられた。三年後の九六年四月、菅 虎雄の斡旋で夏目漱石が五高に赴任した。そして、黒本は九六年六月、五高教授に昇格し、九歳年下の漱石は一か月後、教授昇格を果たしたので、黒本の方が一か月先任教授である。しかし、帝大卒の学士漱石は高等官六等、年俸一二〇〇円であるに対して、非学士の黒本は高等官八等、年俸四八〇円、漱石は黒本の二・五倍の収入を得ていたのである。

一八九六年一月、漱石の親しい哲学者米山保三郎は『陶淵明全集』全五巻を松山に帰る漱石に贈った。松山に帰った漱石は、これを読み、「米山より陶淵明全集を得て目下誦読中甚だ愉快なり」

(九六、一、一六子規宛漱石書簡)と感動している。漱石は感銘を受けた『陶淵明全集』を惜しげもなく、黒本植に贈ったのである。というのは、漱石の蔵書印「漾虚碧堂図書」の印を押した『陶淵明全集』が、黒本から寄贈され、現在、金沢市立図書館に所蔵されているという。そこには黒本の筆と思われる頭注が方々に施され、見返しには漱石の死亡新聞記事が貼られており、いかに漱石の死を愛惜したか、窺える。親友米山から贈られた『陶淵明全集』を自分の蔵書として秘蔵せず、黒本に贈与したということは、漱石・黒本の深い温情を感ぜずにはいられない。ひょっとすると、「祝辞」代筆の謝礼の気持ちの表れかもしれないという想像も湧いてくる。

五高教員間では石川県出身の教頭、後の校長桜井房記が師匠格で、漱石・黒本植・奥太一郎らが、加賀宝生流の謡曲「熊野《ゆや》」「紅葉狩」を習ったという。

また、漱石は五高在任中、講師浅井栄凞・教授菅虎雄の導きで、教授黒本植などと共に熊本の臨済宗妙心寺派見性寺に参禅し、住職宗般玄芳の下で提撕《ていせい》を受けて、禅の深い結び付きがあった。

九八年八月、黒本は五高舎監を兼任した。漱石は「当校の方は過日黒本教授迄舎監兼務に任ぜられ候」(九八、九、三菅虎雄宛漱石書簡)と、温厚で謹厳実直な「黒本教授迄」が予想外の舎監任命に驚き、気の毒に感じている風である。しかし、舎監となった黒本は、積極的に寮運営に取り組み、「寮生一般への教示」や「食堂清規」を自ら作り、質実剛健、剛毅木訥の気風を自負する五高生に厳しく順守させた。

東洋的隠者然とした古風な教育を真摯に指導しても、欧米に目を奪われた西欧文明至上主義学生は、黒本の誠意篤実を理解しようとはしなかったため、九六年八月にまたもや、非職になり金沢に帰ったが、八か月後、誠実さが理解されたのか、復職を命ぜられた。しかし、九九年一一月、五高教授と舎監を依願免官になり、熊本を去る時、黒本を心酔、敬慕する行徳俊則、二郎兄弟の下宿を漱石に懇願、後事を託した。漱石は黒本の願いを入れて、行徳兄弟を庇護し、その後永く行徳兄弟との懇意な関係は持続していった。兄俊則は五高から東大医学部に進み、佐賀県立病院に勤務し、後に行徳病院を開業した。二郎は五高・七高を中退し、一九一〇年四月、上京して早稲田大学に入学、一〇年ぶりに漱石との交流が再開した。

一九一一（明治四四）年二月、長与胃腸病院に入院していた漱石の下に文部省から文学博士号を授与するので、二一日出席されたいという通知が来た。入院中で授与式に出席できぬというと、学位記を持って来た。漱石は辞退を申し入れ、学位記を送り返した。文部省は一旦授与したものは、辞退できぬと言い、物別れとなり、社会的反響は大きくなった。

一一年三月、京都師範学校教諭となり、京都市大徳寺中黄梅院に住んでいた黒本植は、漱石の病気見舞いと学位辞退について賞讃し、「賀漱石辞学位」という七言絶句を添えて手紙を出した。その漢詩は「麟角鳳毛貴茂良　令聞広誉賤文章　感君卓犖抜流俗　蹋却群妖百戯場」というものであった（「武辺詩史」）。

黒本の五高の教え子で、夏目家に出入りしている早大生行徳二郎から、黒本の近況を聞いていた漱石は、すぐ返事をしたため、「目下洛北に御閑居終日筆硯を友とせらるゝ由欣羨《きんせん》の至に存候」「学位辞退につき分に過ぎたる御褒詞却つて慚愧《ざんき》の至に候玉詩一首御恵送是亦故人のたまものと深く筐底《きょうてい》に蔵し置可申候《おきもうすべくそうろう》」（一一、三、一黒本宛漱石書簡）と閑居を羨み、学位辞退の褒辞と漢詩のお礼を述べた。黒本の反権威主義が漱石の博士号拒否と共鳴していると思われる。

一一年五月一七日、東京修学旅行で京都師範学校生徒を引率してきた黒本植が、行徳二郎に連れられて、漱石山房にやって来た。嵯峨に雪見に行って瓢箪の酒を飲んでいる時、嵐山小学校の看板がうまくできていたので、筆者を聞いたが、わからなかった。後に鹿王院住持の橋本独山であることがわかった。三〇年前坊主を救ったらその法兄が黒本を尋ねているというので、訪ねて行ったら、仁和寺の和尚であった。和尚が絵をよく描くと言っていた。良寛が飴の好きな話をしてくれた。ある時、良寛に飴をやってその飴を舐める手を捕まえて、「さあ、書を書いてくれ。」と頼んだら、「よし。」と言って、「その手は食はん。」と書いたそうである（漱石日記）。

一九一二年三月三一日、京都府第一中学校教諭に任ぜられる。京都一中の教え子にルソー研究で有名な桑原武夫京都大学教授がいる。「けっして洋服をまとわず、堂々たる偉丈夫で、古武士の面影があった。」「桑原、おまえの作文、あれはなんだ。女の腐ったような文章じゃないか。今後軟文学を作文に出すことは禁止する。」と怒号されたという（桑原武夫「古風な恩師たち」『文芸春秋』一九七〇年二月）。

その後、一九一六（大正五）年八月、京都一中専任教諭を依願退職し、嘱託の教員に転じているのは、何か問題があったからであろうか。二二年三月、嘱託を解かれ、京都紫野中学校講師となり、果ては朝鮮総督府京城公立中学校講師となり、妻を帯同し落ちていった。朝鮮で妻を亡くし故郷金沢に帰ったのは、二五（大正一四）年三月であった。以後、『稼堂叢書』の執筆に心血を注ぎ、蔵書六千冊を金沢市立図書館に寄贈した。一九三六（昭和一一）年、七八歳で死去した。

　黒本は漢学の研鑽に尽瘁しているうちに、洋学を修める暇がなくなり、終に漢学者で終わった。古風な道学者で、自己にも他者にも厳しく、信ずることは曲げず主張し、時に激論を戦わし、「非学士」なるが故に、官職において学識や人間性の力量の割に不遇であった。前述のように、五高において漱石は、九歳年上の黒本の二・五倍の給与を得ていた。中等学校教諭と高等学校教授を繰り返し、最後は朝鮮の中学校講師にまで零落した。「女ト生レテモ黒本ノ妻トナルコト勿《なか》レ」「男ト生レテモ黒本ノ身トナルコト勿レ」（「自叙伝」）と、世に容れられない自らの不運を自嘲的に慨嘆している。

　漱石『野分』（一九〇七年）の主人公「白井道也」は、大学卒業後八年間越後・九州・中国辺りの中学校英語教師を勤め、同僚教師・保護者・土地有力者らと人間関係が悪くて辞職し、帰京して、雑誌記者と辞書編纂の収入で、糊口を凌いでいる。妻と兄の信用を失うが人格の発露を信じ、自負して「人格論」を執筆し、金満家の横行に警鐘を鳴らし、社会は修羅場であり、現代人は維新の志士以上に決死の覚悟をせねばならぬと説く。

　白井道也の造型には、無我苑に入り読売新聞記者になった河上肇（京都帝国大学教授）が擬せられることがある。黒本植もまた、金沢・九州・京都・朝鮮と遍歴し、上司・同僚・生徒と社会的世俗的に相容れられず、『稼堂叢書』執筆に生涯を埋没させたが、少数の同僚や教え子はその高潔な人格を敬慕していたことも事実である。その点で、「白井道也」造型に黒本植の報われることの少なかった人生（『野分』発表時、黒本は京都師範教諭）が影響を与えている可能性は、否定できないと考える。

（『文芸別冊夏目漱石　没後百年総特集』河出書房新社、二〇一六年六月三〇日）

⑰文豪の人生と文学支えた菅 虎雄の人生を追う——漱石の兄貴分　素顔に光——

一九七二年一一月、地元紙に旧制一高の名物教授だった菅 虎雄（一八六四〜一九四三）の三十回忌法要が、教え子たちによって菩提寺である福岡県久留米市の梅林寺で営まれたという記事が出た。

全集にもない手紙

当時、久留米の県立高校で国語を教えていた私は、菅こそ夏目漱石が兄と慕った人物であることを知っていたが、記事は漱石に触れていない。

翌年、梅林寺の好意で法要の際に奉納された菅の遺墨法帖《ほうじょう》を見せてもらって驚愕《きょうがく》した。添えられた菅の年譜には、従来の漱石研究で空白となっていた事実が連綿と綴られている。

菅 虎雄
夏目漱石の文科大学時代から亡くなるまでの親友、昭和初期か？

菅は久留米藩有馬家御典医の家に生まれた。帝国大学（現・東京大学）ドイツ文学科の一期生で、三歳年下の漱石とは学生時代から親交を結んだ。研究者の間では菅が漱石の人生と文学にかかわったことは知られていたが、自らを語ることが少なかった菅の生涯を追った研究はない。それを解明する旅が始まった。

神奈川県逗子市に住む菅の四男・高重さんに手紙を書いたが、返事がない。休みを利用して上京し、国立国会図書館、日本近代文学館、明治新聞雑誌文庫などに通った。

ところが、七四年三月、高重さんから「梅林寺に来ています。すぐ会いたい」との電話をいただいた。そのときの御厚意に甘えて八月に高重さんのお宅を訪ね、見せられた漱石から菅に宛てた手紙を前に私は震えた。菅の母・貞《てい》の死を悼む内容で、『漱石全集』にも収録されていない貴重なものだ。

松山中学の口を斡旋

一三〇円入りの封筒を受け取ったという証書もあり、署名は夏目金之助となっていた。漱石の学生時代の写真、二人の共通の友人だった狩野亨吉《かのうこうきち》、藤代禎輔、大塚保治らからの手紙や写真など未見の資料の宝庫だった。それから一〇年、こつこつと積み上げてきた研究成果をまとめ、『夏目漱石と菅 虎雄』（教育出版センター）を出版した。

大塚保治
『夏目漱石―漱石山房の日々』群馬県立土屋文明記念文学館、2005年10月15日、1930年撮影

大学卒業後も就職先が決まらず悶々《もんもん》としていた漱石は、一八九四年秋、東京・小石川の菅の新居に転がりこむ。そして漢詩を置き手紙にして放浪の旅に出た。その年の暮れ、漱石は菅の紹介状を以て鎌倉の円覚寺塔頭《たっちゅう》「帰源院」に参禅、この体験が『門』に活《い》きる。

九五年一月、記者を志した漱石は、菅に紹介されて横浜の英字新聞に英文の論文を送ったが、不採用となった。落胆していた漱石に、菅は松山中学の英語教師の口を斡旋《あっせん》した。

しかし、漱石から菅のもとに不平を連ねた手紙が届くようになる。五高（現・熊本大学）教授だった菅は、校長が英語教師を探しているのを知り、翌年、漱石を五高に呼ぶ。

つまり菅の漱石に対する公私にわたる助力がなければ、『坊っちゃん』も『草枕』も書かれることはなく、果たして文豪夏目漱石が世に出ていたかもわからない。

出版を機に私は高校教師から大学教師に転じ、研究の軸足を漱石文学に移しながら、菅の足跡を追う旅も続けた。

我鬼窟　白雲

芥川龍之介に与えたる扁額 書 菅 虎雄「白雲」は菅 虎雄の五十代のころ（大正前半）の雅号

芥川龍之介は田端の家を「我鬼窟」と名付け、一高の恩師の菅に扁額《へんがく》の揮毫《きごう》を依頼した。芥川の代表作『羅生門』の表紙と扉の漢詩、雑司ヶ谷霊園に立つ漱石夫妻墓碑の文字も菅の手になることがわかった。

一九三三年、一高を退官して非常勤講師になった菅に、ドイツ文学を専攻したいという学生が進路を相談した。菅は「文学では食えない。法学部に行きなさい」と答え、この一言によって政治学者の丸山真男が誕生する。

久留米に交友の碑

今年七月、漱石から菅に宛てた手紙が発見された。英国留学を前に費用の工面に忙しかった漱石が、病気療養中の菅に貸していた金銭を返済してもらったことへの礼状だった。二人の「心友」ぶりを裏付けている。

菅はドイツ語教師なのに、いつも着物に草履ばき。教卓の椅子に正座して板書はせず、空中に指で字を書いた。学生はそんな菅を慕い、菅の「こりゃ、どうじゃろかい」という久留米弁をもじった「同志野郎会」などを結成、遺徳をしのんだ。

二〇一〇年、久留米の有志で「菅 虎雄先生顕彰会」を結成、私が会長を引き受けた。念願かなって今年一〇月二〇日、梅林寺外苑で「漱石句碑・菅 虎雄先生顕彰碑」の除幕式を催す。

菅を訪ねてたびたび久留米を訪れた漱石。句碑には梅林寺で詠んだ漱石の句「碧巌《へきがん》を提唱す山内《やま》の夜ぞ長き」（直筆）を刻み、その横に菅の碑文と書が並ぶ。

二人の交友の歳月を四〇年にわたってたどってきた研究者として、こんなにうれしいことはない。

（『日本経済新聞』「文化」二〇一三年九月二六日）

⑱夏目漱石と久留米——伝記と作品——

一

久留米市耳納《みのう》スカイライン沿いに「漱石の道」という道がある。第五高等学校（現・熊本大学）教授であった夏目漱石（金之助）が久留米を訪問して俳句を詠んだことに因んで、一九九三（平成五）年から九四年にかけて漱石句碑が六基建立されたのである。小宮豊隆は『夏目漱石』（岩波書店）の中で漱石は久留米に三回来たことになっているが、私の調査ではさらに二回加えて、都合五回来ていることが判明した。

その第一回は新たに加わったものである。

一八九六（明治二九）年四月、愛媛県尋常中学校を辞任した夏目漱石が、新任の第五高等学校に赴任する途中、久留米に立ち寄った時である。四月一〇日、高浜虚子と松山を立ち、宮島を見物し、宇品《うじな》から瀬戸内航路（大阪商船）の定期汽船で門司に向かった。船中、漱石は九州俳諧行脚を志す大阪の俳人水落露石《みずおちろせき》とその従弟武富瓦全の二人に偶然出会った。漱石と露石とは森鷗外の『めざまし草』の投句仲間（選者高浜虚子）として、その名は互いに知っていたが、面識はなかった。ところが船中で旅行用トランクの傍らにあった一張の弓に「夏目金之助」と名札が付いていたので、露石が名乗りを挙げ、以降同行した。

「宇品より門司に航する船中はからず漱石夏目氏に会す」

（水落露石「西国行脚《あんぎゃ》駄句日記」一八九六年四月二八日付『日本』）

漱石・露石・瓦全の一行は門司港で下船、九州鉄道で門司から博多の千代の松原を過ぎ、太宰府天満宮に詣で、観世音寺、都府楼に往時を偲び、二日市より久留米に行った。

「久留米水天宮に詣づる道の程小さき女の若草の上に花を摘みながら眠れる誠に絵の如きおもひあり　同行瓦全が耳にさゝやく

絵筆とれ菫の中に神います」

（水落露石「西国行脚駄句日記」一八九六年四月二八日付『日本』）

漱石は自分を第五高等学校に周旋してくれた親友の五高教授菅　虎雄の故郷久留米に立ち寄り、菅の出迎えを受けたことであろう。同行の露石・瓦全も久留米で下車し、瀬下町の水天宮全国総本宮に参詣した。筑後川畔で菫を摘む可憐な少女に清純無垢な神々しさを覚えたのである。

漱石が久留米に立ち寄ったという直接資料はない。しかし、小宮豊隆が、

「熊本に著くや否や、途中知り合ひになつた俳人を連れて菅 虎雄の内に飛び込み、墨を磨らせてその連れの俳人に、「市中や君に飼はれて鳴く蛙」といふ句を書いてやつた。それがどうも水落露石ぢやなかつたかと思ふが、どうもはつきりとは覚えてゐないとは、菅 虎雄の語るところである。」

（小宮豊隆『夏目漱石』「二七　孤独」岩波書店）

と書いているので、瀬戸内航路の船中より熊本まで漱石・露石・瓦全は同一行動をとっていたと考えられる。露石が久留米水天宮で句を詠んだ時、漱石も久留米にいたこと、菅、漱石、露石、瓦全の四人は共に久留米から熊本まで同行したことは当然類推できるのである。当時、露石は自邸聴蛙亭に蛙を放養して閣々と鳴く声を愛し、知友の蛙の句を集めていた。だから船中で初対面の漱石にも蛙の句を乞うたのである。池田駅（現・上熊本駅）に到着、黒髪村宇留毛の菅 虎雄宅に着くやいなや、漱石は「市中や君に飼はれて鳴く蛙」（「子規へ送りたる句稿　一四」では「市中に……」とある）を書いて露石に与えた。露石は友人知己の蛙の句を集めて『圭虫句集』を撰し、上巻は正岡子規の序を付け、一八九六年、下巻は河東碧梧桐の序で九七年に刊行した。

なお、「圭虫」とは「虫」偏と旁《つくり》「圭」を分けて作った造語である。

二

第二回は一八九六（明治二九）年九月、新妻の鏡子を連れて、叔父中根與吉を訪ねて福岡に行った時、帰途久留米に立ち寄った時である。この福岡旅行は結婚後最初の長期休暇を利用した漱石夫妻の新婚旅行であった。

「博多公園　初秋の千本の松動きけり　　箱崎八幡　鹹《しほ》はゆき露にぬれたる鳥居哉
香椎宮　秋立つや千早古る世の杉ありて　　天拝山　見上げたる尾の上に秋の松高し
太宰府天神　反橋《そりばし》の小さく見ゆる芙蓉哉　　観世音寺　古りけりな道風《とうふう》の額《がく》秋の風
都府楼　鴫《しぎ》立つや礎《いしずゑ》残る事五十　　二日市温泉　温泉《ゆ》の町や踊ると見えてさんざめく
梅林寺　碧巌を提唱す山内《やま》の夜ぞ長き　　船後屋　ひやひやと雲が来る也温泉《ゆ》の二階」
（一八九六年九月二五日付正岡子規宛漱石書簡に付された「子規へ送りたる句稿　一七」）

中根與吉は鏡子の叔父というが、正確な係累はわからない。夏目鏡子述、松岡讓筆録『漱石の思ひ出』「二四　『猫』の話」によると、鏡子の親戚の中で漱石が一番親しく付き合った叔父で、『吾輩は猫である』の迷亭のモデルに擬されている。軽口屋でオッチョコチョイ、剽軽《ひょうきん》な人物だったらしいが、一九二七（昭和二）年一〇月二六日、蒲田の自営工場の工員に殺害された。中根與吉がいつ福岡に来て、いつ去ったかわからないが、漱石の『道草』一八に出てくる台湾に行っていた「門司の叔父」は、「福岡の叔父」をモデルにしたものと思われる。『福岡県一円富豪家一覧表』（明治三三年調、福岡県名誉発行所）にはその名が記載されていないので、「富豪」に価しなかったか、一九〇〇年には既に福岡にいなかったのであろう。従って、漱石夫妻が福岡のどこに中根與吉を訪ねたか、わからない。（本書「⑲漱石とその妻鏡子の叔父——福岡の人・中根與吉のこと——」参照のこと）

一八九六年九月二五日付正岡子規宛漱石書簡に付けられた句稿は「博多公園（現・東公園）」から始まっているから、中根與吉宅は博多駅に近いところかもしれない。今の東公園（博多区）から箱崎八幡（東区）へは人力車で行ったか。さらに東へ香椎宮（東区）に参詣、香椎駅から下り列車で二日市に下車し、天拝山（筑紫野市。二五七・六m）、太宰府天満宮（太宰府市）、観世音寺（太宰府市）、都府楼（太宰府市）、二日市温泉（筑紫野市）を通り、二日市駅から久留米に向かった。

久留米駅で下車し、臨済宗妙心寺派九州第一禅林道場の江南山梅林寺（久留米市京町）を訪ねた。ここは久留米藩主有馬家（二一万石）の菩提寺であり、菅 虎雄の菩提寺でもある。帝大生時代、菅の紹介で鎌倉の円覚寺に参禅した漱石は、五高で同僚となった菅から久留米の梅林寺のことを聞いていただろう。禅に関心を深めていた漱石は、久留米ではぜひ梅林寺に行きたいと思っていたに違いない。「碧巌を提唱す山内の夜ぞ長き」という句があるので、その夜、住職東海猷禅老師（一八四一〜一九一七）から『碧巌録』の提唱を受

東海猷禅
『三生録』1941年9月1日刊、古稀像、1910年撮影

けた。禅に関心を持たない鏡子は、旅館の一室で所在なさそうにぼんやり独りで漱石の帰りを待っていた。「漱石山房蔵書目録」（『漱石全集』第二七巻、岩波書店、一九九七年一二月一九日）の中に、「二二九〇　憲憧和尚『法友故郷話』筑後・梅林寺蔵版、文政六年」という本があるが、この時、買ったものかもしれない。私はかつて梅林寺の「碧巌録会日単」の明治二九年八月二八日から九月一三日までの記録を写真撮影したが、残念ながら「夏目金之助」「漱石」「五高教授」の名を見つけることはできなかった。

「船後屋温泉」は船小屋が正しく、筑後市船小屋にあり、矢部川沿いの含鉄炭酸泉である。鏡子が、

「その頃の九州の宿屋温泉宿の汚さ、夜具の襟なども垢だらけで、浴槽はぬるぬるすべつて、気持の悪いつたらありません。ひどく不愉快なので、それ以来九州旅行は誘はれても行く気になれませんでした。」

（『漱石の思ひ出』「四　新家庭」）

と述べている通り、漱石は二度と鏡子を連れて旅行することはなかった。

三

第三回目は一八九七（明治三〇）年春季休暇の三月末から四月初めにかけて、久留米旅行をし

た時である。

「是は親友の菅 虎雄が病気の為め五高を辞して、郷里久留米に引き籠つたのを、見舞ふための旅行であつた。」

（小宮豊隆『夏目漱石』「三一　旅行」）

とあるが、菅 虎雄は三月末当時五高を辞職していない。それどころか、一八九七年五月二四日付で菅 虎雄は第五高等学校舎監兼任を命ぜられている。漱石の久留米訪問は、菅 虎雄の病気見舞いではなく、高良山（三一二m）の山越えが目的であったようである。熊本大学保管の旧制五高関係資料「職員出欠表」によると、菅 虎雄は一八九六年中わずか三日しか欠勤していないのに、一八九七年一月は「一三日」、二月は「九日」欠勤している。この一、二月の菅の病気は、在京の友人間にも伝わり、漱石宛に問い合わせが来たらしい。漱石はそれに対して、

「菅氏病気に付御問合せ相成候処同人病気は別段学校の職務上の心配或は宴会抔の過飲より生じ候ものとは存じ不申病気になる程暴飲したり心配するは余程の大事件に御座候左様の事発生する前に菅の事なれば辞職致して居る筈に御座候此回の病気は全く夫等に関係なきものと小生は愚考致候尤も一時は少々喀血致し医師の勧誘にて二週間程転地療養致し候其当時は元気も少々衰へ候様子に御座候処昨今は如旧《きゅうのごとく》活潑に精勤被致居候間御安意可被下又在京諸友へ

も右よろしく御伝声の程希望仕候尤も病気が病気に候へば油断は頗る危険と存候猶今後の模様により御報道可申上候」

（一八九七年三月一日付狩野亨吉宛漱石書簡）

と狩野亨吉に菅 虎雄の病状を知らせた。この「二週間程転地療養」とは、菅の肺結核による一月、二月の欠勤で三井郡善導寺村木塚（現・久留米市善導寺町木塚）に静養していたことをさすと思われる。菅 虎雄は虎雄の末妹・順（戸籍名・シュン）が嫁いでいた一冨家（虎雄の次妹松代は虎吉と結婚し、順は虎吉の弟留次郎と結婚していた）にしばしば保養に来ていたそうである。

菅 虎雄は療養の甲斐あって三月には回復し元気に出勤して、三、四、五月は一日も欠勤せず、春休みには久留米に帰省していた。従って三月末の漱石の久留米旅行は、病気見舞いというよりも、漱石自身の遊山のついでに菅の保養していた善導寺木塚を訪ねたと言った方が当たっている。

漱石は高良山に登り、重畳たる耳納《みのう》連山を越え、広漠たる筑後平野の田園に咲き乱れる菜の花を一望のうちに眼下に収め、ひばりの囀《さえず》りに恍惚《こうこつ》となって、発心《ほっしん》の桜を見物した。その時の句は正岡子規に送られ、点を仰いでいる。

高良山《こうらさん》　一句

石磴《せきとう》や曇《くも》る肥前の春の山

松をもて囲ひし谷の桜かな

雨に雲に桜濡れたり山の陰《かげ》
菜の花の遥かに黄なり筑後川
花に濡《ぬ》るゝ傘なき人の雨を寒み
人に逢はず雨ふる山の花盛
筑後路や丸い山吹く春の風
山高し動《やや》ともすれば春曇る
濃《こまや》かに弥生《やよい》の雲の流れけり
拝殿に花吹き込むや鈴の音

〔子規へ送りたる句稿　二十四　五十一句〕一八九七年四月一六日付子規宛書簡に添付。

この旅行での体験が、後に『草枕』の中の、画工が山越えをする場面に活かされた。

「巌角を鋭どく廻つて、按摩なら真逆様に落つる所を、際どく右へ切れて、横に見下すと、菜の花が一面に見える。雲雀《ひばり》はあすこへ落ちるのかと思つた。いゝや、あの黄金の原から飛び上がつてくるかと思つた。」

（『草枕』一）

などは、「菜の花の遥かに黄なり筑後川」を彷彿とさせる。

「こゝ迄決心をした時、空があやしくなつて来た。煮え切らない雲が、頭の上へ靠垂《もた》れ懸《かか》つて居たと思つたが、いつのまにか、崩れ出して、四方は只《ただ》雲の海かと怪しまれる中から、しとしとと春の雨が降り出した。菜の花は疾《と》くに通り過して、今は山と山の間を行くのだが、雨の糸が濃《こまや》かで殆《ほと》んど霧を欺《あざむ》く位だから、隔たりはどれ程かわからぬ。時々風が来て、高い雲を吹き払ふとき、薄黒い山の背が右手に見える事がある。何でも谷一つ隔てゝ向ふが脈の走つて居る所らしい。左はすぐ山の裾と見える。深く罩《こ》める雨の奥から松らしいものが、ちよく〱顔を出す。出すかと思ふと、隠れる。雨が動くのか、木が動くのか夢が動くのか、何となく不思議な心持ちだ」

（『草枕』一）

山の中で突然の春雨に会い、峠の茶屋にたどり着くまで、雨に濡れながら登って行く場面は、「雨に雲に……」「花に濡るゝ……」「人に逢はず……」の句などが思い出される。

漱石の漢詩に「菜花黄」という五言古詩がある。

菜花黄朝暾　　菜花朝暾《ちょうとん》に黄に
菜花黄裏人　　菜花黄裏《こうり》の人
曠懐随雲雀　　曠懐《こうかい》雲雀《うんじゃく》に随《したが》ひ

菜花黄夕陽　　菜花夕陽《せきよう》に黄なり
晨昏喜欲狂　　晨昏《しんこん》喜びて狂はんと欲す
沖融入彼蒼　　沖融《ちゅうゆう》彼の蒼に入る

縹渺近天都　縹渺《ひょうびょう》として天都に近く　迢逓凌塵郷　迢逓《ちょうてい》塵郷を凌《しの》ぐ
斯心不可道　斯《こ》の心道《い》ふ可からず　厥楽自潢洋　厥《そ》の楽しみ自《おのずか》ら潢洋《こうよう》たり
恨未化為鳥　恨むらくは未だ化して鳥となり　啼尽菜花黄　菜花の黄を啼き尽くさざるを

　末尾に「戊戌春三月　漱石居士草」とあるので、「つちのえいぬ」の年、つまり一八九八（明治三一）年三月に作詩擱筆したものである。久留米の高良山登山の一年後であるが、この高良山登山の体験が作詩に大きなモティーフを与えたことは確かである。

　漱石は高良山麓の御井町から登り、中腹の高良大社（旧・国幣大社。当時は高良神社）に参詣（「拝殿に……」）し、山伝い――現在の森林つつじ公園、飛雲台、凌雲台、紫雲台、碧雲台のある耳納スカイライン――を登って（「菜の花の……」「筑後路や……」「山高し……」「濃かに……」）、発心（現・久留米市草野町）に下り、一八二八（文政一一）年に植え付けられ、第七代藩主有馬頼徸《よりゆき》をはじめ歴代藩主の見物がしばしばあったと伝える桜を見物した。発心の桜見物の後、菅虎雄の末妹・順の嫁ぎ先、善導寺村木塚の一冨家に帰省中の菅　虎雄を訪ねたようである。

正岡子規
松岡譲編『漱石写真帖』29、1929年1月9日刊、大学生時代、1892年ころ撮影

「今春期休に久留米に至り高良山に登り夫より山越を致し発心と申す処の桜を見物致候帰途久留米の古道具屋にて士朗と淡々の軸を手に入候につき御慰の為め進

呈致候勿論双方とも真偽判然せず且士朗の句月花を捨て見たれば松の風といふは過日差上候梅室の句と同じ様に記臆致し居候元来の駄句と存候に如何なれば色々の俳人の筆に登るにや是も偽物の一証かもしれずと存候然し疎画は句よりも中々風韵ある様見受申候淡々の方は画は三文の価値も無之字は少々見処あり句に至つては矢張り駄の方と存候是も偽物かもしれず何せよ御笑草にまで御覧に入候」

（一八九七年四月一六日付正岡子規宛漱石書簡）

漱石はさらに帰途、久留米市内の古道具屋で、名古屋の俳人井上士朗（一七四二〈寛保二〉年〜一八一二〈文化九〉年）と大阪の俳人松木淡々（一六七四〈延宝二〉年〜一七六一〈宝暦一一〉年）の掛軸を見付け、真偽不明のまま買い求めて、病中の正岡子規を慰めるため贈った。子規は礼状に、

「啓　掛物二幅恵贈多謝　淡々ハ真ナラン士朗ハ偽カ」

（一八九七年五月三日付夏目金之助宛正岡子規書簡）

と鑑定している。

漱石が士朗と淡々の軸を手に入れた「久留米の古道具屋」は久留米市今町（現・城南町）の久富骨董店であろう（久留米郷土研究会前会長故古賀幸雄談）。店主の初代鶴次郎は体躯偉大にして性豪放大胆、義侠心に富んでいた。商店の裏二階には当時の志士論客が常に彼を頼って庇護を求め、

中国革命の父孫文（中山）も落魄窮頓した折には、寄食していたという。

「序に伺候一葉集といふ俳書は前後両篇にて壱円弐拾銭位ならば高くはなきや又芭蕉句解も八十銭位で相当の価なりや両書共久留米で見当たれど高さう故買はなんだ安ければ今から取寄せる積りなり」

（一八九七年四月二三日付正岡子規宛漱石書簡）

漱石はこの久留米旅行で古書を購入しようと思ったが、高そうだったので、買わなかった。高良山・発心から下山後、善導寺木塚に帰省中の菅 虎雄を訪問、久留米市内に入り、久富骨董店で立ち寄り、古書店を素見したものと思われる。

この古書店は両替町（現・城南町）の知新堂であろうという（郷土史家故柳瀬道雄談）。店主の本庄三之丞は、書画骨董に造詣深く、筑後・久留米郷土史界の中心的人物であった。

高いと思って躊躇した俳書二冊は正岡子規の返書によって、高くないことがわかった。

「一葉集一円余高シト云フベカラズ」

（一八九七年五月三日付夏目金之助宛正岡子規書簡）

この子規の返書によって高くないと知った漱石は、久留米の知新堂に連絡して取り寄せたのだ

ろう。「漱石山房蔵書目録」の中に、

「二〇四三　仏兮・湖中編・久蔵校『俳諧一葉集』前編五冊・春雲堂、後編四冊・万笈堂、文政一〇年
二〇六五　月院社何丸著『芭蕉翁句解参考』五冊、京都：野田治兵衛等、文政一〇年」

（岩波書店『漱石全集』第二七巻、「漱石山房蔵書目録」一九九七年一二月一九日）

とあるのが、それだろう。

四

第四回は私が新たに発見した資料によって、付け加えられたものである。

一八九七（明治三〇）年一〇月二九日、第五高等学校教授夏目金之助（漱石）は、「学術研究ノ為メ福岡佐賀両県下へ出張ヲ命ズ」という辞令を受け、第五高等学校教授武藤虎太（国語。後に第五高等学校校長）と共に一一月八日佐賀尋常中学校、九日福岡修猷館、一〇日久留米明善黌、一一日柳河伝習館を訪問、英語授業を参観して、帰校後、一一月二三日「佐賀福岡尋常中学校参観報告書」を校長に提出した。一八九七年当時、佐賀県には佐賀県尋常中学校（後の佐賀県立佐賀中学校。現・佐賀県立佐賀西高等学校）一校しかなかった。福岡県には藩校の流れを汲む福岡県尋常

中学修猷館（現・福岡県立修猷館高等学校）、福岡県久留米尋常中学明善校（福岡県立明善高等学校）、福岡県尋常中学伝習館（福岡県立伝習館高等学校）と福岡県豊津尋常中学校（福岡県立豊津高等学校）の四校あった。漱石はそのうち豊津中を除く四校を訪問し、英語授業を参観して授業ぶりを観察、批評した（拙著『喪章を着けた千円札の漱石――伝記と考証』（笠間書院、二〇〇三年一〇月二一日）「熊本時代漱石の「佐賀福岡尋常中学校参観報告書」」を参照のこと）。

一一月一〇日、明善校では三時間英語授業を参観した。この日は英語主任教師は欠席してその授業を観ることができなかった。一年（生徒五六名）は「訳読及び綴り」の課目を観た。指導教師を「失名」と名を伏せているのは後述のようにあまりいい授業でなかったため、名誉を考慮して名を秘したのかもしれない。教授法は初めに単語につき発音と意義の復習を行い、次に訳読を授けた。その方法は全く直訳であって「彼が彼の顔において落ちし」などの言葉を用いる。しかる後にこれを意訳する。故に音読、直訳、意訳の三段階を通して、始めて日課を終わらせる方法であった。漱石は英語授業を細分化せずに融合的に指導すること主眼にしていたので、「生徒教師共ニ正則的方面ニ於テ冷淡ナルガ如シ」と辛い評価になったのもやむを得ない。

四年（三五、六名）訳読（教科書中外読本）を教えた教師は稲津雅通（一八六三～一九三一）で、久留米生まれ、慶応義塾出身であった。教授法は教師が意義を講じ、終わって生徒に質問を提出する。一時間中生徒は単に教師の説を聴くのみという一方的講義調であった。しかも「教科書比較的ニ難渋ナルノ感アリ」と、教科書はなるべく卑近なものを選んで高尚に失せざるように心がけるという漱石の趣旨（漱石「中学改良策」）に反して、「慥カニ十七世紀以前ノ文字ト覚ユ是生徒ノ輪講ヲ試ミザル源因ナルベシカ、ル文章ハ高等学校ノ三年生ト雖モ解釈シガタカラント思フ従ッテ発音其他ノ点ニ於テ殆ンド注意ヲ与フルノ余地ナカラン」と生徒の実態に留意しない教師の独善的な指導法を批判している。

五年（三〇名ばかり）訳読は教科書に「クリミヤ戦争記」The Crimean War を使用した。指導教師の校長松下丈吉（一八五九〜一九三二）は久留米市両替町生まれ、慶応義塾出身で、一八八三（明治一六）年六月から八六年六月まで東京大学予備門・第一高等中学校に勤めていたので、漱石の予備門入学一八八四年九月から第一高等中学校予科第二級八六年六月まで約二年間、二人は接触した可能性があるが、まだ接点を見い出していない。黒須純一郎『日常生活の漱石』（中央大学出版部、二〇〇八年一二月一〇日）の一七頁に東京大学予備門の時間割（出所：『子規の青春』松山市立子規博物館友の会）が記載され、松下丈吉は週当り六時間英語を担当している。いつの時間割か不明であるが、もし松下が予備門で英語を漱石に教えていたならば、漱石は予備門の英語の先生が眼前の校長先生であると、気付いただろうか。松下は八六年六月一一日から九三年六月三〇日まで杉浦重剛、千頭清臣らと東京英語学校（後の日本中学校）の教師として経営にも当たった。杉浦の推薦で一八九四（明治二七）年二月、明善校校長に任ぜられ、九八年一〇月、願いにより校長を辞職した。その後、三井銀行に入行、東神倉庫主任となり、東京府青梅（現・青梅市）で亡くなった。

松下の授業は「普通行ハル、処ノ輪講ニシテ別ニ目立チタル点ナシ」と報告し、「五年生トシテハ一般ニ学力不足ナルガ如シ」と酷評したが、「然レドモ質問ノ夥多ナルヨリ察スレバ生徒ハアナガチニ不勉強ナルニモアラザルベシ」と多少弁護的見方も寄せている。

この夜は久留米に泊まったか、次の参観校伝習館のある柳川に向かったか、わからない。翌一一日九時から伝習館の英語授業を参観しているので、前日から柳川に泊まったかもしれない。

五

第五回目は一八九九（明治三二）年一月六日、第五高等学校教授奥 太一郎（一八七〇～一九二八）と共に耶馬溪旅行に行った帰途、久留米に立ち寄った時である。

岡山県津山尋常中学校教諭だった奥 太一郎は、一八九八年四月四日、五高英語教師を探していた漱石によって講師に招かれた。温厚誠実で謹厳実直、派手なところがなく敵の少ない好人物であった。同年一〇月一一日、教授に任ぜられ、高等官七等に叙せられ、一〇級俸を下賜された。一九〇〇年一月二二日には舎監を兼任し、一九一四（大正三）年二月まで五高に勤務した。その後、長崎活水女学校教頭、活水女子専門学校教授、九州学院教師、日本女子大学教授を勤めた（参考＝原武 哲「夏目漱石と奥 太一郎」『近代文学論集』第三五号、日本近代文学会九州支部、二〇〇九年一一月三〇日。本書「⑭夏目漱石と奥 太一郎」）。

九九年元日、漱石は屠蘇《とそ》を酌《く》んで、熊本市内坪井町の自宅を出て、池田駅（現・上熊本駅）から九州鉄道（現・JR鹿児島本線）上り列車で博多、小倉、宇佐方面に向かった。二日市・博多を通り、小倉で一泊、二日宇佐駅（現・柳ヶ浦駅）で下車した。このあたりは陰暦（旧暦）で正月を祝う習慣なので、陽暦の正月では門松を立てた家もない。

宇佐八幡宮に参詣、八幡宮の西を流れる寄藻川《よりも》に架かる呉橋《くればし》を渡り、西に向かって枯野の道を通って、駅館川《やっかん》を渡り、法鏡寺経由で四日市に着き、一泊したと考えられる。江戸時代、幕府は日田に代官所を置いて九州の諸大名に睨みをきかせていた。四日市にはその日田代官の陣屋があった。四日市から耶馬渓を通って日田に通じる道が、代官道と呼ばれ、漱石もこの代官道を通って、日田方面を目指した。

羅漢寺、口の林（三日夜泊）、耶馬渓、柿坂、守実《もりざね》（四日夜泊）、大石峠《おしがとう》を通って、日田に入った。

「小生例の如く元朝より鞋《わらじ》がけにて宇佐八幡に賽《さい》しかの羅漢寺に登り耶馬渓《やばけい》を経て帰宅山陽の賞嚌し過ぎたる為にや左迄の名勝とも存ぜず通り過申候途上豊後と豊前の国境何とか申す峠にて馬に蹴られて雪の中に倒れたる位が御話しに御座候」

（一八九九年一月一四日付狩野亨吉宛漱石書簡）

「峠を下る時馬に蹴られて雪の中に倒れければ
　漸くに又起きあがる吹雪かな」

（一八九九年一月　正岡子規へ送りたる句稿　その三二）

漱石が馬に蹴られて雪の中で転んだ「豊後と豊前の国境」の峠は、北の伏木峠ではなく南の大石峠であろう。日田（五日夜泊）から筑後川を船で下り、吉井（現・うきは市）に六日夜泊した。

「吉井に泊りて
　なつかしむ衾《ふすま》に聞くや馬の鈴」

（一八九九年一月　正岡子規へ送りたる句稿　その三二）

久留米に入る。

「追分とかいふ処にて車夫共の親方乗つて行かん喃《のう》といふがあまり可笑しかりければ
　親方と呼びかけられし毛布《ケット》哉」

（一八九九年一月　正岡子規へ送りたる句稿　その三二）

久留米市山川追分は、耳納連山の北側山麓の山辺往還（東は日田・吉井方面と、西は久留米方面）と北側の筑後川に向かう川辺往還（北方の神代橋《くましろ》、さらに三井郡北野町〈現・久留米市北野町〉方面）との分岐点、つまり追分（分岐点）である。当時、人力車の車夫達が小屋で客待ちをする所を、立て場といった。漱石は同行の奥 太一郎と共に吹雪の中、防寒用の毛布を頭からすっぽりとかぶり、東の吉井方面から歩いて久留米に入った。

立て場で客を待っていた人力車の車夫は、旅人に声をかけて客引きをする。一八九九（明治三二）年当時久留米市内の一人乗人力車は二二八台（『久留米市誌』中編、第一一章交通土功　第六節船車）走っていた。「親方、車に乗って行かんのう」と呼びかけられた江戸っ子漱石は、聞き慣れない筑後方言に興趣を惹かれたのであろう。「親方」は「旦那」「大将」くらいの意味である。漱石はよほど興を惹いたと見えて、

「ケットを被つて、鎌倉の大仏を見物した時は車屋から親方と云はれた。」

（夏目漱石『坊っちゃん』三、一九〇六年四月）

『坊っちゃん』の主人公が、四国あたりの中学校に赴任して最初の授業をした日、下宿の「いか銀」に帰ると、亭主が部屋に来て、

「あなたも御見受申す所大分御風流で居らつしやるらしい。ちと道楽に御始めなすつては如何です」

と骨董道楽を勧める。「坊っちゃん」は今まで見損なわれたことは随分あるが、風流人と言われたことはない。見損なわれた一例として鎌倉大仏前で親方と車屋から言われたことを思い出す。その原体験は実は久留米での体験だった。久留米の「親方」体験一八九九年から七年後の一九〇六年に、『坊っちゃん』の中で「親方」は復活したのである。

吹雪の中、吉井から久留米追分まで約一八キロメートルを徒歩で歩いて来て、追分から久留米駅まで六キロメートルを人力車に乗ったとしても、かなりの強行軍である。仮に久留米に着いて、そのまま熊本に直行すれば、久留米発午後七時一〇分の終列車で帰ると、池田着午後一〇時一三

分で、七日のうちに帰着できる。しかし、疲労した漱石・奥太郎は久留米で一泊して、翌八日、久留米発午前九時二分の列車で、池田着午後一時一〇分で帰った可能性が強い。

それから半年後、一八九九（明治三二）年七月四日、小倉の第一二師団軍医部長森林太郎（鷗外）は、勤皇の志士高山彦九郎が自刃した森嘉善の屋敷（御井町）を訪ねるため、久留米に来た。

「朝佐賀を発して久留米に至る。始めて筑後川を望む。三本松塩屋に投宿す。隣室客ありて、妓数人を招き、絃歌せしむ。喧騒甚し。此地客舎概皆然りといふ」

（一八九九年七月四日付森鷗外日記）

三本松町の塩屋旅館（館主・上野茂平）が、当時として軍人・医師・教師・文学者の泊まる旅館としてふさわしいものであったならば、漱石も塩屋に泊まったかもしれない。

六

夏目漱石にとって久留米は、東京大学予備門時代からの親友菅虎雄の故郷ということから発している。そして漱石が熊本の第五高等学校に赴任して四年三ヶ月の間に、近距離の久留米に行く機会が五回あった。しかし、英国留学のため、熊本を去ってからは一度も九州に来たことはない。従って再び久留米に相見えることはなかった。熊本以上に久留米に惹かれるものがあったとは、考えにくい。否、英国留学から帰朝した時、五高教授の籍のあった熊本すら帰りたくなかった。神経衰弱の診断書を付けてでも辞職したかった。帰るべきところは、やはり生まれ故郷の東京であった。久留米は通り過ごした一地方都市に過ぎなかったかもしれない。

しかし、久留米は俳句・漢詩に詠み込まれ、小説の背景となったり、久留米体験が小説に活かされたり、漱石周辺の久留米人が小説に登場する。久留米の美しい自然、豊かな人材が漱石の作品を魅力あるものに熟成させたことだけは確かである。夏目漱石をめぐる人々の中に優れた久留米人がたくさんいて、特に漱石の運命を大きく左右した菅 虎雄や「吾輩は猫である」の多々良三平のモデル俣野義郎らについては、別途書き残している。

(『日本英学史学会九州支部発足三十周年記念誌』日本英学史学会九州支部、二〇〇七年一〇月一〇日)

⑲漱石とその妻鏡子の叔父――福岡の人・中根與吉のこと――

夏目漱石が、帝国大学以来の親友で久留米出身の菅虎雄（当時五高教授・独逸語）の斡旋で赴任した松山の愛媛県尋常中学校が嫌になり、不平不満を並べた揚句、またもや菅の周旋で熊本の第五高等学校に赴任したのは、一八九六（明治二九）年四月のことであった。

その前年、写真を交換して、年末帰省した東京で貴族院書記官長中根重一の長女鏡子（本名キヨ）と見合いをし、婚約した上での赴任であった。

同年六月四日、中根鏡子は父に連れられて東京新橋駅を出発し、山陽鉄道の終着駅広島に着き、宇品港から瀬戸内海航路の汽船に乗り換え、門司港に入港した。当時、福岡にいた中根與吉という叔父が門司港まで出迎えに来ていた。ところが鏡子たちが汽船に忘れ物をしたことに気づいて大騒動になった。剽軽者《ひょうきんもの》の叔父は気軽に艀《はしけ》に乗って取りに行ってくれた。その日は海が荒れて、小さな艀は転覆しそうに揺れた。やっと下関に停泊していた汽船に乗りつけ、忘れ物を取って来た。その時、與吉叔父は、

「艀が揺れて、今にもひっくり返りそうだったが、私は生命保険にかかっているので、安心していた。」

と言った。すると、父重一が、

「それじゃ、お前が死んだら、保険は誰のものになるんだ」と言ったので、皆で大笑いになったという。

同月一〇日、熊本市光琳寺（下通町一〇三番地）の借家でひっそりとした質素な結婚式を挙げた。九月初旬、福岡の中根與吉叔父を訪ねて、一週間ほど新婚旅行めいた福岡方面の旅をした。博多公園「初秋の千本の松動きけり」・箱崎八幡「鹹《しお》はゆき露にぬれたる鳥居哉」・香椎宮「秋立つや千早古る世の杉ありて」・天拝山「見上げたる尾の上に秋の松高し」・太宰府天神「反橋《そりばし》の小さく見ゆる芙蓉哉」・観世音寺「古りけりな道風《とうふう》の額《がく》秋の風」・都府楼「鴫《しぎ》立つや礎《いしずえ》残る事五十」・二日市温泉「温泉《ゆ》の町や踊ると見えてざんざめく」・梅林寺「碧巌を提唱す山《やま》内の夜ぞ長き」・船小屋温泉「ひやひやと雲が来る也温泉《ゆ》の二階」を廻って俳句を作り、正岡子規に送って、添削を仰いだ。

ところで、この叔父中根與吉はたぶん父重一の弟と思われるが、従弟《いとこ》かもしれないし、はっきりしない。福岡でどんな仕事をしていたかも、わからない。『福岡県一円冨豪家一覧表』（土方新太郎編、明治三三年調査、一九〇一年八月一四日）によると、県内の多額納税者（所得金年額三〇〇円以上）の中に含まれていない。一九〇〇（明治三三）年には既に福岡にいなかったかもしれない。漱石は鏡子の叔父の中で一番親しく付き合って、「お前の與吉叔父はオッチョコチョイだな」と言っていた。夏目鏡子は、松岡譲筆録『漱石の思ひ出』「二四　「猫」の話」で、『吾輩は猫である』の迷亭のモデルに擬して、「のべつにへらず口をたたいて、うまく人と調子を合はせて行くところなどは、前に私が初めて九州へ渡った時に福岡にゐた叔父そつくりです。」「迷亭の話し振りを読むと、私はいつもこの叔父を思ひ出します」と述べている。

しかし、中根與吉は福岡を去った後、「台湾または満洲にも行ったらしい」という文芸評論家荒正人氏の説がある。そのヒントは、漱石の自伝的小説『道草』一八に出てくる「門司の叔父」という山っ気の多い「油断のならない男」のモデルが、中根與吉ではないかというのである。この男は主人公健三（モデルは漱石）に借金を申し込んできた。銀行の預金を用立てたら、丁寧に印紙を張った証文を送ってきて、「ただし、利子の儀は」と書き添えていたので、健三は律義な人だと感心したが、貸した金は返らなかった。その後、細君が実家に立ち寄った時、またこの叔父が父に会社を興すので金を借りに来ていたと夫健三に報告した。細君は「まだ台湾にいるのかと思ったら、いつの間にか帰って来ているんですもの」と言って驚いていた。どうやらこの「門司の叔父」は中根與吉をモデルにしたと思われる。私が荒正人氏から直接聞いた時、荒氏は「與吉はおそらく台湾で遊廓をやっていて、失敗したと思いますよ」と言われた。

その後、中根與吉は悲劇的な最期を遂げる。鏡子の『漱石の思ひ出』「二四　「猫」の話」は伝える。

金が欲しさに
主人を惨殺
多摩川土手被害者の身許
犯人は兇悪な雇人

中根與吉
『東京朝日新聞』1927年10月28日付、「金が欲しさに主人を惨殺」

「去年蒲田にもつてる工場の職工のために、六郷川まで誘《おび》き出されて、虐殺されました」と述べている。私は一九二七（昭和二）年一〇月二八日と二九日付『東京朝日新聞』で「金欲しさに　主人を惨殺　多摩川土手被害者の身許　犯人は兇悪な雇人」「主人殺し　犯人　けさ捕縛さる」という二段見出しの記事を見つけた。二七日朝川崎市小向多摩川堤防上で殺害された被害者は東京府下北蒲田三一五材木商中根與吉（六一歳）、加害者は東京府下矢口村生まれ当時中根方雇人殺人前科一犯原田辰次（三六歳）とわかった。原田は二六日午後八時ごろ川崎に格安の材木があると中根を呼び出し、多摩川堤防上で短刀を振るって殺害した後、二四円を奪った。その足で主家に引き返し、主人の命《めい》だと詐称して妻女から三〇円を受け取って逃走し、二八日朝京浜電車八丁畷停留所で捕縛された。

かくて、一度は漱石も親しくして迷亭にも擬された鏡子の叔父中根與吉は、哀れな最期を遂げたのであるが、加害者が自分の雇っていた従業員であったところに特異性がある。新聞記事は「金欲しさ」のためとあるが、両肺を刺した上馬乗りになって右腕を切り落とす残忍性と猟奇性があり、陰惨な怨恨が感じられる。そこに台湾時代の遊郭にまつわる過酷な運命に翻弄された哀れな遊女の縁者による復讐という想像が生まれる。しかも、犯人は逮捕一週間後ぐらいに拘置所で自殺したという。これはサスペンスドラマの見過ぎであろうか。

一八九七（明治三〇）年前後、福岡に中根與吉という人物が住んでいたことを御存じの方は、ぜひご一報願いたい。

（『九州学士会報』第二四号、学士会福岡支部、二〇一〇年二月一日）

⑳英語教育者としての夏目漱石
――熊本の旧制五高教授時代の金之助――

一

一九七八年六月、熊本大学金原理助教授（当時）の紹介で熊本大学に保管されている旧制第五高等学校関係文書を調査する機会を得た。当時、私は夏目漱石の親友で、漱石を松山中学校や五高に就職斡旋した一高教授菅 虎雄と漱石との交流を調査研究していた。筑後久留米出身の菅は一八九五（明治二八）年八月、漱石より一年早く郷里に近い五高教授となり、ドイツ語と論理学とを教えていた。中川元《はじめ》校長より英語教師が一人必要になったので紹介してくれと言われ、松山を周旋してやったのに辞めたいと不満をもらしていた漱石に口をかけると、渡りに舟と承諾して、一八九六年四月、漱石は熊本に赴任したのである。熊本大学保管の漱石関係文書は既に先学の研究者によって調査し尽くされているだろうから、無名に近い菅 虎雄資料を探索しようというのが、私の所期の目的であった。ところがここで思いがけない発見をしたのである。

二

一八九七（明治三〇）年一〇月二九日、漱石が福岡佐賀両県に出張を命ぜられ、中学校の英語授業を視察していたことは、小宮豊隆の岩波書店版『夏目漱石』によって周知のことであった。しかし、いつ、どの中学校の、だれの英語授業を、どう感じ、どう批評しつつ視察したか、全くわからなかったので、永遠に暗霧に閉ざされたままかと思われていた。ところが、その事実を証明する直接資料である漱石自筆「佐賀福岡尋常中学校参観報告書」を発見した時は、さすがに興奮で胸の動悸が止まらなかった。

さて、この「報告書」によると、漱石は一八九七（明治三〇）年一一月八日佐賀県尋常中学校（現・佐賀西高校）、九日福岡県尋常中学修猷館（現・修猷館高校）、一〇日福岡県久留米尋常中学明善校（現・明善高校）、一一日福岡県柳河尋常中学伝習館（現・伝習館高校）の四中学校を参観している。修猷館のみ四時間、他の中学校各三時間で、一四名の教師の授業を参観し、各時間ごとに、年級（学年）、課目（科目）、用書（教科書）、教師（姓）、生徒（数）、（教師の）教授法、（生徒の）傾向が項目を分けて具体的に述べられている。その観察は詳細を極め、その論評は峻厳である。例えば、修猷館の平山教師の教授法は最初に各節の冒頭に綴字及び発音の練習をして、次に読み方に移る。初め教師が模範を示し、次に生徒は一節あて練習する、このように二回して、一回目は出来のよい生徒よりさせ、二回目は下位の生徒に及ぶ、読み方の教授法はすこぶる厳格で、小さなミスもゆるがせにしない。訳読の教授法も読み方と同じく、教師がまず一節を訳し、上位の生徒がならい、一巡の後下位の生徒が復習する、全体の傾向は読み方に重点を置いて厳密に発音アクセントを練習するもののようだ、ゆえに生徒はこの点においてすこぶる進歩するもののようだ。このクラスの生徒は中学に入学して初めて英語を学習する者であるが、他校生徒に比較して少なくとも発音の点において優っている、訳読も他と異なって生徒は自宅ではただ復習するだけで、翌日の部分を下読する労力はいらないので、自然と既に練習した部分を反復する余裕があるようだ、と論評している。

英文学研究者であって、英語教育学の専門家でもない漱石が、たった五〇分間の授業参観で授業内容、指導法、生徒の反応などをこれだけつぶさに観察し、的確な判定を下していることに、全く驚嘆した。そして、一四名の教師すべて克明に記録し、教授法・傾向について酷評した場合は、その教師の名誉のためであろうか、「某氏」として氏名を明記していない。姓を明記している者は、おおむねその授業が成功した場合である。ここに漱石の武士の情を見ることができる。

この「報告書」によってうかがえる漱石の英語教育の特徴をまとめるならば、

(1)発音・暗誦の重視（特にアクセント）
(2)難解な教科書の排除
(3)会話・作文・文法の三科の有機的統一
(4)英文和訳中心から脱却し、プラクティカルな実用的方面の尊重

となる。これはかつて漱石が「中学改良策」や「語学養成法」で書いたことと軌を一にする。

三

では、教師であった夏目金之助自身は、どんな授業をしていたのであろうか。松山中学時代は「訳ばかりではいけない。シンタックスとグラマーを解剖して、言葉の排列の末まで精細に検討しなければならぬ」(眞鍋嘉一郎)と言って、語源の説明をして、微に入り、細をうがつような指導法だった。ある時、腕白盛りの中学生が辞書を引用して漱石をいじめようとしたが、漱石平然として「辞書の方が二ヵ所とも誤っているから訂正しておくように」と答えたというエピソードが伝わっている。

中学時代の精読法と異なり、五高では、速読多読法がとられたが、相変わらず彼は厳格で気むずかしい教師として教え子たちから見られていた。生徒が下調べを怠けると、手厳しくやり込めた。ある生徒が股の間に辞書をはさんで先を調べていると叱られた。生徒の中で単語の意味を質問する者がいると、そんなことは辞書を引けば解ると言って答を与えなかった。しかし、厳格であっても、冷淡ではなく、常に情味、温か味があったと言う。漱石夫人鏡子の『漱石の思ひ出』によると、暑中休暇に毎日英語を習いに来る五高生がいた。座敷で二時間、ほとんど頭ごなしに叱られ通しである。戸を開け放しにしているので、筒抜けに聞こえる。鏡子は同情して、「教室でもあなたはあんなにがみがみお叱りになるの」と聞くと、「いいや、学校じゃあんなに口やかましく叱りゃしないさ。しかしこうやって家でただで教えるというものはいいもんだよ」とすましていた。学生は相変わらず熱心に通っては叱られ、その後もう一人学生が増えた。そのうち叱り方が少なくなったので、鏡子の同情が効を奏したかと尋ねると、「大分上達したから叱らなくともすむようになったんだよ」と笑っていた。

毎日朝七時から八時まで、四キロの道を歩いて、シェークスピアの「ハムレット」や「オセロ」を課外に講義をした。もちろん課外の講習料など徴収していないので、手当ても出なかったであろう。それどころか、苦学生に毎月五、六円の学資を提供している。これは彼の月給の五％〜六％に相当するもので、現今収入の五％を教え子のために学資支弁してやる大学教授が何人いるだろうか。

漱石は教師を止めて江湖の処士となり、文芸の創作に専念したかった。自分は学生から敬愛されてしかるべき教師とは思わなかったが、学生の持っている個性を尊重し、彼の中にある創造的価値を引き出すことに全力を尽くす教師であったことは確かである。

（『教室の窓　小学校』第三九六号、東京書籍、一九八九年一二月一日）

㉑二人の友情表す菅 虎雄宛漱石礼状

――『漱石全集』未収録書簡紹介――

過日、熊本県立近代文学館井上智重館長から電話があり、『漱石全集』「書簡」（岩波書店）未収録の菅 虎雄宛漱石書簡を入手した、との連絡を受けた。早速、その複写をファクスで送信してきたので読んで見た。

手紙（一九〇〇年六月二六日付）は候文であるから、わかりやすく現代語訳してみよう。

拝復　かねて御用立てしました金子《きんす》をご返済くださいましてありがとうございます。為替を本日受け取りましたので、さようご承知ください。今度の留学はうわさばかりで、事実はどうなることかと危ぶんでおりましたので、金銭の用意が全くなく、家計は大ピンチでしたが、幸いご送金くださいましたので、少々安心しました。目下期末試験と出発準備と生徒の訪問でたいへん多忙です。先はお礼を申し上げます。その他のことはお目にかかった時に譲ります。

頓首

六月二十六日　金之助

菅様

座下

先日御弟数井様御入学の目的のため熊本においでになりわざわざご訪問を受け、ご念の入ったことで痛み入ります。奥様によろしくお伝えお願い申し上げます。

一九〇〇（明治三三）年五月、熊本の第五高等学校教授夏目漱石は、文部省給費留学生として満二ヶ年英国留学を命じられた。洋行するなら、準備のため直ぐ入用になるのが金である。どう工面しようかと思案した漱石は、菅 虎雄に貸した金を思い出した。実は親友で五高でも同僚だった菅が、肺患に侵されて一八九七年七月五高を辞め、療養のため上京した際、金銭に苦慮、漱石は就職などで恩義のある菅に療養費として融通したのであろう。一年間、茅ケ崎で静養し、ようやく健康を回復した菅は、一八九八年（明治三一）年九月、第一高等学校ドイツ語講師として採用された。菅は翌年には一ヶ年千円の報酬を得ることになり、やや生活も安定したので、漱石も返済を求めたのであろう。菅から早速為替で返済してきたので、確かに受け取ったという礼状を出したのである。漱石は期末試験を終え、返済された金のお蔭で、七月渡航準備のため上京し、九月英国に向け出航した。

そもそも、菅は堅実な生き方をして、借金はあまりしていない。むしろ漱石に貸すことが多かった。その点で珍しい資料である。

菅 虎雄は一八六四（元治元）年一〇月、久留米藩有馬家御典医菅京山の子として生まれた。帝国大学ドイツ文学科第一期生として卒業した。漱石より三歳年上で、帝大卒業は二年早い。

一八九三(明治二六)年菅は東京美術学校教授となったが、帝大英文科を卒業した漱石は、職がなく、大学院に籍を置いていた。一八九四年九月、漱石は煩悶を抱いて、菅の新居に寄宿したが、突然漢詩の書き置きを残して飛び出した。一二月二三日ごろ、菅の紹介で鎌倉円覚寺塔頭帰源院で釈宗演の下で座禅を組み、禅の公案の見解《けんげ》に取り組むが、一八九五年一月むなしく下山した。菅は漱石を英字新聞社に紹介したが、不採用だった。漱石を見捨てることができない菅は、愛媛県尋常中学校英語教師の人選を頼まれていたので、漱石に打診すると、菅に頼る気になっていた漱石は行くと承知した。しかし一年もたたずに松山を辞めたいという。菅は一八九五年八月、第五高等学校ドイツ語教授になっており、校長から英語教師を探していると言われ、漱石を推薦すると、翌年四月漱石は松山から直接熊本にやって来た。家が見つかるまで、宇留毛の菅宅に寄宿していた。以後二人は一年二ヶ月あまり、同僚として五高で勤務した。もし菅が就職の斡旋をしなかったら、「坊っちゃん」も「草枕」も生まれなかったのである。

この礼状の存在は、荒 正人『漱石研究年表』(集英社)により、神部健之助発見の手紙として知られていた。三五年前、私も荒氏に尋ねたが、実在を確認することはできなかった。この度、思いがけなく現存を確認できて、誠に喜びに堪えない。私の属する菅 虎雄先生顕彰会が久留米梅林寺外苑(福岡県久留米市京町)で漱石句碑・菅 虎雄先生顕彰碑除幕式(一〇月二日)を行なう今年、二人の友情を表す手紙が姿を現したのも何かの奇縁であろう。

なお、追伸に出て来る「弟数井」は菅 虎雄の弟一衛《かずえ》(一八八四・二・二八〜一九〇三・五・三)の類似音の誤聞による当て字であろう。一九〇〇年六月、五高受験のため漱石宅に挨拶に行ったと思われるが、一衛は五高に入学せず、一高に入学しているので、翌年一高を受験したのかも知れない。

（『西日本新聞』「文化」二〇一三年七月一〇日）

第四節　英国留学

㉒夏目漱石は子役チャップリンと出会ったか？

ある席で高校時代の友人H君から、夏目漱石はロンドン留学中、子役芸人だったチャールズ・チャップリン Charles Chaplin の演技を観ているのではないか、と尋ねられた。私は意表を突かれた思いで驚いた。

漱石が、いつ、ロンドンのどんな劇場に観劇に行ったかは、まず日記[1]で見ることができる。

①一九〇〇年一〇月三一日（水）　Haymarket Theatre（正式名は Theatre Royal Haymarket）「夜美濃部氏ト Haymarket Theatre ヲ見ル Sheridan ノ The School for Scandal ナリ」

②一九〇一年一月一〇日（木）　一一日付日記「昨夜 Kennington ノ Pantomime ヲ見ニ行ク滑稽ハ日本ノ円遊ニ似タル所アリ面白シ奇麗ナルコト West End Theatres ニ譲ラズ然モ best seat ニテ頗ル廉価ナリ」

③一月一二日（土）（劇場名不明）「余ガ下宿ノ爺（Harold Brett）ハ一所ニ芝居ニ行キシ処 Robinson Crusoe（Pantomime）ヲ演ゼシガ是ハ一体真ニアツタコトナリヤ小説ナリヤト余ニ向ツテ

問ヒタリシ故無論小説ナリト答ヘシニ余モ然思フト云ヘリ因ツテ 18th cent. ニ出来タ有名ナ小説ナリト云ヒシニ左様カト云フテ直チニ話題ヲ転ジタリ」

④二月八日（金）
「午後七時田中氏ト Metropole Theatre ニ行ク Wrong Mr. Wright ト云フ滑稽芝居ナリ徹頭徹尾オドケニテ面白キコト限ナク然モ其滑稽タルヤワルフザケニアラズシテ興味尤モ多シ」

⑤二月一六日（土）
「夜田中氏ニ誘ハレテ Kennington Theatre ニ至ル Christian ト云フ外題ナリ余リ感服仕ラズ」

⑥二月二三日（土）
「昼ヨリ市ニ行キ田中氏ト同道 Charing Cross ニ至リ Her Majesty's Theatre ニテ Twelfth Night (Shakespeare) ヲ見ル Tree ノ Malvolio ナリ装飾ノ美服装ノ麗人目ヲ眩スルニ足ル席皆売切不得已 Gallery ニテ見ル」

⑦二月二六日（火）
「夜 Kennington ノ Theatre ニ至ル大入ナリ外題ハ The Sign of the Cross ト云フ　Rome ノ Nero ガ耶蘇教征伐ノ事ヲ仕組ミタル者ナリ服装抔頗ル参考ニナリテ面白カリシ」

⑧三月七日（木）
「夜田中氏ト Drury Lane Theatre ニ至ル Sleeping Beauty（正しくは Sleeping Beauty and the Beast）ヲ見ン為ナリ是ハ Pantomime ニテ去年ノクリスマス頃ヨリ興行シ頗ル有名ノ者ナリ其仕掛ノ大、装飾ノ美、舞台道具立ノ変幻窮リナクシテ往来ニ遑《いとま》ナキ役者ノ数多クシテ服装ノ美

ナル実ニ筆紙ニ尽シ難シ真ニ天上ノ有様極楽ノ模様若《も》クハ画ケル龍宮ヲ十倍許《ばか》リ立派ニシタルガ如シ観音様ノ天井ノ仙女ノ画抔《など》ヲ思ヒ出スナリ又仏経ニアル大法螺《おおぼら》ヲ目前ニ睹《み》ル心地ス　又 Kerts ヤ Shelley ノ詩ノ description ヲ其儘現ハセル様ナ心地ス　実ニ消魂ノ至ナリ生レテ始メテカ、ル華美ナル者ヲ見タリ」

⑨三月一六日（土）

「今日田中氏ト Metropole Theatre ニ行ク In the Soup ト云フ滑稽演劇ナリ Ralph Lumley ト云フ人ノ作ナリ　滑稽ヲ無理ニ引キ上ゲテ膝栗毛的ナリ」

⑩三月二三日（土）

「夜 Metropole Theatre ニ至リ The Royal Family ヲ見ル頗ル面白カリシ」

⑪三月三〇日（土）Hippodrome（Cinderella を観る）

「昼 Hippodrome ヲ見ニ行ク Twopence Tube ヲ出ルト方角ガ分カラナイ反対ノ方向へ歩行テ行ツタ夫カラ cab ニ乗ツタ夫カラ Hippodrome ニ行クト席ガナクテ5シリング払ツタ Cinderella ヲ見タ獅子ヤ虎や白熊抔ヲ見タ」

⑫六月一八日（火）Hippodrome（何を観たか不記載。TallyHo ともいう）「£1ヲ払フ Hippodrome ニ至ル」

漱石の小説・随筆・論文・書簡・日記・断片・その他作品の中にチャールズ・チャップリンの名は一度も出て来ない。漱石は一八六七（慶応三）年二月九日生まれ、チャップリンは一八八九

（明治二二）年四月一六日生まれであるから、漱石のロンドン到着の一九〇〇（明治三三）年一〇月二八日は、漱石満三三歳、チャップリン一一歳で、二二歳の差がある。英国留学中の「漱石日記」は、一九〇〇（明治三三）年九月八日から一九〇一年一一月一三日までの分しか現存していない。そのロンドン滞在前半部一三ヶ月間に漱石が観劇したのが一二回、行った劇場は六、七ケ所である。漱石英国留学期間の後半分（一九〇一年一一月一四日から〇二年一二月五日ロンドン出発、〇三年一月二四日新橋到着まで）は、「近頃日記をかゝぬ故」[2]とあるように、日記を残していない。留学後半部を加えると、もっと多く観劇していたかもしれないが、記録がないので、現存資料で考察せざるを得ない。もし漱石が観た劇場にチャップリンが出演していたとしたら、いつ、どこだろうか。

二

漱石は正月早々妻にあてて、ロンドンの劇場について感想を書き送った。

「芝居には三四度参り候いづれも場内を赤きビロードにて敷きつめ見事なる事たまげる許りに候道具衣装の美なる事亦人目を驚かし候中にも寄席芝居の様なものは五六十人の女翩々《へんぺん》たる舞衣をつけて入り乱れて躍り候様皆に見せ度程うつくしく候其中此女がフワ〳〵と宙に飛び上り（ハリガネの仕掛にて）て其女の頭胸手抔に電気燈がツキ夫に軽羅と宝石が映ずると云ふ訳だから想像しても美いと思ふだらう然し真面目な芝居に善き席にて見物せんとするには燕尾服をつけ白襟な[3]

らざるべからず喫烟は無論出来ず頗る窮窟に候小生はセビロ赤靴にて飛び込み大に閉口したる事有之候」（一九〇一年一月二三日夏目鏡子宛漱石書簡）。

「漱石日記」では一月二三日時点で三回観劇したことになっているが、妻宛の書簡では、「芝居には三四度参り候」とある。「West End Theatres」（一九〇一年一月一一日付「漱石日記」）や「芝居に行きたければ West End に並んで居る」（一九〇一年二月九日付狩野亨吉・大塚保治・菅 虎雄・山川信次郎宛漱石書簡）とあるように、漱石は日記に書いた劇場以外にも West End（旧ロンドン市チェアリング・クロスより西部地帯。富裕階級地帯。政治・文化・商業の中心）の他の劇場にも行ったかもしれない。いずれにしてもイギリス劇場の絢爛豪華さには驚嘆おくあたわざるものを感じている。

大学時代の旧友に、

「此間一所に芝居「パントマイム」を見物に行た Robinson Crusoe をやつて居つた所が実際是は小説か事実物譚かといつて僕に尋ねた　芝居といへば此ちらの芝居は奇麗だよ其代り中央の善い芝居へ行くと善い席では燕尾服をつけなければならぬ僕は赤靴ジヤケツで飛び込んで極りが悪かつた事がある」と書いているが、この「Robinson Crusoe」は②一九〇一年一月一〇日 Kennington Theatre の Pantomime と同じものを指しているのだろうか。もしも同じだとするならば、②と③一月一二日の「Robinson Crusoe」は同じものになり、観劇回数が一一回に減ることになる。

特に⑧三月七日、Drury Lane Theatre にパントマイム「眠れる美女と野獣 Sleeping Beauty and the Beast」を観た時は、燦然たる華美に圧倒され、翌日妻宛の手紙で感想を書いた。

「芝居は修業の為に時々行くが実に立派で魂消《たまげ》る許りだ昨夜も「ドルリー・レーン」と云ふ倫

敦の歌舞伎座の様な処へ行つたが実に驚いた尤も其狂言は真正の芝居ではない「パントマイム」と云つて舞台の道具立や役者の衣装の立派なのを見せる主意であつて是は重に「クリスマス」にやるものだがはやるものだから去年から引き続いてやつて居る（倫敦は広い処だから芝居の数も無暗にあるがはやる狂言になると三年も続けて一つ芝居をやつてそして人が這入るのだから不思議なものだ）そこで此道具立の美しき事と言つたら到底筆には尽せない観音様の棟に彫りつけてある天人が五六十人集まつて絵にかいた龍宮の中で舞踏をして居ると其後から又五六十人が舞台の下からセリ出してくる急に舞台が暗くなると其次の瞬間には悉皆道具が替つて居る突然舞台の真中から噴水が出て此噴水が今紫色であるかと思ふと黄色になり其次には赤くなり青くなり非常な金銀を鏤《ちりば》めた殿閣が急に現はれて夫が柱天井の中に皆電気がついて光る「ダイヤモンド」で家が出来て居る様だ女の頭や衣服も電気で以て赤い玉や何かゞ何十となくつく夫が一幕や二幕ではない差し易り引き易り実に莫大な金を費さなければ出来ない丸で極楽の活動写真と巡り燈籠とを合併した様だ何しろ大きな水晶宮がセリ出すかと思ふと綺麗な花園がセリ下がつて来たり其後から海に日が当つて山が青く見える処が次第に現はれて来たり是が漸々雪の降る景色に変化したり実に奇観である」と、ロンドンのミュージック・ホールの舞台照明の豪壮さに讃嘆している。

漱石は帰国後一九〇四（明治三七）年七、八月『歌舞伎』第五一、五二号に「英国現今の劇況」（岩波書店『漱石全集』第二五巻）という談話を発表しているが、日記に出る六劇場以外の劇場名が出ている。「カヹント、ガアデン座 Covent Garden Theatre」、「ライシイアム座 Lyceum Theatre」、「セント、ゼームス座 St.James Theatre」、「ゲイエテイ座 Gaiety Theatre」の四劇場の名が挙がっている。

この談話によると、ロンドンには「芝居」(Theatre) と名の付くものが五〇ばかりあり、その外に「ミウジツク、ホール Music Hall (日本で云ふ寄席のやうなもの)」が大小五百ばかりあるという。漱石は日記に出た六劇場は確実に行っているが、談話の四劇場も行っていると推定される。というのは、前述のように日記は一九〇一年一一月一三日までしか書かれず、後半の一三ヶ月間は日記が書かれていないので、一九〇二年中の観劇はよくわからないからである。

多胡吉郎『吾輩はロンドンである』(文芸春秋。二〇〇三年八月一〇日)によると、バラエティ・ショーやレビュー・ショーを主とした Hippodrome は観客に混じって高級娼婦たちが多数出入りしていたそうだ。漱石の下宿に、地獄 (娼婦) の話しかしないサミュエル商会に出る田中孝太郎というのんきな男がいた。漱石は劇場通いの半分を田中と共に出かけていた。半ば女郎買いを目的にした田中と、厚化粧に媚態を強調させた派手な高級娼婦たちが色目を送る客席の中で、漱石は芝居を観ていたのである。しかし「僕はまだ一回も地獄抔は買はない考ると勿体なくて買た義理ではない」(一九〇一年二月五日付藤代禎輔宛漱石書簡) や「此人 (田中) と時々芝居を見に行く是は修業の為だから敢て贅沢ではない日本の人は地獄に金を使ふ人が中々ある惜い事だおれは謹直方正だ安心するが善い」(一九〇一年二月二日付夏目鏡子宛漱石書簡) とあるのは信じてよいと思う。

三

一方、チャップリンは「クリスマスになると、わたしたちはロンドンドン・ヒポドロームのパントマ[6]

マイム劇『シンデレラ』に、犬や猫の役で傭われることになった。これは当時新しくできた劇場で、ヴォードヴィルとサーカスを組み合わせたのが味噌だったが、装置がすばらしいというので、大変な人気だった」とある。

そもそもヒッポドローム Hippodrome とは、古代ギリシャの戦車や馬の競技場のことで、オリンピアやデルフォイのような神域では祝祭の時の競技に設けられ、後にアテネやスパルタにも造られた。代表的なものではコンスタンチノーブル(現・トルコ共和国イスタンブール)にあったもので、二〇三年、ローマ皇帝セプティミス・セヴェルスの時代に建設が始まり、ビザンチン皇帝コンスタンチヌス大帝がここをローマ帝国第二の都と宣言した式典により、三三〇年五月一一日に完成した。今、スルタンアフメットモスク(ブルーモスク)とアヤソフィア博物館との間の広場が古代競馬場跡(ヒッポドローム)と言われている。U字形のトラックの周囲には四〇列の席があり、東側に皇帝席があり、その屋根には四頭のブロンズ馬像が飾られ、収容能力三、四万人と言われた。帝国各地から選ばれた戦車競技は名誉と富を賭けて、壮絶な戦いを競った。ローマ、ビザンチン帝国時代、市民の娯楽とエネルギーの中心だったヒッポドロームも、一二〇四年の十字軍の略奪で徹底的に破壊され、オスマントルコ時代には競馬は行われず、しばしば華麗な儀式や大規模な祭の舞台となった。

その名に因んだロンドン・ヒッポドロームは、[7]一九〇〇年一月一五日、劇場建築の天才フランク・マッチャムによってロンドンのレスター・スクエア Leicester Square にほど近いウエスト・エンドの一等地に、その巨大な威容を現した。チェアリング・クロス・ロード Charing Cross Road とクランボン・ストリート Cranbourn Street との交わる接点に正面玄関入口を設け、建物の中央尖端頂上には古代ローマ時代に戦争や競技に使われた鉄製の二輪戦車が置かれ、さらに戦車の両横には、ローマ時代に活躍した百人隊の戦士が二つの通りを見張るように配された。建物の左右両尖端にもドーム型の塔がつけられた。ギリシャ、ローマの競技場を意味するヒッポドロームを看板に掲げたミュージック・ホール（『ベデカ』は Hippodrome を Theatre ではなく Music Hall に分類）らしい装飾であった。[8]

ロンドン・ヒッポドロームの最大特徴は、サーカスや水中大スペクタクル・ショーに使用する円形リングを中央に置いて、歌やダンス、マジックなどを演じるステージは奥の方に追いやられたことであった。中央のリングは下に水力昇降機が設置されており、それを上下させることによって、水中ショーの時には一〇万ガロンの水をたたえる大プールに変身させる大仕掛けなものだった。ホールの地下を流れるクランボン川からの大量の水を蓄えた大きなタンクが、リングの近くに設置された。水中ショーのダンサーは、中央にある手すりについたドームからプールに向かって飛び込む仕掛けになっていた。動物を使うサーカスの場合は、円形リングの周りに高さ一二フィートの柵が張りめぐらされた。その後、一九〇九年、サーカスや水中ショーの人気低下に対応して、ステージを前面に移動し、中央の円形リングも客席に改められた。この改造によって、ホールはさらに一三四〇人が収容できるようになり、最低でも三〇〇〇人収容可能な巨大ホールとして連日イギリス中の人々が足を運んだという。

出口保夫・アンドリュー・ワット編著『漱石のロンドン風景』（研究社出版、一九八五年八月二五日）

ヒッポドローム
ロンドン・クランボーン通り。出口保夫/アンドリュー・ワット編著『漱石のロンドン風景』（研究社出版、1985年8月25日）

にはヒッポドロームの正面玄関・水の仕掛け・パントマイム「シンデレラ」の写真が収載され、「毎年クリスマスから新年にかけて上演されるパントマイム「シンデレラ」。チャップリンが子役で出ていた」とあり、漱石とチャップリンとの直接の出会いの可能性には触れていない。

こんな大掛かりな芝居小屋ヒッポドロームに子役チャップリンが犬や猫に扮して出ていたのである。いずれにしても、私は漱石がチャップリンを観たとするならば、ヒッポドロームだろうと思う。

アルフレッド・ジャックソンの回想によると、「チャーリーは私たちの旅巡業に同行していて、ヒッポドローム劇場での最初の『シンデレラ』のパントマイムでキャストの一員となった（『シンデレラ』はクリスマス・パントマイムのなかでも、もっとも人気のある出し物のひとつ。もとになっていたのはロッシーニのオペラ）。ここで初めてランカシア・ラッズから抜け、〝ちゃんとした〟役を演じることになったんだ」とある。ヒッポドロームの「シンデレラ」はフランク・パーカーのプロデュース一九〇〇年一二月二四日から〇一年四月一三日まで上演された。クリスマス・パントマイムとは無言劇ではなく、歌や踊りを盛り込んだお伽芝居のことである。「シンデレラ」はクリスマス・パントマイムの中でも最も人気のある出し物で、ロッシーニのオペラを基にしたものである。台本はW・H・リスケイ、音楽はジョージ・ジャコービ、ダンスの振り付けはウィル・ビショップが担当した。劇は5場と一つの水上ショーとから成っていたが、舞台装置は複雑精巧を極めた。チャップリンたちが演じたと思われる犬猫族は、おそらく「男爵家の台所」の場面に登場したものと思われる（『チャップリン』上、ディヴィッド・ロビンソン、宮本高晴・高田恵子訳、文芸春秋社）。

『チャップリン自伝――若き日々』（新潮文庫、中野好夫訳、一九八一年四月二五日）によると、

「サーカス用の円形舞台がするすると沈むと、そこに満々と水がたたえられ、華麗なバレエがくりひろげられるようになっていた。ピカピカの鎧を着た美しいレビュー・ガールの列が、あとからあとからと登場して、水の中に姿を消してゆく。最後の列が沈んだところで、ダブダブの夜会服を着、オペラ・ハットをかぶった偉大なフランス人のマルセリーヌが、釣竿を持って登場し、折りたたみ椅子に腰をおろす。おもむろに大きな宝石箱をあけると、ダイヤの首飾りを餌がわりにつけて、水の中に投げこむ。しばらくするとこんどはまた、寄せ餌《チャム》という趣向で小さな宝石類、たとえば腕輪などをばらばらとふりまく。とうとう宝石箱は空っぽというところで、突然、竿にあたりがあったという体《てい》で、発作にでもかられたように、竿をもったまま滑稽きわまるキリキリ舞いをはじめるのだ。大奮闘のすえ、やっと釣れてくるのは、なんとかわいらしいプードル犬一匹というわけ。しかもこの犬は実によく訓練されていて、マルセリーヌのすることならなんでも真似《まね》て見せる。彼が坐れば犬も坐るし、彼が逆立ちすれば、すかさず犬も逆立ちするといったぐあい。

マルセリーヌのコメディは滑稽で魅力があり、ロンドンじゅうが熱狂的な拍手を送った。台所

のシーンで、わたしはマルセリーヌと一緒にちょっとしたお笑いを演じることになった。わたしの役は猫で、犬に追われたマルセリーヌが後ずさってきて、ミルクを呑んでいるわたしの背中にひっくりかえるという手筈だった。が、彼は、わたしの背中の丸め方が足りないもので、倒れ方がひどくなって困ると、いつも文句をいった。わたしは鳩が豆鉄砲をくったような顔をした猫の仮面をかぶっていたが、子供向けのマチネのあった最初の日、犬のお尻のほうへまわって匂いをかぐ真似をしてみせた。客はワッと笑ったので、こんどは客席のほうへ向きなおると、紐を引っぱって目をパチクリさせながら、さも驚いたような顔をしてみせた。こうして何度か鼻をヒクヒクさせ、目をパチクリしているうちに、劇場支配人が舞台裏にとんできて、袖のところから気ちがいのように手をふりだした。だが、わたしはそ知らぬ顔で芝居をつづけた。犬のお尻をかいでから、つぎは舞台の前方をクンクン嗅いでまわり、最後にひとつ片脚をあげた。客席は大湧《わ》きに湧いた——おそらく猫らしからぬこのしぐさがおかしかったのだろう。とうとう支配人とぴったり視線が合ってしまったので、わたしはとびはねながら、劇場いっぱいの拍手に別れをつげた。「二度とあんなことをやっちゃだめだぞ！」支配人は息を切らしながらどなった。「宮内長官（訳注　イギリスでは一八世紀以来、宮内長官が、脚本の検閲権をにぎっている）から、劇場閉鎖命令でも出たらどうするつもりだ！」」とある。

清水一嘉『自転車に乗る漱石——百年前のロンドン』（朝日選書、二〇〇一年一二月二五日）でも「漱石が一年二か月後の三月三〇日に行って見たのも『シンデレラ』であった。これによって翌年にも『シンデレラ』が上演されていたことがわかるが、チャップリンの「クリスマスになると」という文章と時間的なずれがある。」とあり、清水は一九〇〇年一月一五日ヒッポドロームこけら落としの出し物が「シンデレラ」であったとしているが、ディヴィッド・ロビンソンの『チャップリン』上、第一章「ロンドンの少年時代」の記述「第一回公演『享楽のオステンド』」が正しく、「シンデレラ」は一九〇〇年一二月二四日から始まり、翌〇一年四月一三日まで上演されていたのである。しかし、漱石がチャップリンの「シンデレラ」を観た可能性を、清水が示唆しているのは、卓見であると思う。

『チャップリン自伝』に「クリスマスになると、わたしたちはロンドン・ヒポドロームのパントマイム劇『シンデレラ』に、犬や猫の役で傭われることになった」と書いており、ヒッポドロームの「シンデレラ」は一九〇〇年一二月二四日から〇一年四月一三日まで上演されていた（ロビンソン『チャップリン』上）ことを考えると、三四歳になった漱石がヒッポドロームに行った一九〇一年三月三〇日、一一歳のチャップリンの出演（病気休演しない限り）していたパントマイム「シンデレラ」を観たであろうことを、私は信じて疑わないのである。

なお、現在、ロンドン・ヒッポドロームは建物だけがそのまま残り、その一部はレスター・スクエア駅（地下鉄ピカデリー・ライン）として、一部はディスコティックに変わっているが、HIPPODROME の看板だけがいまだに正面上に掲げられているそうである（『夏目漱石と倫敦留学』稲垣瑞穂、吾妻書店、一九九〇年一一月三〇日）。

〔注〕

1　岩波書店『漱石全集』第一九巻「日記・断片　上」、二〇〇三年一〇月七日第二刷

2　一九〇二年四月一七日付夏目鏡宛漱石書簡

3　一九〇一年一月二二日付夏目鏡宛漱石書簡

4　一九〇一年二月九日付狩野亨吉・大塚保治・菅 虎雄・山川信次郎宛漱石書簡

5　一九〇一年三月八日付夏目鏡宛漱石書簡

6　『チャップリン自伝』Ⅲ、中野好夫訳、新潮社、一九六六年一一月二日

　『チャップリン自伝――若き日々』一九八一年四月二五日、新潮文庫

7　『大英帝国はミュージック・ホールから』井野瀬久美恵、朝日選書、一九九〇年二月二一日

8　塚本利明『漱石と英国』彩流社。一九八七年九月一五日

（『虹』第四号、小郡読書会、二〇〇七年三月三一日）

第五節　東京

㉓久保猪之吉・より江と夏目漱石

歌人・俳人であり、九州帝国大学教授久保猪之吉の妻だった久保より江（一八八四〜一九四一）は、愛媛県松山市大字玉川町一五番地宮本正良の長女として生まれた。

母方の祖父母上野義方夫妻は松山市二番町八番戸で出戻りの長女（より江の伯母）とその連れ子（より江の従姉・上野きみ子）と母屋に住み、離れ家を下宿人に貸していた。より江の父は東与の鉱山に行っていたので、宮本より江は小学校に通学するため、祖父上野に預けられていた。より江は上野夫妻の三女の娘であった。

宮本より江

（後の久保より江）久保猪之吉の妻。『漱石全集』月報第五号、「漱石先生言行録」五、森田草平編、「松山と千駄木」久保より江（談）

一八九五（明治二八）年四月、夏目漱石は愛媛県尋常中学校嘱託教員として、松山に赴任し、六月下旬、同僚の世話で、上野義方宅の離れ家を借り愚陀仏庵と名付けた。

同年八月二五日、正岡子規が松山に帰ってきて、二七日から漱石の愚陀仏庵に寄寓し、漱石は一階を居室にし、子規は二階を居室とした。柳原極堂・村上霽月・寒川鼠骨など子規を慕う俳人たちが、盛んに運座を催した。小学生のより江は「句座のすみにちいさく畏《かしこま》つて短冊に覚束ない筆を動かした夜もあつた。」(「夏目先生のおもひで」『嫁ぬすみ』)。句座が毎日のように開かれるので、漱石は二階に移り、子規が一階に移った。漱石も気が向けば、二階から降りて来て、句座に加わることもあった。

同年一二月、漱石は冬休みに利用して、見合いするために東京に帰った。二八日、貴族院書記官長中根重一の長女中根鏡子と虎ノ門官舎で見合いをして、婚約成立する。一八九六年一月一〇日、松山に帰る。漱石は見合いの席で、引き出物に出た鯛をむしゃむしゃ食べたと言って、女たちを笑わせた。より江は見合い用の中根鏡子の写真を実物よりも先に漱石から見せてもらっていた。

より江は漱石の部屋にしばしば遊びに行って、いろいろな話を聞かせてもらった。夜分遅くなると、母屋に帰る廊下の途中に竹などが茂って暗かったので、漱石は「赤い毛のお化けが出るよ。」と言って、より江を脅したりした。当時、より江の髪の毛は赤かったので、漱石はより江のことを「赤い毛のお化け」と言っていたのである。

お伽草子「ものくさ太郎」の話は特に印象深く、後に夫の猪之吉に話すと、面白がって京都の古本屋から絵入りの小型の二冊本を取り寄せてくれた。

漱石は当時和服をあまり持たなかったので、より江の伯母に頼んで一楽の反物を見立てて買い、従姉のきみ子に縫ってもらったことがあった。きみ子は出戻った伯母の連れ子で、漱石の衣食の世話をしていた。

一八九六（明治二九）年四月九日、漱石は愛媛県尋常中学校嘱託教員を依願退職し、講堂で告別式が行われた。夕刻、絵が好きなより江を連れて、湊町の向井で、呉春・円山応挙・常信の画譜を記念としてより江に買ってやった。

同年四月一一日朝、漱石は熊本に赴任するため、高浜虚子と共に三津浜港から出発した。横地石《いわ》太郎校長・俳人村上霽月《せいげつ》・宮本より江らが見送った。より江は漱石から「わかるるや一鳥啼て雲に入る　愚陀仏」という句を書いて送られた。

一八九九年、より江は上京、東京府立第二高等女学校に入学した。上京後、初めて再会した時、漱石は「大きくなったね。」と言った後、「よく髪が結えるようになりましたね。」と、そこまで覚えていたのかと、より江はいささか閉口した。

卒業後、一九〇三年五月、東京帝国大学医学部耳鼻咽喉科助手久保猪之吉（一八七四〜一九三九）と結婚し、久保より江となる。

久保猪之吉
九州帝国大学医学部教授、耳鼻咽喉科、大礼服着用、1934年4月撮影

久保猪之吉は福島県安達郡本宮町鍛冶免八番地に旧二本松藩士父・常保、母・こうの長男として生まれた。一八八七年三月福島県須賀川町立尋常小学校を卒業、同年四月、福島県尋常中学校に入学、九一年三月安積中学校（校名変更）卒業、九月第一高等中学校入学、落合直文の浅香社に参加した。九六年七月一高卒業、九月帝

国大学医科大学に入学、浅香社を脱退し、尾上柴舟らと「いかづち会」を結成した。一九〇〇年一二月東京帝国大学医科大学を卒業、耳鼻咽喉科の岡田和一郎教授の下で副手、助手に任ぜられた。〇三年五月宮本より江と結婚、六月、耳鼻咽喉科研究のため、満三年間渡欧し、ドイツのフライブルグに留学、グスタフ・キリアンの下で助手となった。

夫の留学中、より江は少女のように自由を謳歌、袴や踵の曲がった靴を履いて、女学生姿で過ごした。文学好きのより江は、千駄木の夏目家をしばしば自転車に乗って訪れ、当時の言わば「新しい女」ともいうべきハイカラな女性だった。度々訪ねているうちに、漱石は忙しがったり、機嫌が悪かったり、自然鏡子と親しくなった。

一九〇七（明治四〇）年一月、久保猪之吉がドイツ留学から帰国、京都帝国大学福岡医科大学教授に任ぜられたため、より江は夫と共に福岡市外東公園に転居したので、漱石宅にしばしば訪問することはできなくなったが、年に一度くらいは上京し、夏目家を訪ねた。

一九一二（明治四五）年四月、久保より江は久しぶりに福岡から上京、早稲田の漱石山房を訪ねた。『吾輩ハ猫デアル』中篇（一九〇六年一一月四日、大倉書店・服部書店）を所蔵していなかったのであろう、漱石に所望したものか。「其みぎり御約束の猫の中巻本屋より取寄せ小包にて御送り申候御受取願上候」（一二年四月二一日付久保頼江宛漱石書簡）とある。この書簡の九ヶ月前、大倉書店から縮刷本『吾輩ハ猫デアル』（一九一一年七月二日初版発行）が刊行されているが、縮刷本は一冊本であり、「中篇」とあるからは、〇六年一一月四日刊の初版本の「中篇」である。「此間いたゞいた博多織はとうとう半井さんにやりました。福岡はもうそろそろあつくなるでせう。倹約をして御金を御ためなさい。時々拝借に出ます。」（一二年四月二一日付久保頼江宛漱石書簡）と貯蓄を勧めている。

『吾輩は猫である』に珍野苦沙弥先生の姪で、「踵のまがつた靴を履いて、紫色の袴を引きずつて、髪を算盤珠の様にふくらまし」た「一七、八の女学生で」、「折々日曜にやつて来て、よく叔父さんと喧嘩をして帰つて行く雪江とか云ふ綺麗な名の御嬢さんである。尤も顔は名前程でもない。一寸表へ出て一二町あるけば必ず逢へる人相である。」（十）と描かれた雪江は活発な文学少女の面影を残す久保より江をモデルにしたと言われる由縁である。より江自身も、「私はその頃よく出歩いてゐましたので、踵の曲つた靴を穿いてたこともあつたんでせうね。すると、それが直ぐ先生に目附かつて、「女がそんな靴を穿くもんぢやない」と云はれたことがありましたつけ。間もなくそれを又「猫」の中に書いておしまひになつたから驚きましたわ。」「あの中へ出て来る雪江さんといふ、苦沙弥先生の姪に当る女学生は、多分わたくしと奥さんのお妹さんとを一緒にしてお書きになつたものでございませうね。」（久保より江（談）「松山と千駄木」『漱石全集』月報第五号、一九三六年三月）と述懐した。

長塚 節

石塚弥左衛門編著『長塚節 横瀬夜雨―その生涯と文学碑』新修版、明治書院、1995年刊。32歳ころ撮影

一九一二（明治四五）年三月、漱石の世話で「土」を『朝日新聞』に発表した、歌人・小説家の長塚節が、漱石宅を訪ねた。長塚は喉頭結核のため、九州旅行中、福岡に立ち寄り、歌人で耳鼻咽喉科の権威者九大教授久保猪之吉の診察を希望、漱石は久保の妻よ

り江を松山時代に知っていたので、長塚を久保に紹介、診察を依頼した。

長塚は三月一九日、東京を立ち、二四日、久保の診察を受けた。診断は慢性咽喉炎及び結核性喉頭炎であった。長塚は病ながら二四日から鹿児島、熊本、長崎を回り、福岡に帰り、五月八日久保の診察を受け、電気焼灼の治療を始めた。八回長塚は久保の診察を受け、七月五日博多を出発し、四国・関西を廻って東京に帰った。

長塚が再び福岡に来たのは一九一三（大正二）年三月一九日で、二日久保の診察を受けた。喉頭結核は治癒したと診断され、長塚は大喜びで知人に報告、四月四日、福岡を立ち、宮島・関西・出雲の旅を続け帰京した。

三度目の福岡行は一九一四年六月一〇日、博多に着き、その日久保の診察を受けた。結核菌は陽性に転じ、病状は悪化していた。官費で入院し、一四年八月一四日退院し、久保の困惑を押して一六日、転地療養の日向青島への旅に出た。

長塚は病状を悪化させ、一四年九月二二日、疲労困憊して博多に帰り、二三日、右披裂部発赤し、喉頭後壁凸面に腫脹し、三回手術をした。長塚の日向旅行は、縮めた命と引き換えに「鍼の如く」のような不朽の名歌を残した。平野旅館に宿を決め、九大に通院し、手術を懇願した。一一月二三日、最後の太宰府観世音寺詣でを試みた。一二月二六日を最後にもう通院することができなくなった。

一九一五（大正四）年一月四日、長塚の悪寒と不眠と四〇度の高熱とで苦しい息遣いを見て、助手は久保に相談して、入院させた。一五年二月八日、午前一〇時、他界した。長塚節の訃報《ふほう》は即日久保猪之吉から電報で漱石に知らされた。

九州大学医学部構内に長塚節「しろがねのはり打つごとき　きりぎりす幾夜はへなば　すゞしかるらむ」の歌碑が建立された。

一九三五（昭和一〇）年二月、久保猪之吉が九州帝国大学医学部を退官し、六月、東京聖路加病院顧問に就任したので、より江も福岡から東京市麻布区笄《こうがい》町に転居した。

より江の感化で猪之吉も和歌を捨てて、俳句に精進するようになった。

一九三九年一一月一二日、久保猪之吉が満六四歳で今生を去った。

一九四〇年一月、可愛がっていた猫が燈明を倒し火事となって全焼、寂しい晩年であったという。中風を患い夫亡き二年後、より江は後を追うように満五六歳で亡くなった。

（企画展図録『草紅葉――久保猪之吉とより江』福岡市文学館、二〇一九年一一月八日）

㉔夏目漱石『三四郎』の「偉大なる暗闇」――薩摩隼人・岩元《いわもと》禎《てい》のこと――

夏目漱石周辺に幾多の人々が関係して、漱石文学誕生に寄与している。漱石周辺人物中から岩元 禎を紹介したい。

岩元 禎は一八六九（明治二）年五月三日、鹿児島市高麗町一三六番戸に鹿児島藩下士岩元基の長男として生まれた。一八八九年七月、鹿児島高等中学造士館予科を卒業、上京して同年九月、第一高等中学校に入学した。夏目漱石よりも一年遅れて九一年七月、同校を卒業した。同年九月、帝国大学文科大学哲学科に入学、最上級生であった九三年九月から翌九四年七月まで、帝大哲学教師として来日したばかりのラファエル・フォン・ケーベルの講義を聴き、忠実な弟子となった。漱石も九三年六月、ケーベルの美学の講義を聴いているので、岩元と同席したかもしれない。岩元はひたすらホメロス・ソクラテス・プラトン・アリストテレスなどギリシャの古典から分け入ろうとした。

岩元 禎
第一高等学校教授 ドイツ語・哲学『写真図説 嗚呼玉杯に花うけて 第一高等学校八十年史』1972 年刊

一八九四年七月、帝大哲学科を卒業、直ちに大学院に入学した。九九年一一月、第一高等学校ドイツ語授業を依嘱された。

一九〇三年一月、第一高等学校教授に任ぜられた。一方、英国留学から帰国した漱石は、同年四月、第一高等学校英語授業嘱託の辞令を受けた。ここで、漱石と岩元とが一高校舎内で出会う機会ができたが、専任教授岩元に対して、漱石は帝大との兼任で、非常勤講師であったため、出会うことは少なかっただろう。

漱石の岩元 禎宛書簡は一通も現存しない。ただ、清国の南京三江師範学堂に教習として赴任していた菅 虎雄に、「岩元は始終不平をいふて支那の生徒を攻撃して居る」（一九〇六年二月一四日付漱石書簡）と近況を報告して岩元に一度だけ触れている。ギリシャ哲学を頑固に尊崇する岩元は、清国留学生の文化の違いを理解しようとはせず、岩元式の高踏的な独特の教育法を推進したため、日本人一高生ですら多数の落第が出たのに、清国留学生は岩元の要求する学問的水準に達せず、不平を言って、彼等を攻撃していたのであろう。近代化西洋化を急ぐ中国人側と、偏狭な他を寄せ付けぬ秋霜烈日の授業と採点法を強行する岩元との間に埋め難い溝が生ずるのも当然であろう。

多くの人から「偉大なる暗闇」と言われた岩元 禎は、漱石の「三四郎」の広田萇《ちょう》という高等学校教師のモデルと言われたが、漱石と岩元との関係は互に距離をおいて、むしろ疎遠であった。岩元は「夏目は英語ができるんじゃよ、井上十吉さんがほめておられたが、後でつまらんものを書きおってのう」と語ったと唯一伝えられている。

一高の伝説的名物教授岩元 禎は、己の生き方に忠実に妥協を許さなかった。授業では教科書に書き込みを許さず、自己流の訳読を朗々と響かせ、めったに生徒に訳させることはなかった。

天下の秀才一高生たちもひたすら師の片言隻句を洩らさず傾聴して、岩元語の訳語を身に着けようとした。隠れて教科書に筆記していた生徒を見付け、「こらっ！」と大喝するなり、教科書を取り上げ、情け容赦なく引き裂いて窓から捨てた。恐怖に慄いた生徒に、「代金は後でやる。教官室に取りに来い。」と言ったという。武士がその魂である刀剣に最大の敬意をもって扱ったごとく、神聖な教科書を汚すことを極端に嫌った書物愛執癖と独特の心底に感応する教育観とは、一般に奇人と見られた。古典を読むことに絶対的価値を認め、己の理論を体系づけて書物に表現することには縁遠かった。歿後、受業生三谷隆正・藤田健治が編集した『哲学概論』（近藤書店）のみが唯一の著作である。同書の冒頭の文は、「哲学は吾人の有限を以て宇宙の無限を包括せんとする企画なり。」とあり、後に総持寺（横浜市鶴見）境内に岩元 禎の「哲学碑」が受業生によって建立され、冒頭の一文が刻された。

森田草平が一高三年生の時、岩元 禎の宿を訪問して、「ゲーテの『ウィルヘルム・マイスター』を翻訳したいんですが。」と言うと、岩元はきっとなって、「翻訳するのもいいが、やるなら二年計画でやれ。」と言われた。手間仕事で、野心を起こした草平は、岩元の剣幕にほうほうの体で引き下がった。学問に対してあくまで慎重で、独自の遠大な学問観を持ち、変わらぬ生き方を貫いた岩元の言葉は、草平の肝に銘じて忘れえぬ大事件となった。

森田草平
『明治大正文学全集』29、春陽堂、1927年刊、1927年ころ撮影

ある時、草平は漱石に岩元の慎重な態度を語り、「あ

の時は実に閉口しました。」と言った。漱石は黙って聴いていたが、急に真剣な顔になって、「慎重な態度もいいが、そういう人は一生何事もせずに終わるものだよ。自分にどんなことができるか、自分の力はやってみなければ、自分でもわかるものではない。やらないということは、その人にそれをする能力がないということになる。」と言った。草平は漱石の同時代人に対する切実な評言として聞いた。

　従って、漱石は「三四郎」執筆時に岩元を念頭において「偉大なる暗闇」広田先生を造型したと、私は思わない。漱石が岩元の日常の教育活動や現実生活を観察していた形跡はない。帝大哲学科生で、漱石と交遊のあった者は、大塚保治・狩野亨吉・立花銑三郎・松本文三郎・松本亦太郎・米山保三郎であり、岩元とは、学生時代から親しくない。一高で同僚となった一九〇三年四月から〇七年三月まで四年間、二人は幾度口を利いたことだろう。互に己の生き方を貫いて、ほとんど没交渉であったと思われる。

　「三四郎」で佐々木与次郎は広田先生を、「そこが先生の先生たる所で、あれで大変な理論家なんだ。細君を貰つて見ない先から、細君はいかんものと理論で極つてゐるんださうだ。」「万事頭の方が事実より発達してゐるんだから、あゝなるんだね。其代り西洋は写真で研究してゐる。巴《パ》理《リ》の凱旋門だの、倫敦《ロンドン》の議事堂だの沢山持つてゐる。あの写真で日本を律するんだから堪らない。」「学校ぢや英語丈しか受持つてゐないがね、あの人間が、自《おのづ》から哲学に出来上つてゐるから面白い」「(著述は)何にもない。時々論文を書く事はあるが、ちつとも反響がない。あれぢや駄目だ。丸で世間が知らないんだから仕様がない。先生、僕の事を丸行燈だといつたが、夫子自身は偉大なる暗闇だ」と評した。

広田萇の抱えた諸々の近代の矛盾は、実は漱石自身の内面の鬱勃とした苦悩であった。広田が若い学生に洩らす時代批判と諷刺は、漱石の警世と厭世そのものであろう。漱石が門下生たちに洩らした該博な知識と辛辣な諧謔とを極端にまで高揚させて、「三四郎」で造型した「偉大なる暗闇」広田萇は、ふと周辺を見渡すと、たまたま岩元 禎に類似していた。世の人は「広田先生モデルは岩元 禎だ」という伝説が、結果として出来上がったと言うべきであろう。そして、一高関係者から教育界、文学・哲学界の人々に伝播して、明治四〇年代の精神的認識に定着していった。漱石も岩元も世間の人々の「広田先生モデルは岩元 禎だ」という伝説を知りつつ、否定も肯定もせず、全く放任等閑視して、無視した。それがまた二人とも、偉大なる暗闇の暗闇たる由縁でもあった。

三四郎が大学図書館を出て青木堂に入ると、水密桃の男がいて、「茶を一口飲んでは烟草を一吸《すひ》すつて、大変悠然構へてゐる。今日は白地の浴衣を已めて、背広を着てゐる。」と描いているが、現実の岩元 禎もしばしば青木堂に行き、いつも同じ椅子に腰かけ、紅茶や菓子を楽しんだ。一高生がいると、ボーイを呼んで、「生徒たちにお茶と菓子を出してやれ。」と言ったという。「青木堂で岩元さんにあつたら、人間頭ちふものは大がい際限のあるもんで午前中よりきかんものだ」（芥川龍之介書簡）と、岩元と芥川が出会っているが、漱石と岩元が出会った話はない。

岩元は抜群の学業優秀な秀才、眉目秀麗な美男子好みで、ＭとＱと二人で岩元の宿を訪ねると、美少年のＭに向かって機嫌よく、「Ｍ君か、よく来た。さあ、上らんかい。」と言い、Ｑには

和辻哲郎
『自叙伝の試み』中央公論社、1961年12月30日刊、書斎にて、1957年2月、田沼武能撮影

「Q君、君は帰っていいんじゃ。」と言う。薩摩武士の若衆趣味が影響したものか。生涯、お気に入りの寵児は、『「いき」の構造』の九鬼周造であった。『古寺巡礼』の和辻哲郎が、岩元のドイツ語で五五点の時、九鬼は一〇〇点だった。一つしか間違えていない和辻は、納得がいかなかった。ドイツ語の岩元式訳語は独特の岩元趣味に彩られ岩元語でなければならなかった。Dorf は「村」ではなく「鄙《ひな》」、Kirche は「教会」でなく「寺院」、Karikatur は「カリカチュア」「戯画」ではなく「鳥羽絵」でなくてはならなかったという。

岩元 禎の信奉者は天野貞祐、亀井高孝、吹田順助、木下杢太郎、竹山道雄など錚々たる各界の一流人物がいる。その反面、岩元の偏執的理不尽な採点法に苦しみ、落第の憂き目にあった人に山本有三、土屋文明、岩波茂雄、安倍能成らがいる。貧困で苦学して、人より遅れて一高に入学した山本有三が、岩元によって落第させられ、勉学の意欲を失い二年生で退学、東大には撰科で入学し、後に検定で正科生となって卒業したが、生涯その恨みを隠さなかった。

安倍能成
『我が生い立ち』岩波書店、1966年11月28日刊、1950年浜谷浩撮影

一九三二年二月、岩元は願いにより本官を免ぜられ、第一高等学校から哲学概説及び独逸語講師を嘱託された。

四一年四月、願いにより講師嘱託を解かれた。

食や嗜好にはエピキュリアン、貴族的ですべて最高のものを愛した岩元も、永年の大食、甘党、暴煙、暴酒の不養生のため、最晩年、ひどく衰弱した。四〇年九月、真っ白な夏服を着た、病臥中の岩元が、かつて落第させた教え子で、一高校長になった安倍能成を校長室に訪れ、丁重に挨拶したという。やがて、一九四一年七月一四日、青山の小さな借家で瞑目した。満七二歳。

青山斎場で行なわれた葬儀で、三谷隆正は弔辞で、「過ちを犯した時に、優しく慰めてくれる人は少なくないが、魂を震撼させて悔い改めさせる人は、暁天の星よりも稀であり、岩元先生は正にそういう人である。」と言った。


（『九州学士会報』第三五号、学士会福岡支部、二〇一五年八月一日）

㉕夏目漱石と住まい

現在の日本人なら四〇歳前後になると、住宅ローンを組んででもマイホームを作りたいと願うのは、自然の成り行きである。しかし、明治の文士たちはみな赤貧洗うがごとく、極貧で悲惨だった。石川啄木も樋口一葉も家どころか今日口に糊する米にすら事欠いた。家族を扶養しなければならない重荷と労咳にまみれて、憤死した。

千円札にその顔を残している明治の文豪夏目漱石も生涯借家住まいで、ついに死ぬまで持家を持つことはできなかった。近所から「げんか、げんか」（玄関の付いた名家）と呼ばれた江戸の草分名主の家柄（家の近くの坂は今でも夏目坂という。町名は井桁に一六葉の菊をあしらった家紋に因んで喜久井町と名付けられた）に生まれたが、八兄姉の末子に相続すべき家はなかった。

米山保三郎

大久保純一郎著『漱石とその思想』荒竹出版、1974年12月20日刊。1909年4月、米山の肖像に漱石の添え書き

漱石は東大予備門（後の旧制一高）時代、米山保三郎という同級生から「君は将来何になろうと思っているか」と尋ねられた。「建築家になりたい」と答えると、「日本でどんなに腕を揮ったってセント・ポールズ大寺院のような建築を後世に残すことはできない。それよりもまだ文学の方が生命がある」と言わ

れ、文学者になることに決めた。

漱石は引越し魔だと言われる。一六歳頃に実家を出て下宿を始めて以来、何回下宿替えしたか、数えることは困難である。実家に帰ったり、下宿を替えたり、寄宿舎に入ったり、松山に赴任するまで一〇数年間におそらく一〇回以上引越ししていると推定される。松山の一年間でも三回転居した。熊本の四年三ヶ月では六回移転している。ロンドンの二年二ヶ月では五回下宿を替えた。東京に帰ってからの一三年半では四回転居した。

転居にはみな理由がある。漱石の場合も家賃が高い、家賃を次々と値上げする、家主が帰って来た、環境が悪い、過去に殺人があったことがわかった、より良い家が見つかったなど、それぞれはっきりした理由があった。決して趣味で引越ししたわけではなかった。芸術的感覚が敏感なだけに、意に沿わない時は決断が早かったのだろう。友人に頼んだり、ロンドンでは新聞広告で下宿探しをしている。

漱石の比較的気に入った家は、松山では二番町の愚陀仏庵（上野家の離れ）、熊本では内坪井町の家（現・漱石記念館）、ロンドンではザ・チェイスのリール家であろう。晩年の九年二ヶ月を暮らした早稲田南町の家（漱石山房）は、生家のある喜久井町からも近く、それほどいやでもなかったようだ。ただこの家は七間あったが、二間は漱石が使い、子供が六人もいるので狭かった。家賃は三五円であった。家主には他との釣り合い上四〇円と言ってくれと言われたが、嘘を言うこともないので正直に本当の値を人に言っていた。地坪は三〇〇坪だから庭は広い。植木屋に手入れさせていた。漱石は本当はもっと明るい家が好きであった。書斎の壁は落ちているし、天井には雨漏りのしみがある。冬は板の間から風が吹き込む。「別に私はこんな家が好きで、こんな暗い、きたない家に住んでいるのではない。余儀なくされているまでである」と書いている。この家は漱石歿後遺族によって買い取られた。今は漱石公園となって、時々文学愛好者が訪れるのみである。（二〇一六(平成二八)年は漱石歿後百年、そして二〇一七(平成二九)年は生誕百五〇年にあたり、生家に近く、終焉の地、漱石山房（早稲田南町）に新宿区立漱石山房記念館が開館した。）

（『住宅九州新聞』「リレー随想三」二〇〇四年六月二九日）

㉖夏目漱石の病気と鍼灸

夏目漱石は生涯病気に悩まされた。

一八九四年（明治二七）年三月一二日付正岡子規宛漱石書簡によると、始め医者から**肺病**と言われ、困ったことだと閉口したが、弓の稽古をした結果、以前より丈夫になったので、安心してくださいと、書き送っている。大学院生時代、漱石は、「どうも胸が悪いのではないかと心配だから、北里柴三郎先生に診てもらいたいと思うが、一人で行くのは嫌だから、君一緒に行ってくれないか。」と親友の菅 虎雄（ドイツ文学。久留米出身）に相談した。菅 虎雄は、芝の山内にあった北里病院に付き添って行った。その時、北里は、「胸の方は一向別条はありません。少し運動をすれば健康になりますよ。」という診断だった。その当時、肺病には胸を張る弓道の練習が効果的である、という俗説が流行ったらしい。菅 虎雄はこの時の病気を胸の病気ではなく、既に後年の胃潰瘍でも悪く、血を吐いたのを肺病と勘違いして、心配したのではないかと推測した。

ストレプトマイシンが発見されるまで結核は亡国病であり、死病、業病であった。親友正岡子規は結核性カリエスで苦しみ、悶死した。樋口一葉や石川啄木など夭折した作家たちは、貧困と頽廃と結びつき、悲惨と絶望の中に転落していった。

『吾輩は猫である』では、このごろは肺病やペストや神経衰弱など新しい病気が殖えて油断も隙もない、と言わせている。

『野分』では父が肺病で死んだので、自分も遺伝で肺病ではないかと怯える文学青年高柳周作を描いている。

『坑夫』では気管支炎と診断された「自分」は、気管支炎じゃ肺病の下地だから、もう助かりようはないと覚悟した、とある。

『道草』では、健三の兄が風邪を引いて咳が出て発熱すると、必ず肺結核と恐怖に怯え、貧困と悲惨の運命を予感する。

最後の作品『明暗』では、津田は医者に「私のは結核性ぢやないんですか。」としつこく聞いている。

次に**胃病**について見てみよう。漱石の胃病は生涯最も彼を苦しめた宿痾《しゅくあ》であって、胃弱、胃痛、胃袋の具合などと表現されているが、胃潰瘍が直接死因となった病名である。『吾輩は猫である』をはじめ、日記、書簡、随筆などにも、「胃が少し糜爛《ただれ》た」（行人）、「胃の膨満」（「額の男」を読む）、「人間の胃袋程横着なものはない」（心）などの表現がある。

結局、漱石は終生胃潰瘍に苦しめられ、一九一〇（明治四三）年八月二四日、大量吐血し、三〇分間意識不明の危篤状態になり、「修善寺の大患」と言われた。幸い一命を取り止め、帰京後、入院治療して快癒した。一九一一年八月、関西講演旅行中、大阪で胃潰瘍が再発した。その後もしばしば胃潰瘍に悩まされ、一九一六（大正五）年一一月二八日、連載小説『明暗』未完のまま、大内出血、絶対安静となり、一二月九日、胃潰瘍のため死去した。四九歳。

漱石の病気で次に重要なのが、**精神疾患**である。身分制度に規制された封建制の近世幕藩体制から近代明治の四民平等の社会に道が開かれた。普通教育が普及し、高等教育制度が次第に整備され、勉学に努力すれば、立身出世が可能になった。しかし、知力さえあれば、立身出世と財産形成は思うがままとはならなかった。やがて、脳と精神を酷使し、精神をすり減らし、煩悶の時代がやって来た。多くの青年が宗教や哲学にその解答を求め、神経衰弱、精神病になった。ここでは志向と現実との乖離《かいり》は男性の精神病となり、女性ではヒステリーとなったと考えられる。

漱石の狂気説は、漱石の妻鏡子の口述を娘婿松岡譲が筆録した『漱石の思ひ出』によるところが大きい。「夏目がロンドンの気候の悪いせゐか、何だかあたまが悪くて、この分だと一生このあたまは使へないやうになるのぢやないのかなどと大変悲観したことをいってきた」（一六　白紙の報告書）では、「狂気」のことを「あたまが悪い」という表現を使っている。

留学生は義務として文部省に毎年一回ずつ研究報告をしなければならないが、漱石は研究の目途もついていないので、内容のない白紙同然の報告書を提出した。「夏目狂せり」という噂が立ち、文部省も不審を抱いて内々に調査して、一緒に留学したドイツ文学の藤代禎輔が帰国する時、連れて帰るように訓令した。藤代はロンドンに立ち寄って、漱石の様子を観察してみたが、別段変わったところはなかったので、藤代は一人で帰国し、漱石はスコットランドに旅行して、遅れて帰国した。

鏡子の『漱石の思ひ出』には数多くの漱石の異常な行動が記されているが、すべてが狂気とは言えない。鏡子の『漱石の思ひ出』は貴重な近親者の観察記録ではあるが、すべてを事実として

呉 秀三
『呉秀三小伝』1933年3月26日刊、1914年撮影

認定することはできない。

帰国後一九〇三年四月から、友人の斡旋で、東京帝国大学と第一高等学校の講師となった。六月ごろから神経衰弱が昂じて、二ヶ月ばかり、妻子と一時別居した。主治医尼子四郎の紹介で東京帝大精神科教授呉秀三博士に診てもらったところ、「ああいう病気は一生治りきるものではない。治ったと思っても一時沈静しているだけで、後で決まって出てくる。」（『漱石の思ひ出』）という診断だった。鏡子は「病気なら病気と決まってみれば、その覚悟で安心して行ける。」と開き直って、九月、鏡子母子は夏目家に帰った。漱石は水彩画や書を書いてストレスを発散したが、一一月、神経衰弱が再び昂じ翌一九〇四年五月まで続き、やや小康を得て、一進一退の状態であった。

一九〇七年四月、漱石は東京帝国大学と第一高等学校講師を辞職し、朝日新聞社に入社して、専属作家となり、神経衰弱はほとんど治まり、胃病に悩むようになった。

一九一一(明治四四)年関西講演旅行中、胃潰瘍を再発、大阪の湯川胃腸病院に入院、小康を得て帰京、神田区錦町の佐藤診療所（佐藤恒祐医師）で肛門周囲膿瘍の手術を受け、翌年春まで通院した。

しかし、一九一二年四月ごろ、胃の具合が悪く、心身共にすぐれない。八月ごろ、神経衰弱と胃弱に悩むが、その上、九月二六日、**痔瘻**《じろう》の再手術を佐藤診療所で受け、一〇月二日、退院した。この時の痔手術体験が『明暗』に描かれている。

眞鍋嘉一郎
『医聖 眞鍋嘉一郎』「愛媛の偉人・賢人の紹介」

「切開です。切開して穴と腸と一所にして仕舞ふんです。すると天然自然割かれた面の両側が癒着して来ますから、まあ本式に治るやうになるんです。」（一）再度の入院で痔瘻の手術後の経過は、極めて良好で、退院後痔瘻は完治した。

一九一三（大正二）年三月、三度目の胃潰瘍が再発、五月下旬まで自宅療養した。強度の神経衰弱のため、『行人』の連載を四ヶ月ばかり休載した。

一九一四年九月中旬、四度目胃潰瘍再発、約一ヶ月自宅で安静した。

一九一五年三月二五日、胃痛悪化で倒れ、寝込む。

漱石が亡くなった一九一六（大正五）年は、病苦の年であった。腕の痛みで一月二八日、**リューマチ**の治療のため、湯河原の天野屋旅館に転地、二月一六日まで滞在した。

四月、松山時代の教え子東京帝国大学医科大学物理的治療室勤務の眞鍋嘉一郎に**糖尿病**と診断され、約三ヶ月間、尿検査を受けつつ、治療した。

五月中旬、胃の調子悪く、寝込む。

一一月二一日、辰野隆・久子結婚式に出席、帰宅後、胃の調子悪化、翌日より五度目の胃潰瘍で寝込む。主治医を眞鍋嘉一郎に決める。一一月二八日、大内出血。一二月二日、再度の深刻な大内出血により次第に症状悪化、絶対安静面会謝絶になった。八日、絶望状態となり、一二月九日午後六時四五分、胃潰瘍のため死去した。四九歳。

夏目漱石は、肺病・胃病・精神疾患・痔瘻・リューマチ・糖尿病などいくつもの病気を抱えていたが、生涯、彼を苦しめたものは、胃潰瘍と神経衰弱であった。そして、致命傷になったのは、胃潰瘍であった。その治療は西洋医学に頼って、東洋医学に関わったことはない。親友の第一高等学校教授菅 虎雄の父京山は、久留米藩有馬家の御典医(御医師並。七人扶持)で、鍼灸が専門であった。久留米藩の鍼灸界がどんなものであったか、興味があるが、どなたか調査研究される東洋医学者はいらっしゃらないものか。漱石が菅 虎雄を通じて、鍼灸のことをどのように考えていたか、関心がもたれるが、資料は何もない。気血学研究会会員で久留米藩鍼灸について、士族の御典医方面と民間医学の両面から資料を発掘して、調査研究される奇特の士はいらっしゃらないものか。医学の面からも、郷土史の面からも、有意義な研究と思われる。

そこで、漱石の作品から、鍼灸に関するものを探してみよう。

①「潮風に若君黒し二日灸」一八九六(明治二九)年春。松山

「二日灸」は「ふつかぎゅう」「ふつかやいと」と言い、陰暦二月二日と八月二日に灸を点ずる風習をいう。この日に灸をすえると効能が倍加するなどの俗信がある。近隣の名灸師と称される灸師を訪ねたり、家庭内や近隣同士で灸をすえ合ったりした。二月・八月の二日を灸をすえ日に選んだ理由は、出替《でがわり》(奉公人の年季を更新し、入れ替わる日)に、奉公先から女中・下男奉公に出稼ぎに行っていた者が、都会から実家に帰って来るのに合わせて、沈滞

しがちな生命力に活力を与えるためだったと考えられる。

②「土用にして灸を据うべき頭痛あり」一八九七(明治三〇)年夏。熊本

「土用」は立夏・立秋・立冬・立春のそれぞれ一八日前を春・夏・秋・冬の土用といい、その初めの日を土用の入りという。普通は夏の土用を指すことが多い。土用の丑の日に鰻を食べるように、夏負け防止に灸をすえると特に効き目があるとされた。土用になって、ちょうどお灸をすえなければならない頭痛がしたのである。

③「漢方や柑子花さく門構」一八九七(明治三〇)年夏。熊本

文明開化して半世紀、医学の世界はおおむね西洋医学が主流になっているのに、堂々たる門構えの漢方医院の門内には柑子(蜜柑)の花が咲いている。柑子は薬用ではなく、賞味用のためか。

④「桃咲くやいまだに流行《はや》る漢方医」一九一六(大正五)年春。東京

いまだに衰退もせず繁盛している漢方医院に民間医療の力強さと桃の花の中国的艶麗さと雄勁さを重ね合わせている。

⑤「主人の小供のときに牛込の山伏町に浅田宗伯と云ふ漢法の名医があつたが、此老人が病家を見舞ふときには必ずかごに乗つてそろりそろりと参られたさうだ。」(『吾輩は猫である』九)。

一九〇六(明治三九)三月。

漢方医浅田宗伯は江戸時代末の江戸幕府医官から明治初め宮内省東宮侍医となった。過去の栄職にすがり、かごに乗る尊大な前近代的な医師の姿を戯画的揶揄的に描いた。

⑥「さうして一字毎にみんな黒点を加へて、御灸を据えた積りで居る。」（『坊っちゃん』一一）一九〇六（明治三九）年四月。
ここは比喩的に用いられ、「痛い目にあわせる。強く叱責する」意に使っている。
⑦「発車間際に頓狂な声を出して、駆け込んで来て、いきなり肌を脱いだと思つたら背中に御灸の痕が一杯あつたので、三四郎の記憶に残つてゐる。」（『三四郎』一の一）。一九〇八（明治四一）年一二月。
背中に御灸の痕が一杯ある老人とは、田舎者で、古風な生き方をしてきた純朴な老爺の象徴的な表現であろう。
⑧「ある食道狭窄《きょうさく》の患者は病院には這入つてゐる様なものゝ迷ひに迷ひ抜いて、灸点師を連れて来て、灸を据《す》ゑたり、海藻を採つて来て煎じて飲んだりして、ひたすら不治の癌症《がんしょう》を癒《なお》さうとしてゐた。」（「病院の春」）。一九一一（明治四四）年修善寺で大吐血し危篤状態になった漱石は、次第に回復、帰京して直ちに長与胃腸病院に入院し、一一年正月は病院で迎えた。同病院入院食道狭窄の癌患者は、近代西洋医学先端の病院で、迷った挙句、藁をも掴む思いで、漢方の灸や煎じ薬にも縋《すが》ろうとした。入院中あれほどに、いろいろな患者がいろいろな病でいろいろな事情を抱えながら亡くなった。漱石は、同じ病院の中で一つ屋根に寝て、一つ賄《まかない》を受けて、彼らは亡くなり、自分は九死に一生を得たことにアイロニー（皮肉）を感じた。
あれほど生を希求した癌患者は往生し、すべてを運命に委ねた漱石は、生きて二月二六日

退院した。漱石はアイロニーと感じざるを得なかった。

夏目漱石は江戸時代最後の年一八六七(慶応三)年生まれで、満年齢が明治の年号と一致する、正真正銘の明治の子である。文明開化の時代に、和魂洋才の中で生きてきた。最高の教育機関帝国大学に学び、最新の西洋文明を一身に浴びてきたが、無自覚に西洋文明に流されることには批判的であった。

明治期当初の学生はすべて最高の学問を欧米の御雇外国人教師によって教育された。『三四郎』二の六にも出てくるエルヴィン・フォン・ベルツの銅像は、東大医学部近辺に今も立っており、ドイツ医学の優位性を示す日本近代医学を象徴している。一八七六年来日し、東京医学校・帝大医科大学で若き日本医学徒のリーダーを育て、一九〇五年帰国した。漱石もまたドイツ医学を頼っていたが、その医学の限界も自覚していた。

漱石は経済・金銭に対して敏感であったが、その万能性は信じなかった。金に物言わせる金満家を憎み、揶揄し、軽蔑した。同じように病気を憎み、苦しめられたが、その運命には従順であり、寛容であった。

「不愉快に満ちた人生をとぼ〳〵辿りつゝある私は、自分の何時か一度到着しなければならない死といふ境地に就いて常に考へてゐる。」「『死は生よりも尊《たつ》とい』斯《か》ういふことばが近頃では絶えず私の胸を往来するようになつた。」(「硝子戸の中」八)は病気で苦しむことの多い晩年の本音であろう。しかし、漱石は他人に自裁を勧めなかったし、病苦から逃れるために死を自ら求めなかった。「すべてを癒《いや》す時の流れに従って下れ」と言った。漱石は半信半疑でじっと自分の生を見詰め、立ち竦んでいた。五〇歳にも満たぬ生涯で、宿痾に苦しめられながら、天命を充分に生き抜いた。

（『気血の探究』第二四号、東洋医学気血研究会、二〇一八年八月二六日）

第二章　菅 虎雄

㉗菅 虎雄先生顕彰会趣意書

旧制第一高等学校（現・東大教養学部）校長で文部大臣になった安倍能成《あべよししげ》は、「漱石は菅 虎雄先生と最も仲がよかった」と言ったそうです。

菅 虎雄先生は遠く菅丞相《かんじょうしょう》道真《みちざね》公を祖とし、筑後久留米藩御典医《ごてんい》の後裔《こうえい》でしたので、医業を継ぐため、笈《きゅう》を負うて上京、東京大学予備門に入学し、土肥《どひ》慶蔵、井上通泰《みちやす》、呉秀三《くれしゅうぞう》の国手と同学になり、終生親交を続けられました。在学中、ドイツ語の成績が抜群でしたので、ドイツ人教師に嘱望され、その慫慂《しょうよう》に従って、藤代禎輔《ふじしろていすけ》（後の京大教授）と共に文科に転じ、帝国大学（現・東大）独逸《ドイツ》文学科の第一回卒業生として萌芽期のドイツ語学攻究に専心されました。帝大文科在学の狩野亨吉《かのうこうきち》（京大文科大学長）、大塚保治（東大教授）、夏目漱石と相知り、金蘭《きんらん》の交わりを重ねました。特に一八九四（明治二七）年、帝大大学院生だった漱石が、青春の懊悩《おうのう》の末、先生の御宅に頼って来た時、相談に乗って、円覚寺釈宗演《しゃくそうえん》老師会下《えげ》の参禅を紹介したり、英字新聞社の就職斡旋、愛媛県尋常中学校英語教師を周旋したりしました。呻吟《しんぎん》する友を見捨てることが出来なかった先生は、第五高等学校（現・熊本大学）英語教師に斡旋し、しばしば苦境を救いました。もし先生が誘わなかったら、漱石は松山に行くこともなく、熊本にも行かなかったでしょう。従って、『坊っちゃん』もなく、『草枕』も生まれなかったでしょう。文豪夏目漱石はもっと異なった作家になったと想像されます。

漱石は五高教授時代、休暇中の菅先生を訪ね、耳納山《みのうさん》登山（『草枕』原体験）をしたり、耶馬溪《やばけい》俳諧行脚《あんぎゃ》の帰途に立ち寄ったり、久留米を都合五回訪れ、俳句を詠んでいます。今、耳納山沿いの「漱石の道」には漱石句碑が建立されました。日本ドイツ語学の先駆者でありながら、先生は東大予備門在学中、明治の高僧円覚寺派管長今北洪川《こうせん》の提撕《ていせい》に参じて一意修行、弱冠にして「無為《むい》」の居士号《こじごう》を授与せられました。また先生は生来書を好まれ、天稟《てんぴん》の才の上に刻苦精励、筆硯《ひっけん》の道に親しみ、専門の書家の及ばぬ神技、達意縦横ならしむるに至ったのでした。

一九〇三（明治三六）年六月、清国の招聘《しょうへい》を受け、南京《ナンキン》三江師範学堂（現・南京大学）のドイツ語・論理学担当教習（教授）として赴任されました。先生は清末の書画の名士、清道人李瑞清《リズイセイ》と相知り、その風格と六朝《りくちょう》正格の書法はたちまち先生の心を惹《ひ》き、労を意とせず、煩《はん》を厭《いと》わず往来し、筆談で相応じましたが、南京滞在三年有半、遂に李瑞清の清勁峻抜《せいけいしゅんばつ》の骨法を会得《えとく》し、心手《しんしゅ》相応の境に入ることができました。

帰国後も余暇の全てを書に傾け、求められれば何人のためにも応じて、幽雅端正《ゆうがたんせい》、雄勁無碍《ゆうけいむげ》、奔放自在に揮毫《きごう》されました。夏目漱石『文学評論』扉、『夏目金之助墓』墓標、芥川龍之介『羅生門』題簽《せん》、山本有三『西郷と大久保』表紙、修善寺の漱石詩碑、「直木三十五追悼碑」、旧制「第一高等学校」門札などを揮毫されました。久留米では「高良大社」鳥居石碑、「戊辰《ぼしん》役従

芥川龍之介著『羅生門』題簽 書 菅 虎雄、阿蘭陀書房刊、『新選 名著複刻全集 近代文学館』

『高良大社』鳥居石碑

「第一高等学校」門札
1938年3月31日。菅虎雄 書・篆刻、東京大学「一高同窓会」蔵

山本有三著
『西郷と大久保』扉
書 菅 虎雄、改造社、1927年10月28日刊、実物

芥川龍之介著
『羅生門』の扉
「君看よ双眼の色、語らざれば愁いなきに似たり」書 菅 虎雄、阿蘭陀書房刊、『新選 名著複刻全集 近代文学館』

軍記念碑」（篠山神社）、「菅家累代之墓《るいだい》」（梅林寺）があります。

漱石は禅や書について常に菅先生に兄事し、生涯三〇余年その友誼《ゆうぎ》は水のごとく淡々として倦《う》むことがありませんでした。

先生は超俗洒脱《しゃだつ》の生涯を第五高等学校、第三高等学校（現・京大総合人間学部）、第一高等学校など、ドイツ語教授として半世紀にわたって教鞭を執り、幾多の穎才《えいさい》を輩出させました。

政界では近衛文麿《このえふみまろ》首相・岸信介《のぶすけ》首相・前尾繁三郎衆議院議長、法曹界では田中耕太郎・我妻栄、財界では岡崎嘉平太・大槻《おおつき》文平、文壇では芥川龍之介・菊池寛・谷崎潤一郎・大佛《おさらぎ》次郎・川端康成、学界では宇野哲人・麻生磯次・朱牟田《しゅむた》夏雄、宗教界では大谷光照など、明治・大正・昭和のリーダー達が綺羅《きら》星のごとく燦然《さんぜん》と輝いています。

しかしながら、「良賈《りょうこ》は深く蔵《ぞう》して虚《むな》しきがごとし」の譬《たと》えのごとく、先生は無欲恬淡《てんたん》、至醇《しじゅん》無

戊辰役従軍記念碑
（久留米・篠山神社）
菅 虎雄 書 柳瀬三郎
撰 1935 年 10 月建立

菅家累代之墓
（久留米・梅林時）
菅 虎雄 書 1915 年
（大正 4）秋建立

私の風格が誇示宣伝を嫌い、謙譲抑止して世に韜晦《とうかい》、大衆に喧伝《けんでん》されることはありませんでした。

今や、菅 虎雄先生、誕辰《たんしん》一四六年、白玉楼《はくぎょくろう》に登られ、幽明境《ゆうめいざかい》を異《こと》にして既に六七年、幾多の教え子の俊英も世を去り、故郷久留米でもその遺徳を知る人は、僅少《きんしょう》となりました。

ここに後進の我々、郷土の誇りである陰徳の士、陵雲《りょううん》菅 虎雄先生を顕彰し、その徳望を永く後世に伝えんがため、「菅 虎雄先生顕彰会」を結成したいと念願する次第です。

郷土久留米市民は勿論《もちろん》のこと、全国の方々が夏目漱石・菅 虎雄先生に関心を寄せ、趣旨に御賛同くだされ、顕彰会に対して絶大なる御協力を賜《たまわ》りますようお願い申し上げます。

二〇一〇（平成二二）年一〇月吉日

菅 虎雄先生顕彰会発起人（五十音順）

小城左昌　狩野啓子　衣笠順一　清水孝純　清水正信　田中正志
田山文隆　竹間宗麿　中村青史　西尾 拓　馬場美佳　原武 哲（代表）
真木大樹　松本常彦　森 俊之

菅 虎雄先生顕彰碑

気　如　龍　陵雲
（気 龍の如し）

モニュメント

梅林寺
碧巌を提唱す
山内の夜ぞ長き
夏目漱石

漱石句碑

（左より）

梅林寺外苑（久留米市京町）

2013 年 10 月 20 日

漱石句碑・菅 虎雄先生顕彰碑除幕式

（『夏目漱石外伝』菅 虎雄先生生誕百五十年記念文集、菅 虎雄先生顕彰会、二〇一四年一〇月一九日）

㉘菅 虎雄先生顕彰碑碑文

夏目漱石門下生で、文部大臣になった安倍能成は、「漱石は菅 虎雄と最も仲がよかった」と言った。もし菅先生が紹介しなかったら、漱石は松山に行くこともなく、熊本にも行かなかっただろう。従って、『坊っちやん』もなく、『草枕』も生まれなかった。

菅 虎雄先生は久留米藩典医の子として生まれ、東京帝国大学ドイツ文学科第一回卒業生となった。帝大在学中、鎌倉円覚寺管長今北洪川の下に参じて修行、「無為」の居士号を授与せられた。帝大在学中の漱石と相知り、漱石が先生の御宅に頼って来た時、円覚寺住職釈宗演会下の参禅を紹介、松山中学校や第五高等学校の英語教師に斡旋した。漱石は五高時代、久留米を五回訪れ、今、耳納山脈沿いの「漱石の道」には漱石句碑が建立された。

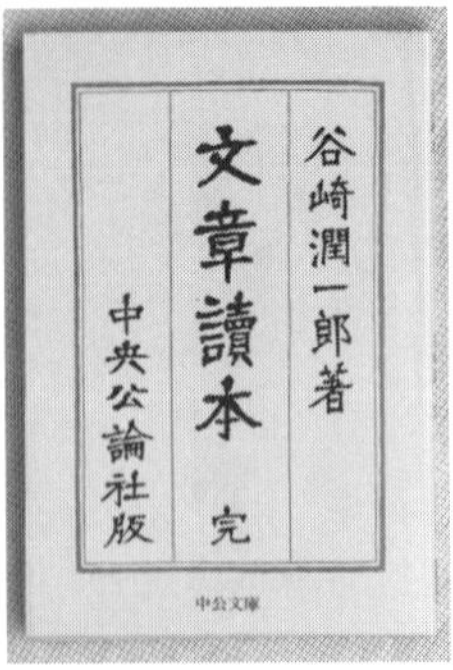

谷崎潤一郎著『文章讀本』
中央公論社、表紙 題字
菅 虎雄、中公文庫版

菅先生は明治三一年九月、旧制一高のドイツ語教授となり、明治三六年六月、中国南京の三江師範学堂客員教授として赴任した。南京滞在三年有半、書画の名士李瑞清《リズイセイ》と相知り、その書法はたちまち先生の心を捉え、遂に六朝正格の書法を会得するに至った。帰国後は余暇の全てを書に傾け、夏目漱石『文学評論』扉、芥川龍之介『羅生門』題字、夏目漱石夫妻墓標、谷崎潤一郎『文章読本』題字などを書いた。漱石は禅や書につ

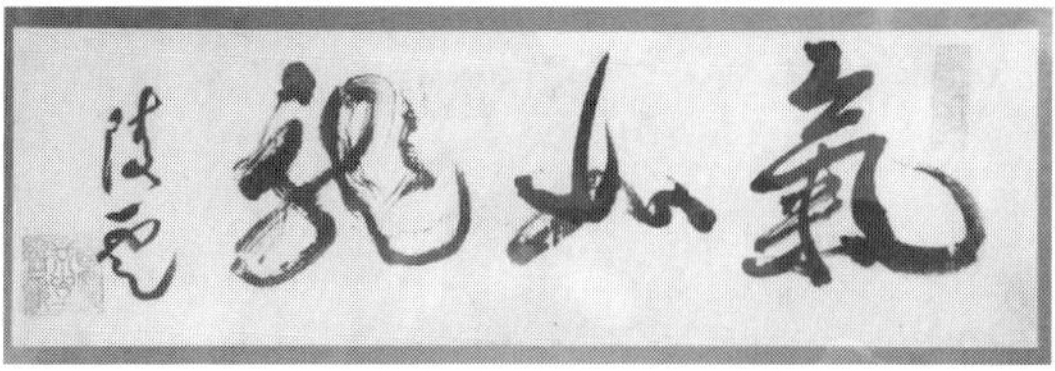

菅 虎雄扁額「気 龍のごとし」
原武 哲所蔵　陵雲は晩年の号

いて常に菅先生に兄事し、生涯三十余年その友情は水のごとく淡々として倦むことがなかった。

先生は一高などドイツ語教授として半世紀にわたり教鞭を執り、幾多の英才を育成した。教え子の明治・大正・昭和のリーダー達は、政界・文壇・経済界・法曹界・学界などに、綺羅星のごとく燦然と輝いている。しかしながら、先生は洒脱にして無欲無私、大衆に喧伝されることはなかった。今や、菅 虎雄先生、長逝されて七十年、多くの受業生も世を去り、故郷久留米でもその遺徳を知る人は少なくなった。郷土の誇りである陰徳の士菅 虎雄先生の業績を碑に刻し、永く後世に伝えようとするものである。

平成二五（二〇一三）年十月吉日

菅 虎雄先生顕彰会会長　原武　哲　撰文

注：この顕彰碑は前面上部に菅 虎雄先生の書「氣如龍　陵雲」（＝横書き。先生の真筆を刻したもの。陵雲は先生の晩年の号）、その下に原武会長撰文の碑文が白い大理石の面にくっきりと黒く刻まれている。

（『夏目漱石外伝』菅 虎雄先生生誕百五十年記念文集、菅 虎雄先生顕彰会、二〇一四年一〇月一九日）

㉙「漱石句碑」解説

梅林寺　碧巌を提唱す山内の夜ぞ長き　夏目漱石

明治二十九年九月初め、第五高等学校（旧制）教授夏目金之助（漱石）は、新婚の妻鏡子を連れて福岡旅行の帰途、久留米に立ち寄り、臨済宗の修行道場梅林寺で、住職三生軒老師（東海猷禅）の『碧巌録《へきがんろく》』（禅宗の公案を集めた本）の提唱、説法を聴いた。

「山内」は寺の境内のことで、「やま」と読むべきである。難解な公案の教えを聴き、宇宙の深遠さに触れて粛然となり、しんしんと更け行く秋の夜長を重ね合わせている。季語は「夜長」（秋）。

漱石は九月二十五日、この句を含めて四十句を正岡子規に送り、評点を乞うた。子規からは上◎、中○、下（無印）の三段階の評点が付いて、送り返されてきた。「碧巌を」の句は、一重丸○が付けられていた。この「句碑」の俳句は、漱石の真筆をそのまま拡大して、彫り込んだものである。

菅　虎雄先生顕彰会　会長　原武　哲　撰文

夏目漱石 句碑「梅林寺 碧巌を提唱す山内の夜ぞ長き」
夏目漱石 真筆
久留米市京町 臨済宗妙心寺派 江南山梅林寺外苑
2013 年 10 月 20 日 建立

1896 年 9 月初め、漱石は鏡子を連れて福岡方面に新婚旅行。久留米梅林寺で「碧巌を」の句を詠んだ。菅 虎雄先生顕彰会が句碑建立。

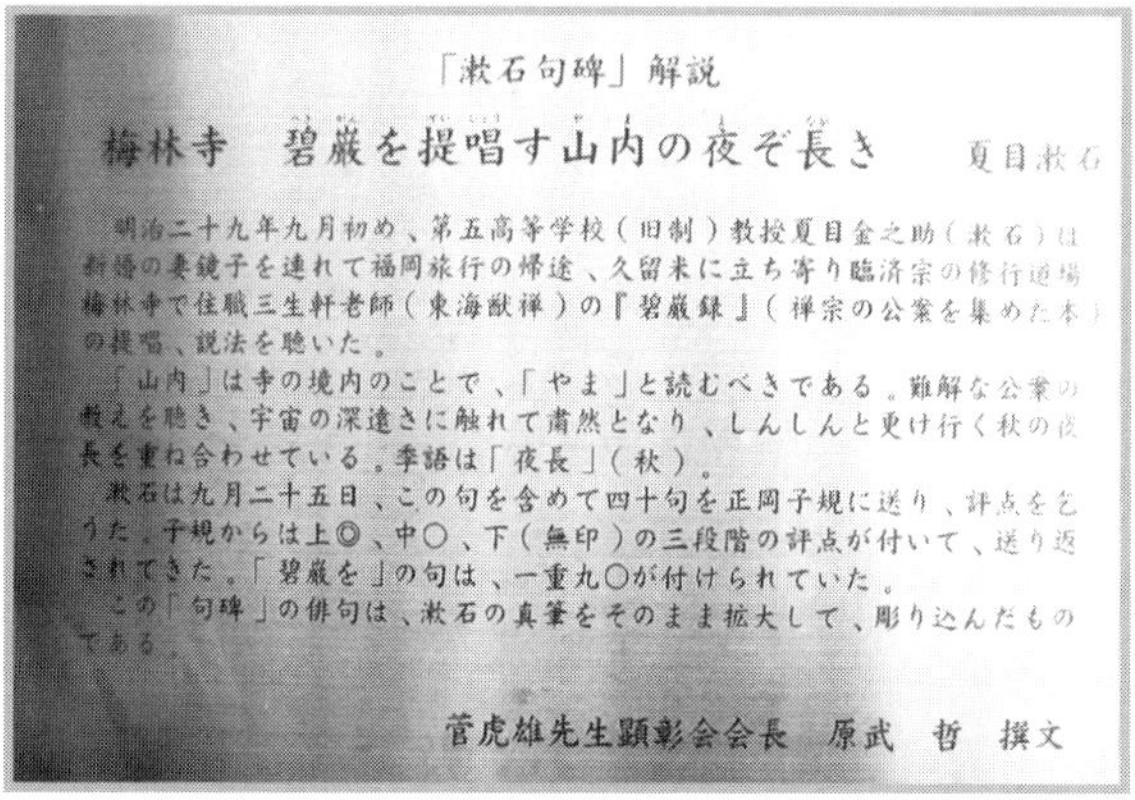

「漱石句碑」解説

梅林寺　碧巌を提唱す山内の夜ぞ長き　　夏目漱石

明治二十九年九月初め、第五高等学校（旧制）教授夏目金之助（漱石）は新婚の妻鏡子を連れて福岡旅行の帰途、久留米に立ち寄り臨済宗の修行道場梅林寺で住職三生軒老師（東海猷禅）の『碧巌録』（禅宗の公案を集めた本）の提唱、説法を聴いた。

「山内」は寺の境内のことで、「やま」と読むべきである。難解な公案の教えを聴き、宇宙の深遠さに触れて粛然となり、しんしんと更け行く秋の夜長を重ね合わせている。季語は「夜長」（秋）。

漱石は九月二十五日、この句を含めて四十句を正岡子規に送り、評点を乞うた。子規からは上◎、中○、下（無印）の三段階の評点が付いて、送り返されてきた。「碧巌を」の句は、一重丸○が付けられていた。

この「句碑」の俳句は、漱石の真筆をそのまま拡大して、彫り込んだものである。

菅虎雄先生顕彰会会長　原武　哲　撰文

「漱石句碑」解説

（『夏目漱石外伝』菅 虎雄先生生誕百五十年記念文集、菅 虎雄先生顕彰会、二〇一四年一〇月一九日）

㉚菅 虎雄研究のその後・菅 虎雄研究調査資料文献

はじめに

初めて菅 虎雄研究の論文「菅 虎雄と夏目漱石」を『文叢ちくご』という筑後地区高等学校国漢部会機関誌に発表したのが、一九七四（昭和四九）年一一月一三日であった。その後、ほぼ毎年連続して八回連載し、増補訂正して、一九八三（昭和五八）年一二月、『夏目漱石と菅 虎雄――布衣禅情を楽しむ心友――』（教育出版センター）を初めて出版した。あれから三一年間経った。

自分としては、菅 虎雄研究はこれで完結したと思いたかった。しかし、そう簡単に一人の人物の生涯を解明し尽くすことはできないし、否、永遠に不可能である。私もいつまでも菅 虎雄のみに留まっているわけにもいかなかった。日本近代文学全体に視野を広げなければ、研究者として生き残れない。菅 虎雄研究はしばし休止して、おのずから流れ着く資料のみを収集して、四半世紀たった。

二〇〇七（平成一九）年六月、日本英学史学会九州支部設立三〇周年記念研究発表大会（会場・福岡県立明善高等学校）が開催され、私は地元に因んだ「夏目漱石と久留米」と題して、特別講演を一般公開で話す機会を得た。これを契機にして、久留米市民にも菅 虎雄に関心が集まり、二〇一〇（平成二二）年一〇月、「菅 虎雄先生顕彰会」が設立された。私は会長に推薦され、再び菅 虎雄に関わりを持つことになった。

二〇一三（平成二五）年一〇月二日、顕彰会最大の事業「漱石句碑・菅 虎雄先生顕彰碑」（久留米市・梅林寺外苑）建立除幕式を開催することができた。そして、集大成である『夏目漱石外伝――菅虎雄先生生誕百五十年記念文集――』を刊行するにあたり、拙著『夏目漱石と菅 虎雄――布衣禅情を楽しむ心友――』（教育出版センター）上梓以後、三一年経過し、菅 虎雄資料も少しずつ蓄積されたので、この際、集約して、「菅 虎雄年譜」補遺を纏めておきたいと思った。次の「『菅 虎雄年譜』補遺」は拙著『夏目漱石と菅 虎雄――布衣禅情を楽しむ心友――』（教育出版センター）発行以後の菅 虎雄資料を集約、時系列に纏めたものである。

なお、現在までに収集した「菅 虎雄研究調査資料文献」を整理してみたので、今後、菅の調査研究を志す研究者の参考に供したい。

二〇一四年一〇月一九日現在

「菅 虎雄年譜」補遺

一八八七（明治二〇）年　二三歳

七月一八日〜八月二二日、呉秀三と共に夏休を利用して転地勉強、途中から宮崎政吉、和田万吉も加わる（菅 虎雄「呉秀三君を憶ふ」『呉秀三小伝』）。

一八九六（明治二九）年　三二歳

六月、薬園町六二番地から飽託郡黒髪村宇留毛四三〇に転居する（旧制五高資料。熊本大学保管）。

菅 虎雄の俳句「飼ひ猫のくどにはひこむ寒さ哉」が、一二月二二日付『九州日々新聞』に掲載される。
菅 虎雄の俳句「居酒屋に立寄る人のさむさかな」「炭焼の小屋は二軒の冬木立」の二句が、一二月二三日付『九州日々新聞』に掲載される。
菅 虎雄の俳句「凩や猛鷲小犬を攫し去る」「くるくると襟巻きしたる寒さ哉」の二句が、一二月二四日付『九州日々新聞』に掲載される。
菅 虎雄の俳句「臘八《ろうはち》や五人の達磨出来玉ふ」が、一二月二五日付『九州日々新聞』に掲載される。
菅 虎雄の俳句「色即是空浮世の風の寒さ哉」が、一二月二六日付『九州日々新聞』に掲載される。

一八九七（明治三〇）年　三二歳
菅 虎雄の俳句「画《えが》けどもならず今年の筆初　無為」が、一月一七日付『九州日々新聞』に掲載される（『図説　漱石大観』〈吉田精一・荒 正人・北山正迪監修、角川書店、一九八一年五月二六日発行〉に図版解説あり）。
菅 虎雄の俳句「破寺や初日さし込む阿弥陀仏　無為」が、一月二日付『九州日々新聞』に掲載される（『図説　漱石大観』あり）。
菅 虎雄の俳句「尼二人紅梅に対して未だ老ず　無為」が、一月二四日付『九州日々新聞』に掲載される（『図説　漱石大観』あり）。
菅 虎雄の俳句「春の月扇ヶ谷の朧なり　無為」が、二月一三日付『九州日々新聞』に掲載される（『図説　漱石大観』あり）。
菅 虎雄の俳句「石室や入定《にゅうじょう》の僧梅の花　無為」が、二月一四日付『九州日々新聞』に掲載される（『図説　漱石大観』あり）。
菅 虎雄の俳句「如是我聞今年今日涅槃《ねはん》の日　無為」が、二月一六日付『九州日々新聞』に掲載される（『図説　漱石大観』あり）。
菅 虎雄の俳句「近江路に入ればさつと青嵐」「花嫁を馬に乗せたる日傘かな」「五六軒茶屋ある前の清水かな」の三句が、六月四日付新聞『日本』に掲載される。

一八九八（明治三一）年　三四歳
四月二日、狩野亨吉（五高教授・教頭）、肺患回復した菅 虎雄の就職の件で夏目金之助（熊本市内坪井町）を訪問（『狩野亨吉日記』）。

七月二五日、狩野亨吉は上京中、久留米に途中下車、帰省中の菅 虎雄を訪問、共に古書店・骨董店を観て、狩野は古本数十冊と水差しを購入し旅宿に帰り、晩食。菅 虎雄は宿に狩野を訪問し、共に篠山神社（旧久留米城址）に参詣、吊り橋で涼をいれ、午後九時、宿に帰る。狩野は久留米発午後一〇時発の列車で門司に向かう（『狩野亨吉日記』）。

八月二三日、帰京中の狩野亨吉（飯田町）宅に立花銑三郎（学習院教授・哲学・教育学）が来て、菅 虎雄の学習院就職の件（か？）について相談する（『狩野亨吉日記』）。

八月菅 虎雄は狩野亨吉に葉書を出し、二五日、狩野は受け取る。学習院就職は成らず、第一高等学校就職に決心したものか（『狩野亨吉日記』）。

八月二六日、狩野は菅 虎雄の寄留先（東京市神田区錦町大西眼科医院。義弟の大西克知院長）を訪問（「狩野亨吉日記」）。

八月二七日、菅 虎雄・藤代禎輔・立花銑三郎は狩野亨吉宅を訪問。大塚保治の件について話す（『狩野亨吉日記』）。

八月二九日、菅 虎雄は狩野亨吉宅を訪問したが不在。午後狩野が菅 虎雄寄寓の大西眼科を訪問。第一高等学校就職はほぼ内定したものか。狩野はこの日午前中、大西眼科に菅を訪ね、薬を購入している。午前中は行き違いになったものか（『狩野亨吉日記』）。

一九〇〇（明治三三）年　三六歳

五高教授だった菅 虎雄が、肺患で非職になり、茅ヶ崎に転地療養を余儀なくせられた時、夏目金之助から借金した。五月一二日、五高教授夏目金之助は二年間の英国留学を命ぜられ、金策に困惑、菅に返済を求める。病気回復し、一高講師に就職した菅は、年俸一〇〇〇円を得て、やや生活も安定して来たので、直ちに為替で返済した。六月二六日、夏目金之助は確かに受け取ったと、菅 虎雄に礼状を出した（原武 哲「二人の友情を表す公私で支えた菅 虎雄宛漱石の礼状発見」『西日本新聞』「文化」二〇一三年七月一〇日）。

一九二一（大正一〇）年　五七歳

この年、日夏耿之介は東京府荏原郡大森町山王二七二〇番地（現・東京都大田区山王）に家を入手し、居を定め、「黄眠草堂」と名付けた。菅 虎雄は芥川龍之介から紹介され揮毫を依頼されたので、扁額を書く（『日夏耿之介全集』第八巻「年譜」河出書房新社）。

一九二七（昭和二）年　六三歳
七月一九日、第一高等学校の同僚沼波瓊音が死去。依頼されて墓碑「瓊音沼波武夫の墓」（東京都文京区音羽護国寺共葬墓地）の文字を書く。（『近代文学研究叢書』第二七巻「沼波瓊音」昭和女子大学）。
一九三三（昭和八）年　六九歳
この年、ドイツ文学専攻を志望していた第一高等学校文科乙類学生丸山真男は、ドイツ語非常勤講師菅 虎雄に進路について相談、「文学では食えない。法科に行きなさい」と言う助言と父丸山幹治の忠告により、東京帝国大学法学部政治学科への進学を決める（『丸山真男集』別巻「年譜」岩波書店）。
一九三九（昭和一四年）年　七五歳
一一月一二日、九州帝国大学名誉教授久保猪之吉死去。「久保夫妻の墓」「久保博士碑」（青山霊園）の文字を揮毫（『近代文学研究叢書』第四五巻「久保猪之吉」昭和女子大学）。
一九六五（昭和四〇）年　歿後二二年
一一月一四日午後二時、鎌倉寿福寺で菅 虎雄先生二三回忌法要を営む。午後四時から鶴岡八幡宮社務所客殿において同志野郎会（第一高等学校独法科（第一部丙類）大正八年卒業生同級会。福岡県久留米出身の菅 虎雄の口癖をもじって「どうじゃろうかい」の方言を同志野郎会とあてた）を開催。霊前に献ぜられた祭文、次のごとし。

菅 虎雄先生ヲ祭ル

古墨尚存宰時石　　遥青如対蜀中山

曽テ愈曲園ノ此ノ一聯ヲ見マシタ時、私ハ不図先生ヲ追想シマシタ。先生ガ書道ノ大家デアラレタ所為モ、一脈存スルカモ知レマセン。

少時ヨリ漢字デ育チ、田舎ノ中学ヲ出テ、突如トシテ第一高等学校ニ入学シマシタ青年ニトツテ、多クノ教授ハ凡テ新時代ノ魅力ニ富ム方々デアリマシタ。而モ尚私ノ胸底ニハ一抹ノ不審ヲ宿シタノデアリマス。ソレハ漠然トデハアリマスガ、何トナク人物トシテノ期待ニソグハヌ軽俊ノ感、未熟ノ味ノ繁凝《しこり》デアリマシタ。ソレガ先生ニ会ヒ、ソノ温乎タル風貌、洒脱ノ応待ニ接シマスト、自然ニ融和シテ、正ニ春風ノ中ニ坐了スル感ガアリマシタ。私ガ人間学トモ謂フベキモノニ長ク参ズルヤウニナリマシタコトモ、先生ニ因ル所浅カラヌモノガアルト信ジテヲリマス。

漱石ノ文芸、殊ニ漢詩ノ趣味、ソレカラ書道ノ妙味ヲ改メテ自覚サセテイタダキマシタコトモ、無量ノ道恵デアリマス。不肖今ヤ先生当年ノ御年齢ヲ過グル俗寿ヲ閲シマシテ、感慨無量デスガ、幸ニシテ老来却ツテ佳境ニ入ルコトヲ覚エマス。

先生莞爾トシテ首肯サルル御姿ヲ髣髴トシテ眼前ニシツツ、一弁香ニ代ヘテ此ノ一文ヲ献ジ、敬ンデ御冥福ヲ祈念申上ゲマス。

昭和四十年十一月十四日

大正八年卒独法　安岡正篤　　敬白

鶴岡八幡宮での同志野郎会では、欠席者の会合に出席できない残念さを綿々と綴った書簡が披露された。中でも多くの来会者を感動させたのは、一高を中退した小栗富蔵（材木商・豊橋市）の書簡であった。滝川政次郎宛の私信で、中略して要点を転載する。

大正何年か、夏七月、三年生を落第して、紺絣の袷の着物によれよれの袴を穿いて、東京駅から百里の旅を、ブルメン汽車に揺られ、暑さに茹《うだ》りながら、郷里の田舎に帰った。落第を聞いたお袋が、「土用のさ中に袷を着て帰って来た。この間送ってやった新しい単衣はどこへやったのだ。また質屋へ持ってったのだろう。本当に身も心も堕落書生だ。お父つぁんがおったら、ただじゃ済まんに……」と言って怒った。（中略）

次の年の夏七月には、二年続いて落第すると、退校になるという噂があったので自分は心配になって来た。それで担任の先生に縋るより外ないと思ったので、試験が済むと菅先生を訪ねて行った。

ぢりぢりと西陽の照りつける鎌倉の街道を埃と汗にまみれながら歩いてやっと先生の家を尋ね当てて、玄関に立った時、先生が出て来て「君は誰じゃね」と訊いた。（中略）

書斎に通されて、先生の前にかしこまって坐った。

「先生。僕また卒業できないと困るんですが、卒業できるでしょうか」と幾分哀調を籠めて言った。机の横に端坐した先生は、抽出からエンマ帖らしいものを取り出して、暫く頁をめくっておられたが、「君は欠席が多過ぎる。それじゃ学生たるジューチーをフルヒルしておらんのじゃ。学生でも社会でもジューチーをフルヒルすることが人間として一番大切なんじゃよ」。

先生は目の間に皺を寄せて言われるのだが、何のことかよく分からない。やつと duty を fulfill と分かったので、

「先生、これからは絶対フルヒルしますから、卒業さして下さい。国に帰るにも困るんですから……」

と頼んだが、

「まだ職員会議も開かれておらんのじゃから、何とも言えんな」。

それから小一時間も学生と国民のジューチーをフルヒルすることの重要さについて、長い訓戒を受けた。袴の下は褌一筋の尻端折りで坐っているのだが、しびれの切れる足、尻と折り重ねたふくら脛へヌラヌラとにじみ出る汗を忘れることはできない。訓戒が終つて、先生に送られながら玄関へと畳の上を歩く時、足はふらつきながらも、畳の上にまざまざと灰白色に印せられた幾つもの自分の足跡を見て、しまつたことをしたと思つた。

今、自分は老いた。だのに未だに人生のジューチーをフルヒルできないでいることを思うと、先生に対して申訳ない。

先生の墓前にお線香を捧げる代りに私小栗は先生へお詫びしたいと言つていると、君（滝川）が一言先生の御墓に告げてくれるならば、感謝する。

一高を卒業できなかった小栗の手紙は、参加した老いたる同級生に感銘を与えた。「僕も社会人としてジューチーをフルヒルしていない」とある者が言った。飾り気のない小栗の文章に在りし日の菅 虎雄先生の風貌を眼前に髣髴して、懐かしまない者はなかった。四〇数年前の菅 虎雄先生との会見の一時を、昨日のごとくビビッドに綴った小栗の文章もさることながら、菅 虎雄先生の魂が七〇に垂んとする小栗の心の中に今も脈々として生動しているのを見て、一同今さらながら讃嘆おくあたわざるものがあった。（滝川政次郎「故菅 虎雄先生の二三回忌法要記」「向陵駒場」一九六六年二月）。

※菅 虎雄の俳句を『九州日々新聞』、新聞『日本』の中から発見されたり、熊本県飽託郡黒髪村宇留毛の住所を探してくださった村田由美氏に深く感謝申し上げます。

二〇一四年一〇月一九日現在

菅 虎雄研究調査資料文献

○「菅 虎雄」除籍謄本（久留米市役所）。非公開。
○「菅 虎雄」過去帳（菅家菩提寺梅林寺・久留米市）。非公開。
○加藤田平八郎『加藤田日記』明治六年五月一八日条。
（『久留米資料叢書』〔五〕久留米郷土研究会。一九七九年一二月一日発行）。
○一八七八（明治一一）年九月一六日、「久留米師範学校上等小学第五級卒業証書」（菅高重旧蔵）。

○福岡県立久留米師範学校上等小学で上等の点を取ったので、『泰西国法論』一部を賞賜される（篠原正一「久留米師範学校沿革」郷土研究『筑後』第四巻第七号、一九三六年七月七日）。
○一八八一（明治一四）年　東京大学医学部予科五等生徒甲（『東京大学医学部一覧』一八八一〜八四年）。
○『久留米医学生親睦会規則』　一八八二年八月現在（菅高重旧蔵）。
○「東京大学予備門二個年課程卒業証書」一八八四年六月二八日（菅高重旧蔵）。
○写真「誠意会会員」一八八八年一二月八日撮影、東京下谷仲町通　写真師　井谷（菅高重旧蔵）。
○「北條時敬日記　一八八九（明治二二）年四月一日」（『廓堂片影』西田幾多郎編、一九三一年六月二五日発行）。
○「蒼龍窟（今北洪川）会上居士禅子名刺」（一八八九年四月）鎌倉東慶寺蔵。
○写真「紀元会会員」裏書「明治二四（一八九一）年六月六日　紀元会々員」鈴木真一　東京九段坂（菅高重旧蔵）。
○写真「菅 虎雄」裏書「呈立花銑三郎君　明治二四年六月一三日　菅 虎雄」鈴木真一　東京九段坂（立花馨旧蔵）。
○『哲学会雑誌』第六一号附録「哲学会会員姓名録」一八九二年三月一〇日発兌。
○一八九四年一月一七日付小屋保治・夏目金之助宛菅 虎雄書簡（『夏目漱石と菅 虎雄』グラビア）。
○『円覚寺釈宗演居士名簿』（鎌倉東慶寺蔵）夏目漱石参禅の時「夏目金之助」の署名の上に「菅虎雄氏紹介」とあり。一八九四年一二月二三日。

○「戒脈　授与　無為居士」熊本見性寺　見性葆岳禅師より授与（菅高重旧蔵）。
○「菅 虎雄履歴書」自筆、一八九五（明治二八）年一一月四日。
○『九州日々新聞』俳句、一八九六（明治二九）年一二月二一、二三、二四、二五、二六日、九七年一月一七、二一、二四日、二月一三、一四、一六日、菅 虎雄の俳句あり。
○新聞『日本』俳句、正岡子規選、一八九七（明治三〇）六月四日、菅 虎雄の俳句あり。
○「菅 虎雄履歴書」一九〇〇（明治三三）年九月四日（第五高等学校）。
○夏目漱石著『文学評論』扉「文学評論」陰刻の題字（拓本）管 虎雄（書）春陽堂、一九〇九年三月一六日（本書四八頁）。
○清国三江師範学堂（現・南京大学）契約書　一九〇三年四月二七日（菅高重旧蔵）。
○夏目漱石著『社会と自分』扉「社会と自分」陰刻の題字（拓本）管 虎雄（書）実業之日本社、一九一三年二月五日。
○一九一三（大正二）年一一月一七日付井川（後に恒藤）恭宛芥川龍之介書簡『芥川龍之介全集』第一七巻、岩波書店。
○「菅家累代之墓」一九一五（大正四）年　秋建立（久留米市京町　梅林寺墓地）（本書二四二頁）。
○「学生時代の夏目君」菅 虎雄『新小説』「文豪夏目漱石」春陽堂、一九一七年一月一日。
○「学生時代の漱石君」大塚保治『新小説』「文豪夏目漱石」春陽堂、一九一七年一月一日。
○芥川龍之介『羅生門』（阿蘭陀書房）の背文字・題簽・扉・タイトルページに「羅生門」の文字、「君看雙眼色　不語似無愁」の文字を扉に揮毫。一九一七年五月二三日（本書二四〇・二四一頁）。

芥川龍之介著『傀儡師』
表紙（新潮社）、1919年1月15日、菅 虎雄 書、実物

○高浜虚子「京都で会った漱石氏」『漱石氏と私』アルス社、一九一八年一月。

○「開墾率先碑」（福島県郡山市開成）松方正義題篆・本荘季彦撰に揮毫。一九一八年四月。

○芥川龍之介『傀儡師』の背文字・題簽・扉に揮毫。一九一九年一月一五日。

○『松香長与専斎先生紀功之碑』（鎌倉長谷高徳院大仏境内）松方正義篆額・土肥慶蔵撰に揮毫。一九一九年三月。

○芥川龍之介の田端の書斎に掲げる扁額に「我鬼窟」の文字を揮毫。一九一九年四月二八日（本書一五八頁）。

○『日夏耿之介全集』第八巻「年譜」河出書房新社。一九二一年、日夏は大森山王二七二〇番地に家を入手、「黄眠草堂」と名付け、菅に扁額の揮毫を依頼す。

○「私立南筑中学校」（福岡県三井郡御井町一四九八番地）の門札を揮毫（門札は所在不明）、（『久留米市立南筑高等学校五十年史』）。

○『帝国大学出身録』原田登編、一九二二（大正一一年）。

○「個人動静消息　菅 虎雄氏」『福岡県人』一九二四年一〇月。

○山本有三『同志の人々』（新潮社）の題字を揮毫。一九二四年一一月一五日。

○「菅 虎雄」『大正人名辞典』Ⅱ、下巻（一九二七年）日本図書センター、一九八九年二月五日。

○「文学博士藤代禎輔墓」（京都東山通智積院裏の共同墓地）を揮毫。一九二七年四月。
○「瓊音沼波武夫の墓」（音羽護国寺共葬墓地）の文字を揮毫。一九二七年七月。
○山本有三『西郷と大久保』背文字と扉の題字を揮毫。一九二七年一〇月二八日（本書二四一頁）。
○呉秀三「藤代君の追憶」『独逸文学』第三輯、東京帝国大学独逸文学研究室、郁文堂書店、一九二八年六月五日。
○菅 虎雄談「藤代君と漱石の思ひ出」『独逸文学』第三輯、東京帝国大学独逸文学研究室、郁文堂書店、一九二八年六月五日。
○「高良大社」（久留米市御井町）の石標を揮毫。一九二八年六月。「国幣大社　高良神社」と書いた菅の文字を集めて、刻し直した（本書二四一頁）。
○「個人動静消息　菅 虎雄氏」『福岡県人』一九二八年九月。
○菅 虎雄「夏目君の書簡」『漱石全集月報』第九号、岩波書店、一九二八年一一月。
○大塚保治「夏目君と大学」『漱石全集月報』第九号、岩波書店、一九二八年一一月。
○夏目鏡子述・松岡譲筆録『漱石の思ひ出』改造社、一九二八年一一月一三日。
○「万葉集研究讃蹟」（鎌倉妙本寺境内釈迦堂前）に揮毫。井上通泰撰、一九三〇年二月。
○「呉家累代墓」（多磨霊園）に揮毫。呉秀三の依頼。一九三一年一〇月。
○菅 虎雄談「呉秀三君を憶ふ」『呉秀三小伝』呉博士伝記編纂会編、一九三三年三月二六日。
○修善寺漱石詩碑の碑陰（狩野亨吉識）に揮毫。一九三三年四月。
○『久留米市誌』中編「奥州開墾事業」一九三三年。

○松岡譲『漱石先生』「お墓の話」岩波書店、一九三四年一一月二日。
○「向陵碑」(現・東京大学農学部)に揮毫。安井小太郎撰、一九三五年二月一日(本書三四〇頁)。
○「直木三十五追悼碑」(東京多磨霊園)に揮毫。菊池寛撰、一九三五年二月二四日。
○「水天宮」(東京日本橋蛎殻町)の社標に揮毫。一九三五年六月吉日。
○「戊辰役従軍記念碑」(久留米篠山神社)に揮毫。柳瀬三郎撰、一九三五年一〇月(本書二四二頁)。
○狩野亨吉「漱石と自分」『東京朝日新聞』(一九三五年一二月八日付)。『漱石全集』別巻に再録、岩波書店、一九九六年二月六日。
○『大衆人事録』第一二版、「菅 虎雄」猪野三郎監修、帝国秘密探偵社・国勢協会、一九三七年一一月一七日。
○菊池寿人『行々坊行脚記』題字を揮毫、菅宛書簡、菊池寿人先生文集頒布会、一九三七年一二月二日。

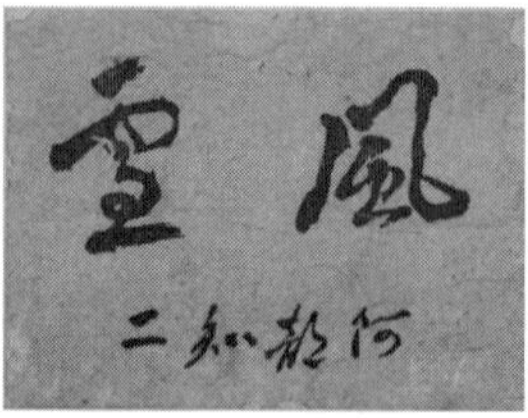

阿部知二著『風雪』
題簽(創元社)1939年9月
26日発行 菅 虎雄 書 実物

○「第一高等学校」門札揮毫。一九三八年三月三一日(本書二四一頁)。
○小宮豊隆『夏目漱石』岩波書店、一九三八年七月一日。改訂版(新書版三冊)、一九五三年八月三一日。
○阿部知二『風雪』(創元社)の箱・表紙・扉の題字を揮毫。一九三九年九月。
○久保猪之吉夫妻の墓・『久保博士碑』(青山霊園)の文字を揮毫。一九三九年一一月。

○「語る〝坊ちゃん〟由来記」菅 虎雄談、一九四〇年三月一三日付『東京朝日新聞』。
○「菅 虎雄履歴書」一九四〇（昭和一五）年三月三一日（第一高等学校）。
○小山富士夫『支那青磁史稿』文中堂、一九四三年。
○『人事興信録』上、第一四版、「菅 虎雄」人事興信所、一九四三年一〇月刊。
○安倍能成『戦中戦後』「菅 虎雄先生を弔ふ」白日書院、一九四六年六月一五日。
○高木彬光『わが一高時代の犯罪』『宝石』一九五一年五～六月。
○高見順『昭和文学盛衰史　第一部』「第三章　作家と運命　菅 虎雄・忠雄」、文芸春秋新社、一九五八年三月。
○内田貢『夏目漱石と帰源院』鎌倉漱石の会、一九六二年一二月九日。
○「一高門札の行方――十五年前の三月。それは消滅した――」麻生磯次『文藝春秋』一九六四年四月号。
○「すがとら会四十年記念祭の記」花田正俊『向陵駒場』第七巻第一号、一九六五年二月。
○「菅先生の遺族と紅梅学園」内田貢『向陵駒場』第七巻第一号、一九六五年二月。
○「内田貢君と紅梅学園について」圓地與四松『向陵駒場』第七巻第一号、一九六五年二月。
○「紅梅学園を救へ」吉松滋『向陵駒場』第七巻第二号、一九六五年九月。
○「菅 虎雄　市川三禄『三禄飄談』より」『明治人物逸話辞典』上巻、森銑三編、東京堂出版、一九六五年五月。
○「故菅 虎雄先生の二三回忌法要記」滝川政次郎『向陵駒場』第八巻第一号、一九六六年二月。

○『菅 虎雄先生追悼会記事』守永義輔『向陵駒場』第八巻第一号、一九六六年二月。
○「紅梅学園の新施設」守永義輔『向陵駒場』第八巻第二号、一九六六年八月。
○「菅先生の書の由来」嘉治真三『向陵駒場』第九巻第一号、一九六七年七月。
○「我が生涯の最良の三年」横地誉富『向陵駒場』第九巻第一号、一九六七年七月。
○「菅 虎雄筆　徳有隣」亀井高孝『向陵駒場』第一〇巻第四号、一九六八年一〇月。
○「菅、杉両先生の一面」亀井高孝『向陵駒場』第一〇巻第四号、一九六八年一〇月。
○「どこに消えたか？――一高の門札――」花田正俊『向陵駒場』第一〇巻第四号、一九六八年一〇月。
○「向陵生活三年の回顧」「ドイツ語の菅 虎雄先生」山田幸五郎『向陵駒場』第一一巻第一号、一九六九年一月。
○「新年号にことよせて」松崎祐存『向陵駒場』第一一巻第二号、一九六九年四月。
○『岩元さん、菅さんのこと』玉井茂『向陵駒場』第一一巻第二号、一九六九年四月。
○亀井高孝『蓋屋葉の屑籠』「菅 虎雄先生」時事通信社、一九六九年八月一日。
○「菅・岩元両先生の尺牘」亀井高孝『向陵駒場』第一一巻第四号、一九六九年一〇月。
○「菅先生と紅梅学園」守永義輔『向陵駒場』第一一巻第四号、一九六九年一〇月。
○「昔の先生、今の先生」志賀義雄『向陵駒場』第一二巻第一号、一九七〇年一月。
○「すがとら会の記」花田正俊『向陵駒場』第一二巻第一号、一九七〇年一月。
○「狩野亨吉先生の思い出」竹内潔『向陵駒場』第一二巻第三号、一九七〇年七月。

○江藤淳『漱石とその時代』第一〜五部、新潮社、一九七〇年八月〜一九九九年一二月。
○『写真図説　鳴呼玉杯に花うけて　第一高等学校八十年史』「一高名物教授　菅 虎雄先生」時光紀山、講談社、一九七二年五月一五日。
○「探碑余滴　菅 虎雄のこと」古賀幸雄『郷土久留米』第三号、一九七二年七月一五日。
○相良守峯『ドイツ文化と人間像』「書は人なり（菅、松平両先生の書風）」三修社、一九七二年一〇月二日。
○『陵雲無為　菅 虎雄先生遺墨法帖』一高同窓会、一九七二年一一月一三日。
○「遺墨集を霊前に　久留米　菅 虎雄氏の法要会」『朝日新聞』「筑後版」一九七二年一一月一三日。
○「古医書について」山川幸雄『医学図書館』第一九巻第三号、一九七二年。
○『久留米碑誌』「開墾率先碑」一九七三年三月。
○関泰裕『春風秋水帖』「陵雲・菅 虎雄先生」河出書房新社、一九七三年三月一五日。
○荒 正人『漱石研究年表』（『漱石文学全集』別巻）集英社、一九七四年一〇月一五日。
○前尾繁三郎『私の履歴書　牛の歩み』日本経済新聞社、一九七四年一〇月三〇日。
○「菅 虎雄先生の晩年」守永義輔『向陵』一高百年記念、一高同窓会、一九七四年一〇月三一日。
○「菅・岩元先生と一高の追憶」下田弘『向陵』
○青江舜二郎『狩野亨吉の生涯』明治書院、一九七四年一一月三〇日。
○大久保純一郎『漱石とその思想』荒竹出版、一九七四年一二月二日。
○木下秀一郎『木下秀一叢書Ｉ　わが写生風土記　漱石』「菅 虎雄と漱石」木下秀一叢書刊行

会、一九七五年六月二五日。
○守随憲治『私の青年期』明治書院、一九七六年一月。
○「国民歌『アムールの流血や』の作曲者に就いて――楽壇の長老堀内敬三氏に質す――」「(一)発端――菅 虎雄先生卅三回忌に於ける同志の激励――」逗子八郎(井上司朗)『月刊 時事』一九七六年二月号。
○「一高時代の恩師回想――わが青春の青春史一面――」牧野信之助『向陵』第一八巻第二号、一九七六年一〇月。
○宮井一郎『夏目漱石の恋』筑摩書房、一九七六年一〇月二日。
○江藤淳編『朝日小辞典 夏目漱石』朝日新聞社、「菅 虎雄」大野淳一執筆、一九七七年六月一五日。
○「漱石とその友(菅 虎雄)」原武 哲『朝日新聞』「筑後版」一九七八年六月五日。
○「夏目漱石の恋と菅 虎雄――明治二七、八年の青春像」原武 哲『西日本新聞』夕刊「文化」一九七九年二月九日。
○「向陵碑」『向陵』第二一巻第一号、一九七九年四月。
○『夏目漱石遺墨集』第一巻「書蹟篇」求龍堂、一九七九年五月一日。
○「菅 虎雄」執筆 相良守峯『日本人名大事典』現代平凡社、一九七九年七月一〇日。
○「久留米地方の文学について」野田宇太郎『久留米教育クラブ月報』二八二号、一九七九年九月。
○『図説 漱石大観』吉田精一・荒 正人・北山正迪、角川書店、一九八一年五月二六日。

○「雲床独臥処」倉野憲司『福岡女子大広報』第二〇号、一九八二年三月一五日。
○宮井一郎『詳伝　夏目漱石』上・下巻、国書刊行会、一九八二年八月一〇日。
○原武 哲『夏目漱石と菅 虎雄――布衣禅情を楽しむ心友――』教育出版センター、一九八三年一二月。
○「漱石に心の友がいた　菅 虎雄・元一高教授　町の研究家が人間像に迫る」執筆木村忠康『読売新聞』夕刊、西部版NEWS探査衛星、一九八四年一月一一日。
○荒 正人『増補改訂　漱石研究年表』集英社、一九八四年五月三〇日。
○『芥川龍之介事典』「菅 虎雄」執筆　清水康次、明治書院、一九八五年一二月一五日。
○江下博彦『漱石余情　おジュンさま』西日本新聞社、一九八七年五月二八日。
○菅原みどり『紅梅凛々と――女子精薄者の母　菅寿子――』「夫忠雄と舅虎雄の死」勁草出版サービスセンター、一九九二年八月二〇日。
○「漱石ゆかり菅 虎雄旧居考」田中久智『熊本日々新聞』夕刊、一九九五年一月九日。
○『漱石全集』第一九・二〇巻（岩波書店）「日記・断片」上・下」（一九九五〜九六年）。
○『漱石全集』第二二・二三・二四巻（岩波書店）「書簡」上・中・下（一九九六〜九七年）。
○『狩野亨吉日記』東京大学教養学部（旧制第一高等学校資料）保管。
○『方位』第一九号「熊本の漱石」熊本近代文学研究会、一九九六年九月二五日。
○『丸山真男集』別巻（岩波書店、一九九七年三月一三日）「年譜」一九三三年、ドイツ文学専攻を志望していた一高文科生丸山真男は菅 虎雄を訪問、東大法学部に進路変更を慫慂される。

○「本郷の思ひ出」宇野精一『向陵』一高百二五年記念、一九九九年一〇月。
○「遥かな道を歩んで」中村元『向陵』一高百二五年記念、一九九九年一〇月。
○「わが向陵の師と友」新井正明『向陵』一高百二五年記念、一九九九年一〇月。
○「第一高等学校　夢と現実」田中隆尚『向陵』一高百二五年記念、一九九九年一〇月。
○「向陵塚——その護持と永生に向けて」阿僧田英照『向陵』一高百二五年記念、一九九九年一〇月。
○『夏目漱石事典』「菅 虎雄」執筆　橋川俊樹、勉誠出版、二〇〇〇年七月一五日。
○『毎日新聞』筑後版「夏目漱石をめぐる人々」1〜5「菅 虎雄」①〜⑤、原武 哲執筆、二〇〇二年四月一二日、二六日、五月一〇日、二四日、六月七日。
○『芥川龍之介大事典』「菅 虎雄」執筆　須田久美、勉誠出版、二〇〇二年七月。
○原武 哲『喪章を着けた千円札の漱石——伝記と考証——』笠間書院、二〇〇三年一〇月二二日。
○『芥川龍之介新事典』「菅 虎雄」執筆　西山康一、翰林書房、二〇〇三年一二月。
○「向陵碑」大森義正・竹田晃『向陵』一高百三〇年記念号、一高同窓会、二〇〇四年一〇月三〇日。
○『第一高等学校』門札について」『一高同窓会会報』第三七八号、二〇〇五年四月。
○「門札に就いて（続）」『一高同窓会会報』第三八〇号、二〇〇五年八月。
○『「鎌倉文士村」ができたわけ』（2）「菅 虎雄の存在と夏目漱石」浪川幹夫。インターネット、二〇〇五年六月二七日

○『「鎌倉文士村」ができたわけ』(5)「菅 虎雄、忠雄父子から鎌倉居住を斡旋された文士たち(3)」浪川幹夫。インターネット、二〇〇五年六月二七日。

○「夏目漱石と久留米――伝記と作品――」原武 哲『日本英学史学会九州支部発足三十周年記念誌』二〇〇七年一〇月一〇日。

○「熊本時代の狩野亨吉日記」村田由美『方位』第二七号、熊本近代文学研究会、二〇〇九年一一月三〇日。

○小城左昌『夏目漱石と祖母「一冨順」』(再販)私家版、合谷印刷所、二〇一〇年五月。

○「夏目漱石の大親友『菅 虎雄』知って　久留米出身のドイツ語教師　大学教授ら顕彰会設立へ」『西日本新聞』筑後版、二〇一〇年三月二八日。

○「夏目漱石を支えた菅 虎雄たたえる顕彰会　出身地・久留米の有志来月一七日発足、参加呼びかけ」『毎日新聞』筑後版、土田暁彦執筆、二〇一〇年九月二九日。

○「漱石も慕った久留米出身の名物教師　菅 虎雄を知って　福岡女学院大原武名誉教授　一七日に顕彰会設立」『西日本新聞』九州版、田籠良太執筆、二〇一〇年一〇月一四日。

○「菅 虎雄の顕彰会発足へ　久留米出身の独語学者、漱石と親交　一七日、設立総会　郷土の誇り　後世に」『読売新聞』筑後版、二〇一〇年一〇月一五日。

○「菅 虎雄なければ『坊っちゃん』なし　漱石支えた元教授　顕彰会一七日発足」『朝日新聞』筑後版、二〇一〇年一〇月一五日。

○「熊本の新派俳句と漱石――新資料の漱石俳句を中心として――」村田由美『方位』第二八号、

二〇一一年三月三一日。
○「漱石の恩人菅　虎雄　居候させ援助　就職も紹介　遺徳知って顕彰碑建立へ」『読売新聞』夕刊、二〇一一年一〇月八日。
○「漱石の創作活動支援　菅　虎雄の碑建立へ　久留米の顕彰会、三年後に」『朝日新聞』筑後版、遠山武、二〇一一年一〇月一二日。
○「漱石が慕った恩人教授菅　虎雄たたえ顕彰碑建立へ　ゆかりの梅林寺外苑に生誕一五〇年の一四年完成」『西日本新聞』筑後版、二〇一一年一〇月一三日。
○「菅　虎雄後世へ　久留米出身ドイツ語学者　夏目漱石の作品に影響　碑建立で顕彰会が募金活動」『毎日新聞』筑後版、上村里花執筆、二〇一一年一〇月一三日。
○「いまひとFUKUOKA」「漱石の親友菅　虎雄の顕彰会長原武　哲さん（七九）菅の遺徳広め伝えたい　調査・研究に半生　著書も」『朝日新聞』福岡県版、遠山武執筆、二〇一一年一一月二〇日。
○「夏目漱石の親友久留米出身、ドイツ語学者の菅　虎雄遺徳たたえ二一日に顕彰会　地元で講演やゆかりの地巡り」『西日本新聞』筑後版、二〇一二年一〇月四日。
○「漱石の友菅　虎雄知って　独語学者、二一日に顕彰会総会久留米ひ孫の講演、バスツアーも」『読売新聞』筑後版、緒方慎二郎執筆、二〇一二年一〇月一〇日。
○「偉人菅　虎雄知って　漱石の創作活動支えた親友　久留米二一日、ひ孫の講演やバスツアー」『朝日新聞』筑後版、遠山武執筆、二〇一二年一〇月一九日。
○「〈自著を語る〉遅れて走り出した漱石狂い——周辺人物を事典に纏めようと努力中——」原

武 哲『総合文化雑誌KUMAMOTO』創刊号、くまもと文化振興会、二〇一二年一二月一五日。
○「夏目漱石と菅 虎雄 in Kumamoto」原武 哲『くまもと漱石倶楽部会報』第一二号、二〇一三年三月二日。
○『漱石句碑・菅 虎雄先生顕彰碑』の建立」原武 哲『野田宇太郎顕彰会会報』第二〇号、二〇一三年三月三一日。
○「二人の友情表す公私で支えた菅 虎雄宛漱石の礼状発見」原武 哲『西日本新聞』「文化」二〇一三年七月一〇日。
○「漱石の兄貴分 素顔に光――文豪の人生と文学を支えた菅 虎雄の生涯を追う――」原武 哲『日本経済新聞』「文化」二〇一三年九月二六日。
○「漱石と菅 虎雄「絆」の石碑 久留米梅林寺二〇日、除幕式で披露」『西日本新聞』二〇一三年一〇月一八日。
○「久留米出身の友、漱石支えた 旧制一高の教授・菅 虎雄、市内に顕彰碑 あす除幕式」『朝日新聞』筑後版、遠山武執筆。二〇一三年一〇月一九日。
○「菅 虎雄顕彰碑あす除幕 漱石親友の独語学者 遺徳後世に」『読売新聞』筑後版、二〇一三年一〇月一九日。
○「漱石句碑」（梅林寺 碧巖を提唱す山内の夜ぞ長き 夏目漱石 直筆）句碑解説 菅 虎雄先生顕彰会会長 原武 哲 撰文、久留米梅林寺外苑、二〇一三年一〇月二〇日。
○「菅 虎雄先生顕彰碑」（気如龍 陵雲 直筆）碑文 菅 虎雄先生顕彰会会長 原武 哲 撰文、

菅 虎雄先生顕彰碑モニュメント揮毫 梅林十九世大玄謹書、久留米梅林寺外苑、二〇一三年一〇月二〇日（本書二四三頁）。
○「菅 虎雄・漱石の碑 並び立つ 久留米・梅林寺外苑で除幕」『朝日新聞』筑後版、遠山武執筆、二〇一三年一〇月二一日。
○「漱石との深い友情後世に 菅 虎雄の顕彰碑除幕 久留米」『読売新聞』筑後版、二〇一三年一〇月二一日。
○「菅 虎雄と漱石友情の碑 久留米梅林寺で除幕式」『毎日新聞』筑後版、宗岡敬介執筆、二〇一三年一〇月二一日。
○「菅 虎雄の碑除幕 漱石との絆後世に伝承 久留米市・梅林寺」『西日本新聞』筑後版、村田直隆執筆、二〇一三年一〇月二一日。
○原武 哲編著『夏目漱石周辺人物事典』（笠間書院）「菅 虎雄」執筆 原武 哲、二〇一四年七月二五日。
○「漱石巡る人物事典に一三八人菅 虎雄、小宮豊隆ら県関係も福岡女学院大原武名誉教授ら刊行」『読売新聞』福岡県内、杉尾毅執筆、二〇一四年九月二四日。
○「漱石周辺人物事典を出版 福岡女学院大名誉教授原武さんら交流列伝風にまとめる 菅 虎雄など筑後ゆかりの一八人も」『西日本新聞』村田直隆執筆、二〇一四年九月二八日。
○『夏目漱石外伝――菅 虎雄先生生誕百五十年記念文集――』菅 虎雄先生顕彰会、二〇一四年一〇月一九日。

第三章　荒　正人

㉛ 〃異常児〃荒 正人先生のこと――ある文芸評論家との出会いと別れ――

一

人の運命を左右するほど決定的な影響を与えた師は、生涯に決して少なくないかも知れない。真理を探究する学問の上での師、人の道を説く師が、我々の迷妄の人生を明るく照らしてくれる。我々はこれらの師によって、どんなにか心が洗われたことか。その出会いは偶然の場合もあろうし、自ら師を求める場合もあろう。いずれにしても、捉え難い師の持つ無限の偉大さを、たとえ万分の一なりとも心の中に押し戴きたいと渇望せずにはおられない。

荒 正人
『新選現代日本文学全集』38、「平野謙・荒 正人・高橋義孝・小田切秀雄」筑摩書房、1961年7月15日、撮影高村規 1960年

私が本気で夏目漱石を調査研究しようと思う以前から、私の本棚の中には十数冊の漱石研究書が野晒しになっていた。その中で荒 正人先生の『夏目漱石』（五月書房、一九五七年一二月）と『評伝夏目漱石』（実業之日本社、一九六〇年七月）の二著書はやはり気になる存在ではあったが、私の心を揺り動かすほど、光彩を放つものでもなかった。確か門司南高校に勤めているとき、漱

石の『草枕』か『坊っちゃん』を教えた折に買ったと思われるので、半世紀以上も昔の話である。それは他の群書とさして区別するほど強烈な印象をとどめたとは言えない。爾来十数年、荒 正人先生は私にとって単なる路傍の人に過ぎなかった。

一九七三（昭和四八）年ごろから菅 虎雄と夏目漱石との関係を調査し始めた私にとっては、荒正人先生はやはり遙かなる雲の上の人であった。岩波書店版『漱石全集』の書簡集と日記を基礎資料としてカードを作製し、手探りで調査を始めた。小宮豊隆の『夏目漱石』上・中・下（岩波新書）、夏目鏡子の『漱石の思ひ出』（角川文庫）、江藤淳の『漱石とその時代』第一・二部（新潮選書）などが伝記的研究の手がかりを作ってくれた。

荒 正人先生著『漱石研究年表』（『漱石文学全集』別巻、集英社、一九七四年一〇月二〇日）が書店の店頭に出た。私は久留米の金文堂書店でその一冊を手にしたときの興奮を未だに忘れることはできない。かつて私は元禄の文豪井原西鶴を調査していたとき、野間光辰『西鶴年譜考證』（中央公論社）の綿密周到さに驚嘆したが、今度の衝撃もこれに匹敵する。一人の文学者の一日一日の事跡を、これほど緻密にそして詳細に調べ尽くした驚くべき著書を、うかつにして私は知らない。日本人の中で、否、世界の人の中で、これほど綿密に生誕から死歿まで毎日毎日の行動を追跡され、一日単位の年譜（極端に言えば「年譜」ではなくて「日譜」であり、「年表」ではなくて「日表」と言った方が当を得ていると思う）を作られた者はおそらく未だかつていなかったであろう。私は驚愕とともに身の毛のよだつごとき畏怖を抱いた。これだけの執念と強靭さはどこから来るのだろうか。インターネットのない時代である。たった一行の事実の確認のためにあるときは、北海道まで行かねばならぬこともある。たった一人の人物を探し出すためにあるときは、都内の数百名の同姓の人物を電話帳から選び出して電話をかけまくることもある。その後、この本は私の研究に一日として欠かせない座右の書となり、未知のこと、不確実なことを検索せねばならぬたびに繙《ひもと》いている。一見、無味乾燥な事実羅列のみに終始する年表が、次第に私にいろいろと語りかけてくれる。私は冷厳な一塊の事実の中から、無限のイメージを小説的にふくらませて、漱石の実像に迫ろうと努力した。そして、戦時中のいわゆる「暗い谷間」（確か荒 正人先生の命名）をくぐり抜け、幾多の犠牲を払ってやっと平和が蘇生するやいなや、抑圧された文学的活力をほとばしり出して、『第二の青春』『終末の日』『民衆とはたれか』『負け犬』と、荒野に叫ぶ古えの予言者のごとく呼ばわった荒 正人なる文芸評論家が、何ゆえに『漱石研究年表』作成という地味で根気のいる仕事に情熱を燃やしたか、不思議であった。

思えば、私が初めて荒 正人先生にお目にかかったのは、忘れもしない一九七六(昭和五一)年三月二〇日(土)であった。かねて私淑していた荒 正人先生に一度直接謦咳《けいがい》に接して御教示を受けたいと念願していたが、容易にその機会は訪れなかった。あの華々しい、一世を風靡《ふうび》した『第二の青春』の著者荒 正人先生にどうしたら会えるか。従来の「年譜」の概念をもののみごとに打ち砕いて、年・月単位の「年譜」から時・分単位の「年表」製作に執念を燃やした漱石研究家荒 正人先生は余りに巨大な存在であった。一介の田舎教師である私の及ぶところではない。しかし、こちらの正体を謙虚にさらけ出して誠意を示せば、あるいは自ずから道が開けるかも知れない。幾度か熟慮逡巡の末、私は今までに発表した漱石関係論文を一揃い全部をたばねて荒先生に送った。

七六年三月、春休みになるのを待って上京し、到着したその夜、恐る恐る電話でお伺いを立てた。郵送した論文は遅延してまだ荒先生の手元には届いていなかった。東京滞在中に御宅に参上したいと案内を乞うと、

「今すぐおいで下さい。宿は目白ですか。それじゃ目白駅から山ノ手線で新宿に出て、中央線に乗り換えて西荻窪で降りて下さい。改札口を出て、左手の北口の方に出ますと、交番がありますからそこで聞いて下さい。私が西荻窪駅まで出迎えてもいいのですが、あいにく今、家内が留守でしてね。」

矢つぎ早に御自分の用件のみを言われ、こちらで口を挟む余地を与えてくれないので、頭の中で整理するいとまがない。しかしまた一方では、至れり尽くせりのかゆいところに手の届く涙ぐましい親切ぶりである。この電話の掛け方はその後三年間の先生との交わりの中で、終始一貫変わりはなかった。平均すると、ほぼ一週間に一回の割で東京からお電話を受けたが、その「せっかち」ぶりは誠に見事と言う外ない。思い付いたときが吉日で、その場で電話を掛け、速戦即決、御自分の言いたいことを早口でまくし立てて言い終わるとガチャンと切ってしまわれるので、

「もしもし、あのぉ……」

と言いかけたときは後の祭りである。しかし、長いときは東京から三十分ぐらい専ら漱石一本槍の長話をされる。新しい情報を私に提供され、見解を求められることもある。御自分の見解も披露され、同感を求められることもある。お蔭で地方ではめったに得られない最新のビッグ・ニュー

スを次々と教えていただいた。
かくて荒 正人先生との出会いは、私の方からの見参で始まった。最初の印象は何と辺幅を飾らぬ奇人であろうか、という驚きであった。もっと堂々とした活動的な姿を想像していたのに、実際は小柄で痩骨になえたワイシャツを着て、ズボンも心持ちたるんで見えた。しかし、いったん漱石の話になると際限がなく、情熱的な饒舌はとどまるところを知らなかった。初対面であったのに「泊まっていけ」と本気で誘われたが、さすがに甘えることだけは遠慮させられた。その夜は門限過ぎて宿に帰り、玄関を開けてもらうのに苦労した。
荒 正人先生の関心は宇宙的スケールで、広大無辺であった。食べ物にも多大の興味を持っておられた。荒先生と一緒に食べた食べ物屋の数はどれだけになったことだろうか。思い出すだけでも、ブルガリヤ料理(新宿)、北海道ワインの店「十勝」(新宿)、フランス料理「こけし」(西荻)、「巴里」(西荻)、北海料理「厚岸《あっけし》」(西荻)、グランド・パレス(飯田橋)、広東料理「山水楼」(西荻)、精進料理「門」(鎌倉)、ホテルニューグランド(横浜)、うなぎ料理「神田川」(神田)、ロシヤ料理「ヴォルガ」(西荻)、チェコ料理「キャッスル・プラハ」(六本木)、どぜう屋「駒形」(浅草)、「いろは寿司」(西荻)、「梅園」(浅草)、言問団子(隅田川畔)、うなぎ料理「美国屋」(日本橋)と行って、その外どれだけ行ったか数えきれない。そのたびにその店の由来やら、料理の作り方やら、食べ方やら、美味であるかどうかなどの講釈を聞かされた。
「この料理はこうして食べるのが一番おいしいんですよ。」とおっしゃる当人は、ムシャムシャと余りおいしそうな食べ方ではなかった。

荒正人先生は若い頃、七十キロ近く体重があったそうだが、糖尿病だと宣告されると、すぐさま、一箇月余りのうちに十数キロも減量したということだ。そこに埴谷雄高《はにやゆたか》のいう荒先生の「せっかちと癇癪《かんしゃく》」（『鞭と独楽』）を見ることができる。三十代の写真を拝見すると、丸々と肥満しているが、私が初めてお会いした晩年の先生は、年齢より老け、枯れて見えた。一時は厳密な食餌療法を試みられたそうだが、晩年は自由に食べ、かつ飲まれた。上京のたびに二泊ほど、荒先生の御宅に泊めていただいていたが、ビールは朝から七〇〇ccから八〇〇ccぐらい入りそうな大きなジョッキになみなみとついで、一気に息もつかずに飲み干された。

「ビールに胡瓜のピクルスはよく合いますよ。」

とおっしゃって、自家製のピクルスを食卓に出された。先生が自ら漬けられたものだそうだ。

「だれも食べてくれないんですよ。原武さんはお好きですか？　そう……。お好きですか。では、どうぞ。」

胡瓜のピクルスをつまみにして、先生と一緒にビールを何本も飲んだ。

七六年一一月三日、福岡県筑後地区高等学校国漢部会創立三十周年記念式典のため、講演をお願いしたところ、快諾され、久留米に来られた。私の家に泊まっていただき、食前酒としてマデイラ酒（北大西洋上にあるポルトガル領火山諸島マディラ島で産する有名な白葡萄酒）を出して飲んでいただいた。荒先生はいたく感激され、その後、ワインを一緒に飲むたびに、傍らの人に、

「原武さんのうちでマディラを御馳走になりましてね。とてもおいしいマディラでした。」

と、多くの人に紹介してくださった。お泊まりいただいたその夜、私は深夜三時ごろかトイレに

起きると、寝室にした座敷の電灯の明かりが灯っていた。外から中をそっと覗うと、かさこそと筆記しているような様子である。家人に聞くと、その筆記らしい様子は一晩中続いたようであった。おそらく寝床が変わって神経が高ぶって寝付けず、終夜、勉強されておられたのではあるまいか。翌朝、

「お休みになれましたか。」

とお尋ねすると、

「いやあ。ぐっすり、寝られました。」

と答えられた。学者の繊細な神経を感じ、肌に粟立つ、恐ろしい鬼気が妄執のごとく迫って来た。

そのとき、お土産に久留米がすりのネクタイを差し上げたが、これまた、私が上京するたびに（一年に四回ぐらい上京していた）、この久留米がすりのネクタイを必ず締めて、私と会われた。おそらく私に感謝の意を表す意味で、私と会うときは、自然に久留米がすりのネクタイに手が向いたと思われた。余りそれが頻繁だったので、私は何だか、お気の毒な気がして、銀座で新しいネクタイを買ってプレゼントした。しかし、このネクタイを締めて、私と会われたことは遂に一度もなかった。

荒正人先生は、あらゆるものに大変興味を持っておられた。とにかく好奇心が旺盛で、原子核、スターリン批判、宇宙工学、政治と文学、精神分析、ＳＦ、ワイン、食べ物と何にでも異常なほど、強烈な興味を持って探求された。その間口が余りにも拡がり過ぎるのを、意識的に抑制しようと努力されていたふしが見られる。

「夏目漱石は数え年五〇歳で亡くなってよかったですよ。これ以上長生きされたんじゃ、調査する方はたまりませんからね。」

冗談のように笑われた。森鷗外の話が出たとき、

「鷗外は偉いです。しかし、笑いがないですね。鷗外も調べたいんですが、わざと調べないのです。」

故意に鷗外を避けているのは、無限に膨脹する旺盛な好奇心をこの段階で断ち切らねば、漱石に没頭できないという自制であったろう。しかし、ともすれば関心は触手を延ばして、先生を泥沼に引きずり込もうとする。荒先生はそれを懸命に堪えておられるように見えた。

荒 正人先生は『近代文学』創刊同人「近代文学七人の侍」(鶴見俊輔の命名)の中でも、牽引車的な役割を果たし、精力的に理論闘争をされた。就中《なかんずく》、中野重治との「政治と文学論争」は仮借《かしゃく》なき熾烈《しれつ》な戦いであった。また、編集者として優れた能力を持ち合わせておられたのであろう、奥野健男、日野啓三など優れた作家、評論家を見い出し、育てた。東京大学の「五月祭」の文学賞の選者となり、後にノーベル文学賞受賞作家となった大江健三郎を発見したのは、荒先生であった。

荒先生から村上春樹のことを聞いたのは、いつのことだったか、思い出せない。村上のデビュー作『風の歌を聴け』が発表されたのは、『群像』新人文学賞受賞作として一九七九(昭和五四)年六月号であった。奇しくも荒 正人先生逝去の月である。私が荒先生と最後にお会いしたのが三ヶ月前の三月、村上の『群像』新人文学賞受賞の報はまだ誰も知らない。私は確かに荒 正人先生

の口から村上春樹という有望な新人作家の名を聞いた。しかし、その名は初めて聞く名で、まして私が『風の歌を聴け』を読んだのは、それから十年以上も経っていた。

では、荒先生はデビュー作『風の歌を聴け』が発表される以前から村上春樹を知っていたのであろうか。それはなかろう。もし可能性を考えるならば、『群像』新人文学賞の選考委員五人、丸谷才一・佐々木基一・佐多稲子・島尾敏雄・吉行淳之介の中の一人――それは多分、『近代文学』草創からの同人佐々木基一――から大型新人の噂ぐらいは聞いた可能性はある。勿論、選考結果の公式発表以前に受賞者が漏洩すれば大問題になるが、いずれにしても想像するのみである。私としては荒先生が、大江健三郎のデビュー当時からその卓越したノーベル文学賞級の才能を見抜き、さらにまた村上春樹のデビュー当時からノーベル文学賞受賞の可能性を信じていたとすれば、こんな愉快なことはない。

小宮豊隆
『明治文学全集』75、「明治反自然派文学集（二）、1968年8月25日刊

敗戦後十数年の華々しい文壇の活躍を知る者にとって、晩年の荒先生は必ずしも文壇、論壇から好遇されていたとは言われない。近代文学も、古典なみの厳密な本文校訂が必要だと主張され、岩波書店の小宮豊隆校訂『漱石全集』を凌駕《りょうが》する集英社の『漱石文学全集』の校訂に取りかかった。初版本からさらに初出雑誌、初出新聞へと遡り、肉筆原稿を探り出し、振りかなの付け方、句読点の打ち方、漢字の使い方、かな遣いの一つ一つまで綿密に検討して、本文を決定していかれた。この徹底した実証主義は、先生の言葉によ

ると、

「大学時代に講義を受けた池田亀鑑先生の文献学が参考になりました。」

とおっしゃった。やがて、この「徹頭徹尾主義」は『漱石研究年表』となって、結実する。夏目漱石が人を虜にするだけの魅力を持っていたのは、もちろんのことであるが、荒先生の側に漱石に引きずり込まれる何物かがあったのだろうか。

磯田光一は、「近代主義の孤立」が漱石研究における実証主義に荒先生の情熱を向けさせていったとしたら、それは栄光ある孤立といってよかろう、と書いている。荒先生の尻について廻った私が漱石にのめり込んでいったのは、己れの才能の貧困に絶望し、活路を実証主義に求めたに過ぎない。そう考えると、荒先生に申し訳ない気がしてならない。

『漱石とその時代』の著者江藤淳が漱石の秘められた恋人として、嫂の登世説を発表して、その見解を推し進めていったとき、荒先生は江藤淳が抜きさしならぬ窮地に陥ることを危惧して、

「江藤君は余り登世に深入りしない方がいいと思いますね。結論を早く出しすぎて、のっぴきならぬはめに陥る危険があります。」

江藤淳がその後、『決定版夏目漱石』(新潮社、一九七四年一一月)を刊行したとき、

「決定版を早々と出してしまったら、次は何版といって出すのですかね。人間、死ぬまで決定版なんて出せませんよ。」

と言われた。

江藤淳が『漱石とその時代』を書き始めたのは、第一部「あとがき」によると、「昭和四十一

年の一一月」で、第二部まで出来上がったのが「今年（四十五年）の三月一二日」であったという。「新潮選書」として第一部、第二部まとめて二冊同時に発行されたのは、一九七〇年八月であった。その後、永い永い空白があって、第三部の稿を起こしたのが、一九九〇（平成二）年一一月二〇日であった。実に二〇年間のブランクである。何が才気煥発《さいきかんぱつ》の江藤淳にかくも永きブランクを与えたのであろうか。

所で、小説家の大岡昇平は江藤淳の『漱石とアーサー王伝説』を偏執的といって批判し、漱石と嫂登世との恋を否定した（『小説家夏目漱石』筑摩書房、一九八八年五月二〇日）。特に大岡は、漱石が英国から帰国した一九〇三（明治三六）年に書いた断片「無題」の「三六年の泡」は登世の墓を前にして「孤愁」を述べたものだとする江藤淳説を徹底的に批判した。江藤が「卒塔婆」と考えた棒杭は、夏目家の墓は石であって、後ろに並べた板である卒塔婆を何枚重ねても棒杭にはならないというし、もともと夏目家の墓がある本法寺は浄土真宗で、卒塔婆は立てないそうだ。子規の墓はこのころ仮の墓で、正に棒杭だったという。

大岡昇平の徹底した冷静な反論は、荒先生の危惧したように江藤の嫂登世説を再起不能に陥らせるほどの致命的痛打を与えたと思う。

大岡昇平歿後、江藤淳は二〇年間のブランクを経て、第三部、第四部から第五部を二〇〇九（平成二二）年一二月二〇日未完のまま最終巻として締めくくった。私は菅 虎雄について、江藤淳から手紙をもらったが、やはり大岡昇平の生前は書き辛かったのであろうか。そう言えば、第三部の「参考文献目録」の中に、拙著『夏目漱石と菅 虎雄――布衣禅情を楽しむ心友――』（教育出版センター）は掲載してもらっているが、小坂晋『漱石の愛と文学』（講談社、一九七四年三月）、宮井一郎『夏目漱石の恋』（筑摩書房、一九七六年一〇月）は抹殺されている。江藤淳の自裁と共に永遠の謎となってしまった。

一九七六（昭和五一）年一一月五日（金）、明善高校で生徒対象に講演会をお願いして、「漱石の『こころ』について」と題してお話しいただいた。その冒頭で、

「私はアラマサヒトです。中にはアラマサトと言われる方もおられますが、本当はマサヒトといいます。マサトと言われても別に腹は立てませんし、訂正までしません。ちょっと違和感はあります。ところで名前のことが出ましたので、私の『荒』という姓についてお話してみたいと思います。六世紀以前の朝鮮半島の東南端に安羅という小さな部族国家がありました。この安羅の民が琵琶湖畔に移住したらしいのです。神社もあります。私の故郷は福島県の相馬市ですが、滋賀県から来たらしいです。だから、間違いなく、荒姓のルーツは朝鮮の安羅です。こんなことを言うと女房はいやがりますがね。平安時代初期『新撰姓氏録』にも荒ノ姓ハ安羅ニヨルとなっています。」

自分の祖先が朝鮮渡来であることを吹聴するのは一般にはばかられる類のことであるが、淡々として述べられた。

久留米に来られたとき、漱石の足跡を案内するため、高良山から発心山にかけて歩いたが、神籠石《こうごいし》の話に発展し、もっぱら邪馬台国の話で終始した。

「原武さんは邪馬台国はどこにあると思いますか。これは面白いですね。埼玉の稲荷山古墳の

鉄剣文や太安万侶の墓誌みたいな証拠がいつか出ると思いますよ。」

　邪馬台国のことはいつも話題になった。そのロマンは無限の虚空を飛翔し、とどまることを知らぬ宇宙ロケットのようであった。ひたすら自分のロマンをしゃべり続けられた。宇宙旅行協会に参加して火星の土地を購入したという。

　一九七八(昭和五三)年六月六日、私は当時熊本大学法文学部金原理・助教授の御紹介で、熊本大学保管旧制第五高等学校関係書類の調査を許可され、未公開の夏目金之助自筆「佐賀福岡尋常中学校参観報告書」を発見することができた。この報告書は一八九七(明治三〇)年一〇月、福岡・佐賀両県尋常中学校の英語授業を視察したときの出張報告書であった。これによって永年疑問とされていた福岡・佐賀両県中学校英語授業視察の全貌が明らかとなり、漱石伝記中、空白部分の多い熊本時代の一部を埋め、漱石の英語教育観を知ることができた。私は直ちに「報告書」発見の報を荒 正人先生にお知らせし、裏付けの調査を始めた。そのニュースは『西日本新聞』(一九七八年十年六日)と『毎日新聞』西部版(一九七八年一〇月六日夕刊)に掲載され、『朝日新聞』西部版(一九七八年一一月四日夕刊)の「文化」に私が「熊本時代の漱石の新資料――中学校授業参観と英語教育観――」として執筆、発表された。新聞は三紙とも西部版なので西日本地区の限定的なエリアのみの報知であった。荒先生は早速学燈社『国文学解釈と教材の研究』の茂原輝史氏に連絡されたので、私は執筆を依頼され、同誌の一九七九(昭和五四)年一月号に「漱石新資料――熊本時代漱石の『佐賀福岡尋常中学校参観報告書』」、一九七九年二月号に「新資料五高時代の漱石――五高入試英語成績の概況報告」を発表することができた。

一九八〇年五月六日、岩波書店『漱石全集』（新書版）第三五巻「補遺」に収録され、「注解」は私の調査したものが掲載された。漱石の英語教育に関する貴重な資料として注目されるようになったのは、偏《ひとえ》に荒正人先生の御蔭である。今は岩波書店『漱石全集』第二六巻「別冊中」（一九九六年一二月一〇日）に収録されている。

最後にお会いしたのは、一九七九（昭和五四）年三月末、上京したときであった。一一日間滞京したが、そのうち先生の家に二泊させていただいた。この年は春の訪れが早く、先生のお屋敷の庭に植えてある杉並区指定天然記念物の桜が早くも咲き初めた。二階の座敷の窓を開け、電燈の光で夜桜を見ながらビールを飲んだ思い出が今では悲しい。三月三一日、五反田の古書展に荒先生と助手の冨田正子さんと三人で行って、私は五、六冊の古本を買った。それから六本木へ行き、チェコ料理の「キャッスルプラハ」で昼餉《ひるげ》をしたためることにした。一個が一〇万円ほどもするというクリスタル・ガラスのグラスにワインをつぎ、おいしく食事をいただいた。ここでお別れして、私は午後二時東京発の新幹線で久留米に帰った。これが生前に先生にお会いした最後のお姿だった。

二

別れは突然やって来た。破局というものはいつもそのように背後からそっとしのび寄って、いきなりその黒い影をぬっと現すものだろうか。

一九七九（昭和五四）年六月九日はどんよりとした重苦しい土曜日であった。二限目の授業を終えて職員室に帰ったときだから、午前一〇時半過ぎであっただろうか。

「東京から電話ですよ。」

という声に応えて、荒 正人先生からのお電話だろう、という期待をこめて受話器を取った。

「荒事務所の冨田です。実は今朝五時五六分、荒先生が脳血栓で亡くなられました。」

日頃、陽気で明るくてきぱきと仕事をさばいて行く、気持ちのいい荒先生の信任厚い冨田正子さん（荒先生のアシスタント）の声はぎこちなく少し涙声で潤んでいた。私はその声を遠い遙かなる宇宙の涯の声のごとく、朦朧《もうろう》の中で聞いていた。私の心の中に落とした黒い澱《おり》のようなものは、鈍く底に沈殿すると同時に、次第に波紋のように輪を拡げていく。

荒 正人先生からは、いろいろなことを教えていただいたが、中でも学問の厳しさを一番強く教えられた。その荒先生が青天《せいてん》の霹靂《へきれき》のごとく、冥界へ旅立たれた。私はどうしても東京西荻窪の荒先生宅へ最後のお別れに行かねば、一生後悔するだろうと思った。もう荒先生のお声に接することはできないけれども、最後の対面はできるかも知れない。この機会は二度と来ない、一生後悔しないためにも、今すぐ東京に発とうと決心した。私は土曜の時間休暇と月曜の年休をとって荒先生にお別れを述べに上京する決心をした。

福岡に行くと、幸い全日空東京行の便がとれた。東京羽田空港に着いたのが午後六時過ぎ、途中駅の売店で四種類の夕刊を買って荒先生の死亡記事をむさぼるように読み、杉並区西荻窪の荒先生宅に参上した。まさか九州から飛んで来ようとは予測されなかったのだろう、奥様、長女のみどりさん、次女のこのみさん、助手の冨田さんも驚かれた。私は先生のなきがらの前にぬかずいたとき、さすがに涙が滂沱《ぼうだ》としたたり落ちた。荒先生が死の床で最後まで手放さなかった例の青のサインペンと書き込みを無数に付けた集英社版『漱石研究年表』一〇数冊が枕元に積まれていた。冨田さんは、

「これは先生が倒れられたとき、ベッドの中で改訂の書き込みをされていたサインペンと『年表』です。」

と言われて、サインペンを挟んだ『漱石研究年表』を私の膝の前に置いた。ぎっしりと大きな例の読みにくい字は至るところでにじんでいた。死の渕に立った先生は迫り来る悪魔と対決し、渾身の力をふりしぼって、執念深く漱石年表改訂にペンを走らせた姿が悲しく目に映った。鬼気迫るとはこんな姿を言うのではあるまいか。

冨田助手のお話によると、五日（火）朝、いつものように午前九時ごろ荒事務所に出勤して先生の自宅に寄ると、先生は血糖数値の不安定から昏睡状態になっておられたので、救急車を呼んで駒崎医院に入院させたそうである。やがて元気を取り戻したので、御自分はすぐにでも退院なさろうとしたのを、押しとどめて、

「今度だけは言うことを聞いて、病院でゆっくり休養をなさらなければなりません。」

と戒めたとのことであった。

「それではこの病院でしばらく休養はするが、『漱石研究年表』の書き込みはしたい。」

ということなので、病室に『漱石研究年表』とペンが運び込まれた。再びアラ・コンピューター

は始動し、矢継ぎ早に各地に電話をされたそうである。

そして、八日(金)早朝、病室のベッドの中でペンを握ったまま『漱石研究年表』の上におおいかぶさるようにして昏倒しているのが発見され、混濁から覚めないまま、不帰の客となられた。享年六六歳。

私は冨田さんから先生の臨終の話を聞き、荒先生の妄執を見る思いがした。死に瀕しても、なおかつ憑かれたように、執着しなければ止まぬ漱石の媚薬《びやく》とは一体何だろうか。文学の恐ろしさに愕然たる思いであった。

先生の二人の令弟から、いろいろな生前のエピソードをお聞きした。

「兄は電話をかけるときも、いつも必ず荒 正人ですと、几帳面にきちんと姓と名を続けていいました。荒ですとか、正人ですとはいいませんでしたね。弟に電話をかけるのに、荒 正人でもないいと思いますがね。」

と笑っておられた。その夜は、

「ぜひ泊まって、通夜をして下さい。父も喜ぶことでしょう。」

とのこのみさんからのたってのお誘いに否みがたく、泊めていただくことにした。生前しばしば泊めていただいた二階の洋室のベッドに身を横たえたときは、もう午前一時ぐらいだったろうか、そこはかとない慟哭《どうこく》が我が身を襲った。

翌一〇日(日)午前一〇時から納棺式が行われた。御親族の方々と一緒に冨田さん、私も列席させていただいた。遺体を抱えてアルコールをしませた脱脂綿で先生のお顔を拭いてさしあげたとき、これが先生の見納めかと思うとどっと涙があふれた。先生が命を賭して追い求めた集英社版『漱石研究年表』一冊と死の床で握られていたサインペン、冥土への道中、糖尿病による血糖値低下で倒れたらいけないというので、キャラメル、他に入れ歯や靴が棺の中に納められた。

午後一時ごろ、漱石の恋人・大塚楠緒子説の岡山大学教授小坂晋氏がお悔やみに見えた。私は小坂氏と荒先生宅を辞した。

正式の通夜は一〇日午後七時から挙行されたので、私は先生宅を再び訪ね、一般客と一緒にお参りした。

一一日（月）午後一時より杉並区西荻窪北三の三六の一〇の自宅で、告別式が挙行された。喪主は奥様の静枝さん、葬儀委員長は旧制山口高校時代からの親友で『近代文学』創刊以来の同人佐々木基一氏であった。『近代文学』同人で世田谷トリオのもう一人小田切秀雄氏が友人代表として弔辞を読んだ。小田切氏、佐々木氏のことばは一つ一つ長い年月の重みが感じられ、荒先生に対する友情にあふれたものであった。誦経した曹洞宗の僧は、自殺した川上眉山の孫であった。

やがて、しめやかに告別式は終わり、棺は霊柩車に乗せられた。火葬に行くので、近親者や友人の文学者たち関係者が車に乗った。私は火葬場までは遠慮しようと思って離れたところで一般参列者と共に外で合掌していた。すると先生の長女、みどりさんの夫君・植松哲太郎氏がつかつかと私の前に来られて、

「原武さん、どうぞ車に乗って下さい。火葬場まで御一緒して下されば父も喜びます。」

とお誘い下さった。私は素直にお誘いに従って、迎えの車に乗った。杉並区の火葬場で、棺は煙

と消えた。遺体が焼かれる間、冨田さんと悲しい荒先生との思い出を語った。荒先生の紹介で一度お目にかかったことのある新聞集成『夏目漱石像』の編者平野清介氏と共に先生を追憶した。

一時間ほどたつと、遺体が焼けたので遺骨を拾った。骨壺に骨を納めるとき、実に乾いた音を立てた。人の世のはかなさを象徴するかのような乾いた音であった。あのすさまじいバイタリティで常にジェットエンジンを全開にして走り続けた荒 正人という文芸評論家は、今、数塊の骨のみに化し、地方公務員の制服をまとった隠坊の事務的処理に何の抵抗もなく、なすがままに身を任せていた。近親者の嗚咽がまた私をたまらない気持ちにさせた。その夕べ、私は貴重なる宝物を失った傷心を抱いて、うなだれつつすごすごと九州に帰った。

（『巨瀬《こせ》』第二三号、福岡県立浮羽高等学校校友会誌、一九八〇年三月一日）

㉜荒 正人先生亡き後

一九八三(昭和五八)年一二月、九州大学文学部の恩師今井源衛名誉教授の御紹介で私の最初の著書『夏目漱石と菅 虎雄――布衣禅情を楽しむ心友――』(教育出版センター)を出版した。荒正人先生がお亡くなりになって、既に四年の歳月が流れていた。誰よりも一番待ち望んでおられた荒 正人先生の生前に献呈することができなかったのが、悔やまれてならない。私は荒 正人先生鎮魂と感謝の気持ちをこめて、同書に「あとがき」を書いた。

一九八三年一二月一五日〜八四年一〇月三一日、『荒 正人著作集』全五巻(三一書房)が山室静・本多秋五・埴谷雄高《はにやゆたか》・佐々木基一・小田切秀雄五氏を編集委員として編まれた。いわゆる『全集』ではなく、文字通り荒 正人という文学者の著作の代表作を五巻に収録した『著作集』である。歿後五年余りで『荒 正人著作集』は完結したので、異例に匆々の間にでき上がった感がする。従って、読みたい作品が収録されていないこともあり、遺憾に思うこと、なきにしもあらずである。しかし、ともあれ、遺族から全巻を寄贈され、欣喜雀躍するほど嬉しかった。

その後、アシスタントだった冨田正子さんが東京におられる間は、西荻の荒先生の事務所を数回訪ねたことがあった。そのうち、冨田さんの夫君は福岡の短大に着任され、夫妻とも福岡にお住まいになることとなった。荒先生歿後も先生の遺された『漱石研究年表』書き込み一六冊は、冨田正子さんから集英社の斎藤静枝さん（斎藤さんは冨田さんの前に荒先生のアシスタントをされていた）に引き継がれ、増補改訂作業は五年間倦まず弛まず続けられた。私も冨田さんや斎藤さんと連絡を取り、新事実が判明したり、新資料が発見されたりするとすぐに知らせた。かくて、一九八四（昭和五九）年六月二〇日、荒 正人先生が死を賭して編みあげた『増補改訂漱石研究年表』（集英社）は、小田切秀雄監修として刊行された。最初の『漱石研究年表』（集英社）に触発された私は、荒先生生前三年間・歿後五年間・計八年間、改訂作業のお手伝いをして、『増補改訂』発行に漕ぎ着けた。漱石の生涯すべてを覆い尽くさんとする壮大な荒 正人先生の企画に対して、私はささやかな微力しか加えることができなかったのを恥じ入るばかりである。そして、商業主義の採算ペースに乗らない、三訂版の発行は夢のまた夢であることは百も承知で、完結することのない、エンドレスの改訂作業は既に始まっている。かりそめにも荒 正人先生あらましかば、ジェット・エンジンを全開にして究極の漱石探求に疾走し続けておられることであろう。

一九八五（昭和六〇）年三月三一日永年勤務してきた福岡県立高校を退職し、四月一日から福岡女学院短期大学の新設国文科に転進した。進学指導から解放され、研究に専念できる喜びは大きかったが、荒先生にお知らせできないのは、いかにも残念であった。

その後、冨田正子さんは、『増補改訂漱石研究年表』（集英社、一九八四年）を原本として『漱石研究年表人名索引』（自家版）を作成された。たいへん便利で愛用している。

一九九二（平成四）年八月、福岡女学院短期大学から短期研修を許され、夏目漱石の『満韓ところぐ〵』の調査を目的に中国東北（旧満洲）の実地踏査を試みた。大連・瀋陽・撫順・丹東・長春・

哈爾浜《ハルビン》などの漱石曽遊の地を廻り、大学を訪問し、日本文学研究・日本語研究の現状と将来について意見を交換した。その際、吉林大学外国語学院の于長敏院長から一年間の客員教授として招聘《しょうへい》を受けた。福岡女学院短期大学でも吉林大学派遣を許可され、一九九四年二月から一年間、吉林大学外国語学院日本語系専家(客員教授)として、妻と共に赴任した。休暇のときは日語系の教師・学生を同伴して、漱石曽遊の地大連・瀋陽・哈爾濱などを探査したり、吉林大学・東北師範大学図書館や吉林省・長春市図書館などに通って、日本語資料を調査したりした。

帰国後も毎年漱石曽遊の地、大連・旅順・熊岳城・営口・湯崗子・奉天(瀋陽)・撫順・長春・哈爾濱・安東(丹東)などほぼ全コースを調査し続けた。

一九九五年八月一一日「戦後日本五十年国際学術研討会」(長春・東北師範大学主管。於清華賓館)に参加、私は「日本戦後文学における中国東北——特に長春を中心として——」と題して研究発表をした。初めて中国語通訳を付けた学会発表だったので緊張したが、吉林大学で教えた日本語系の学生が応援の聴講に来てくれたので、心強かった。その上、多くの中国・日本の研究者と知り合い交流することができて、有益な学会であった。

一九九六(平成八)年八月一六日〜九月三日、日本社会文学会主催の第五回日中シンポジウムに参加し、福岡→北京→瀋陽→長春→大慶→斉々哈爾《チチハル》→黒河→北安→哈爾濱→北京を一九日間かかって巡検した。八月一九日、私は長春名門賓館でのシンポジウム「近代日本と〝満洲〟——植民統治と文学——」で、「〝満洲〟在住時代の牛島春子」と題して、研究発表をした。今回も吉林大学の教師・卒業生・友人知己らが集まってくれ、旧交を温めることができた。旧友東北師範大学呂元明教授の計画引率の下、瀋陽から黒河を通って哈爾濱まで一四日間、約四千キロを一人の運転手が交代なしで大型バスに三四名を乗せて、中国東北の大平原を縦断する苛酷な旅であった。中国東北作家との座談会、万宝山事件遺跡、葉山嘉樹永眠地徳恵、七三一部隊跡、大慶油田、抗日作家金剣嘯被害地、寧年開拓団跡、関東軍黒河北門地下工事跡、馬占山旧居、孫呉関東軍基地跡、双竜泉開拓団跡、牛島春子の住んだ拝泉、野川隆の活動した呼蘭、蕭紅記念館などめったに行けない所を見学し、二度と会えない人と交流した。

ブラゴベシチェンスクに渡ろうとロシアのヴィザを取得していたのに、黒龍江（ロシア語＝アムール。中国語＝ヘイロンチャン）を渡ることができず、足止めを食らってしまった。一度ロシアに渡ったら、二度と中国へ戻れないという。交渉のため、黒河港であてもなく待っていると、日本人を見たことのない中国人たちから、

「バッキャロー！」（馬鹿野郎）

と罵られた。

我々に同行して通訳を務めている、日本の大学で日本文学を学ぶ中国人留学生は、黒河港の女事務員から、

「あなたはどうして日本人の旅の世話などをしているのですか。私のお祖父さんは日本兵に酷使されて、殺されたのですよ。」

と猛烈に咬みつかれた。

露店の夜市に行った時、五、六歳の少年が、私に、

「あなたたちは何人《なにじん》ですか。」

と聞いた。私が、

「日本人です。」

と答えると、少年は妖怪変化に取り憑かれたように、

「アイヤー!」

と叫んで、逃げ出した。戦後五〇年連日連夜テレビで抗日戦争勝利のドラマを見ている中国少年は、日本人は邪悪な殺人鬼に見えたのかもしれない。妻はキティーちゃんのイラストの入ったキャンデーをやろうとしたが、少年は恐がって近づこうとせず、遠巻きに様子をうかがっている。妻は自分が飴を口に入れ、安心しなさい、おいしいですよ、とジェスチュアで示した。少年は恐る恐る近付き、やがて、キャンデーを受け取った。少年と妻は飴を口に頬張り握手して笑い合った。

もし荒 正人先生がこの学会やツァーに参加されておられたら、どんなにか好奇心を働かせて、どんな紀行文を書かれたことだろう。

一九九九(平成一一)年八月二〇日~二三日、大連民族学院において「近百年中日関係与二十一世紀之展望国際学術研討会」が開催され、私は「牛島春子の『祝といふ男』」(中国語題名「牛島春子的《祝某伝説》」)を研究発表した。今回は日本側の代表となったので、開幕式(開会式)では挨拶をしたり、「何応欽与〝親日派〟之再認識」報告の講評をしたり、閉幕式(閉会式)での総合講評をしなければならず、少なからず中国語の不得手な私は困惑させられた。しかし、『大連日報』新聞記者のインタービューを受けたり、大連電視台(テレビ)に出演したり、結構楽しく

大忙しだった。

二〇〇三（平成一五）年三月三一日、福岡女学院大学人間関係学部を定年退職し、以後四年間非常勤講師を務めた。

二〇〇六（平成一八）年九月四日〜一〇日、吉林省社会科学院研究員王慶祥溥儀《ふぎ》（中国語＝プーイ。満洲国最後の皇帝）研究学会秘書長の招きで、長春の偽満皇宮博物館で行われた「溥儀研究国際学術討論会」に参加した。私は研究発表をしなかったが、長白山、満洲国終結宣言の地大栗子、高句麗好太王碑、中朝国境などを見学し、有意義な学会だった。かつて一九九五年八月一六日、溥儀の最後の妻・李淑賢の聴取調査のため、北京に出張中の王慶祥氏から、ぜひ李淑賢に会わせたいから北京に来てほしいと言われ、私達夫婦は通訳に吉林大学日語系学生陳小牧を連れて、北京の溥儀夫妻の最後の住居、東城区草厚胡堂同二三号を王慶祥氏の案内で豪雨の中訪ねた時を思い出す。その後、間もなく李淑賢は亡くなり、李淑賢資料提供、王慶祥編集、訳者代表銭端本によって日本語版『溥儀日記』（学生社）が出版された。

二〇〇七（平成一九）年六月二四日、日本英学史学会九州支部創立三十周年記念式典が挙行され、私は特別講演を依頼され、一般公開で「夏目漱石と久留米」（本書「⑱夏目漱石と久留米——伝記と作品——」）と題して講話した。この講演によって漱石と菅 虎雄との関係が知られ、久留米出身の教育者であり漱石の親友である菅 虎雄に関心が一気に高まった。多くの有志の方々の輿望を担って英学史学会実行委員長の福岡経済大学田中正志教授、タク設備システム西尾拓代表取締役、私の三人は、「菅 虎雄先生顕彰会」設立を目指し、趣意書を作成、会員募集、募金活動、協力会社訪問・新聞社訪問・梅林寺・水天宮・高良大社協力要請・市役所陳情を重ねた。

二〇一〇（平成二二）年一〇月一七日、菅 虎雄先生顕彰会設立総会を開催し、私が会長に選出され、①「漱石句碑・菅 虎雄先生顕彰碑」の建立 ②「菅 虎雄先生生誕百五十年記念文集」の刊行を事業計画として決定した。

私は二〇一三年九月二六日付の『日本経済新聞』「文化」に「漱石の兄貴分素顔に光◇文豪の人生と文学支えた菅 虎雄の生涯を追う◇」を発表した。それから数日たって、嬉しいお手紙が来た。荒 正人先生の二女になられる荒このみ先生から突然の音信であった。荒 正人先生鬼籍に入って三四年、すっかりご無沙汰して、失礼ばかり重ねていた。お手紙によると、去る九月二六日付『日本経済新聞』「文化」の拙稿（本書「⑰文豪の人生と文学支えた菅 虎雄の人生を追う」）を、専修大学の非常勤講師室で偶然御覧になり、私の肩書きが「福岡女学院大学名誉教授」となっていたので、福岡女学院大学に問い合わせられたそうである。荒 正人先生の葬儀以来三四年ぶりのお便りで、荒先生生誕百年を記念して、「荒 正人展」が一〇月四日から一二月四日まで杉並区立西荻図書館で開かれ、特に一〇月二六日には、二女荒このみ先生（立命館大学客員教授・東京外国語大学名誉教授）の「文芸雑誌『近代文学』と荒 正人」と長女植松みどり先生（和洋女子大学名誉教授）・萩原茂氏のトークがあるので、上京の機会があれば、お出でになりませんかとお誘いを受けた。荒 正人先生を語る娘さんご姉妹のご講話は、ぜひお聞きしたかったが、「漱石句碑・菅 虎雄先生顕彰碑」除幕式が間近に迫り、準備後始末もあって、どうしてもその日は行けなかった。

左から荒このみ氏（荒 正人先生二女）、原武 哲、植松みどり氏（荒 正人先生長女）、東京都杉並区西荻窪の荒このみ氏宅、2013年10月31日撮影

二〇一三年一〇月二〇日、「漱石句碑・菅 虎雄先生顕彰碑」は順調に寄付金も集まり、久留米市の観光スポット事業補助金の交付が決定したので、一年前倒しで久留米市の梅林寺外苑に落成、除幕式を挙行、菅武雄（虎雄曾孫）・楢原利則久留米市長・梅林寺住職東海大玄老師、海老井英次九州大学名誉教授、原武 哲会長などによる除幕、梅林寺の開眼供養など厳粛に行なわれた。

二〇一三年一〇月二八日、やっと時間がとれて上京、奉天千代田小学校同窓会懇親会に出席、拙編著『夏目漱石周辺人物事典』最終打ち合わせで笠間書院に行く。三一日午前一〇時、三十数年ぶりに西荻窪駅で下車、荒このみ先生の御宅に着く。以前の荒 正人先生の御宅の土地をみどり先生とこのみ先生とで分割して、隣り合って新築されたようである。このみ先生の御宅で案内を乞うた。正人先生時代の和風建築ではなく、近代的な洋風建築である。一別以来の久闊《きゅうかつ》を叙し、正人先生の思い出を語り、近況を報告した。『夏目漱石周辺人物事典』の英文タイトルのことも相談申し上げた。植松みどり先生ご夫妻も御挨拶にお見えになり、懐かしい限りであった。

荒 正人生誕百年を記念した「荒 正人展」のパンフレット「わが街を知る西荻に住んだ文芸評論家荒 正人展」を作成した奥園隆氏もお出でになり、楽しい昼食会となった。荒 正人先生の追憶で本稿の草稿だった「ある文芸評論家との出会いと別れ――〝異常児〟荒 正人先生のこと――」

（『巨瀬』第二三号、福岡県立浮羽高等学校、一九八〇年三月）のコピーを三三年遅れで謹呈した。荒このみ先生宅を辞して、奥園氏と一緒に杉並区立西荻図書館に「荒 正人展」を観覧し、荒先生の御活躍の跡を偲んだ。

二〇一四年一〇月一九日、『夏目漱石外伝――菅 虎雄先生生誕百五十年記念文集』を刊行した。これによって菅 虎雄先生顕彰会は、当初の目標を達成したので、しばらく休止することとなった。

私は荒 正人先生の謦咳《けいがい》に接して、教導を受けること三年有半、あえて門下生とか弟子とか名乗るほどの者ではないが、多くのことを学んだ。ご一緒に神田小川町の古書会館に行ったとき、開店の合図と共に並んだ行列に割り込もうとした男に対して、館内に響くような激しい怒声を浴びせて、怒鳴り付けられたことがあった。私は自分が叱られたように畏怖を感じた。またあるとき、先生の御宅で突然罵声が聞こえて、廊下をばたばたと走る音が聞こえた。驚いていると、奥様を叱っておられるようだつた。

田舎者で東京の交通機関の事情に疎い私は、約束時間の遅刻常習犯だったが、不思議なことに荒先生から一度も叱られたことがなかった。

「先生は原武さんの漱石情報を一番お待ちでした。」

と冨田アシスタントは言われた。癇癪持ちで一分遅れても激怒される荒先生も晩年は角が取れて丸くなられたものか。最晩年の三年間を知るのみで、本格的な『荒 正人論』を書けるほど未だに平静に読み込んでいない。

佐々木基一は『同世代の作家たちその風貌』の中で、「小田切秀雄は荒 正人の評論家としての、またオピニオンリーダーとしての能力を惜しんで、漱石年表作成にあんなに精力を傾けるかわりに、もう少し現代の澱み、停滞した空気を吹き払うような仕事をしてくれればいいのにと、よく云い云いしたものだった。」（「奇妙な、しかしかけがえのない友」）と書いているが、もし荒先生が漱石年表作成を中断して、現代のオピニオンリーダーに復帰されていたならば、怯懦《きようだ》な私は荒 正人先生の門下に参ずることもなかったであろう。

かつて前稿の末尾に、

「もう少し時を刻むことによって異常児（この名称は埴谷雄高の命名）荒 正人の全貌がやがて見えて来る日が来るかも知れない。そのときこそ私は私の全知を総動員して『荒 正人論』を本格的に書きたいと痛切に思っている。」

と書いた。しかし、あれから三五年間という充分な熟成の時を経たにもかかわらず、私は不敏と怠惰の故に、いまだ『荒 正人論』が書けないでいる。何の顔《かんばせ》あって相見《あいま》みゆるを得んや。ただただ忸怩《じくじ》たる思いに苛《さいな》まれるのみである。

（書き下ろし）

第四章　「原武 哲」の歩んだ道

㉝漱石の親友・菅 虎雄研究閑話――〝ルーツ〟を求めて――

今、流行のアレックス・ヘンリー作『ルーツ』を拝借するのは、いささか際モノめいて心理的抵抗感を覚えるが、ここ数年来、夏目漱石の親友で、漱石の生涯に大きな影響を与えた久留米出身の旧制一高教授菅 虎雄のルーツを追い求めてきた私にとって、この〝ルーツ〟ということばは、妙なこだわりをもって迫ってくる。

そもそも、私が初めて菅 虎雄を知ったのは、いつのことであったか、今はさだかではない。元来、私は大学時代から、近世文学、なかんずく井原西鶴に関心を寄せていた。九大の卒業論文は「西鶴本『一目玉鉾』の研究」という、西鶴の作品の中でも地味な地誌の実証的研究であった。卒業後、西鶴と交流のあった唯一の筑後俳人・大塚西与のことを調査しようと資料を収集したが、田舎教師の悲しさ、能力と時間には限界があり、調査は障害にぶち当たり、頓挫した。

その後、新らたな研究テーマも見出《い》だし得ぬままに、無為な歳華を消光していた。今では、いつのことであったか、すっかり忘却して記憶は朦朧としているが、確か漱石の『草枕』か、『坊っちゃん』を授業で教えたとき、漱石年譜を見ると、一八九七（明治三〇）年三月末から四月初めにかけて、五高の同僚であった菅 虎雄が郷里久留米に帰って療養しているところを、春休みを利用して漱石が見舞いに来て、高良山に登り、発心山の桜を見た、と書いてあった。このときの経験が後に、画工が菜の花の咲く山道を歩きながらひばりの鳴き声を聞く『草枕』の冒頭の場面に活かされた、と知った。この「菅 虎雄」とは久留米出身らしいが、一体どんな人物なのだろうか、という疑問が、私の脳裏にいつまでも歯間に粘着した夾雑物のように膠漆した。いつかはこの人物の正体を明らかにしてみたいという欲求が滾々《こんこん》として洶涌《きょうよう》してきた。しかし、その端緒は容易に訪れなかった。また幾星霜かがむなしく過ぎ去っていった。私もまた無為と徒労の生活を懶惰に重ねていた。

一九七二（昭和四七）年一一月一三日、私はふと『朝日新聞』の朝刊を見ていると、筑後版に「遺墨集を霊前に」「久留米 菅 虎雄氏の法要会」という二段見出しの記事が目に入った。はっとして読んでみると、久留米出身で、旧制第一高等学校の名物教授であった菅 虎雄三〇回忌法要会が一一月一二日久留米市京町の梅林寺で挙行された、世話人の市川清敏氏をはじめ教え子二〇人余りが集まり、三〇回忌法要を記念してつくった『菅 虎雄先生遺墨法帖』を霊前にささげた、とあった。ただし夏目漱石との関係はただの一行も書かれていない。おそらく、この記事を書いた記者は菅 虎雄が漱石の親友であることを知らないのであろう、と推測した。知っていたなら、ジャーナリストがこの文豪漱石の名を逸するはずがない。私はこれを手がかりに本格的に菅 虎雄の伝記を調べ、漱石文学に与えた影響を研究してみようと決心した。しかし、長い間、研究

菅 虎雄
『ふるさとの肖像』3、坂本豊信画、久留米市ふるさと文化創世市民協会、2008年3月

から離れて、田舎教師に甘んじていた私は、近代文学研究の初歩的常識すら弁えていない、その不安はどう払拭しようとしても払拭できるものではない。とにかく「盲蛇に怖ぢず」で厚顔にやってみようと思った。

私は朝日新聞社久留米支局に電話して、この記事を執筆した記者に逢い、この時の様子を詳細に知りたいと申し入れた。しかし、当の記者は不在で、どうも埒が明きそうもない。次に小倉の西部本社に手紙を出して尋ねた。さっそく電話の返答があり、世話人の市川清敏氏の住所を教えてくれたが、菅 虎雄の詳しいことは全く不明のままだった。

一九七二(昭和四七)年一二月、『久留米文学』第二〇号に柳瀬道雄氏の「漱石と久留米」が載り、菅 虎雄にふれていたのを読んだ。久留米有馬藩の典医、菅京山の子であることを初めて知った。久留米篠山城に建立された戊辰役従軍記念碑は菅 虎雄の書であることも初めて知った。私は一方では岩波書店版『漱石全集』全一六巻を徹底的に読み、菅 虎雄に関係する事項をカードに書き留め、現段階における完璧な菅 虎雄年譜の作成にとりかかった。根本資料の『漱石全集』の他に、夏目鏡子の『漱石の思ひ出』(角川文庫)、小宮豊隆の『夏目漱石』(岩波書店)、江藤淳氏の『漱石とその時代』(新潮社)を参考資料としてカードに収集した。漱石研究文献は可能な限り買い集めた。古書店素見と古書展回りは今も続いている。参考論文も国立国会図書館、日本近代文学館、東京大学教養学部図書館、九州大学中央図書館、九州大学文学部国語国文学研究室、福岡県立文化会館図書館などから複写を収集した。

さて、遺墨法帖作成の世話人だった市川清敏氏は私が問い合わせをしようとしていた矢先、突如として黄泉の客となられた旨、新聞の死亡記事が出て、がっくり落胆した。一九七三（昭和四八）年の初めごろだっただろうか、愚妻の勤務している小学校長Ｉ先生が拙宅に見えて、梅林寺で座禅を試みておられること、住職から公案をいただいていることなどを承った。私は菅 虎雄三〇回忌法要会の話、遺墨法帖の話をすると、よく御存じで、「もと旧制一高教授の令息で、菅さんという方が毎年数度逗子からお見えになります。」とのことであった。そして、「梅林寺に紹介してあげましょう。」とのうれしいことばに、私は欣喜雀躍して、翌日早朝六時、Ｉ先生のお供をして梅林寺に赴き、納所さんに紹介していただいた。例の献呈された『陵雲無為菅 虎雄先生遺墨法帖』を見せてもらったところ、「菅 虎雄年譜」が付されており、今まで漱石研究ではほとんど参考にされたことのない事実が連綿として記載されているではないか。私は震える手を自らいましめて、貪るように拾い読みした。この未知の宝庫は到底少頃の間に窮めることは至難の業である。私は三、四日間の拝借の許しを乞うた。僧は快諾を私に与え、あまつさえ菅 虎雄の唯一の現存の子息、四男高重氏の住所を教示された。また「梅林寺過去帖」も閲覧を許された。これによって、菅 虎雄は一八六四（元治元）年一〇月一八日筑後国久留米呉服町四三番地に父・京山、母・貞の長男（実は次男であることが後に墓碑銘から判明した）として生まれたことがわかった。一八八五（明治一八）年一二月東京大学予備門分校を卒業、一八八八（同二一）年七月第一高等中学校卒業、帝国大学文科大学独逸文学科入学、一八九一（同二四）年七月同大学卒業、一八九五（同二八）年八月第五高等学校教授嘱託、一八九八（同三一）年九月第一高等学校講師、一九〇二（同三五）年九月同校教授、一九〇三（同三六）年五月清国南京三江師範学堂教習、

一九〇六（同三九）年二月帰朝、一九〇七（同四〇）年一月第三高等学校教授、同年九月第一高等学校教授、一九三二（昭和七）年二月同校退官、同校講師、一九四〇（同一五）年三月同校講師解任、一九四三（同一八）年一一月一三日鎌倉市二階堂の自宅で逝去。これが略歴である。

私は逗子の菅高重氏に長い手紙を書いて、菅 虎雄の閲歴や、菅家の系譜について三〇項目ぐらいの質問事項を綴った。その回答は半歳ばかりなかった。私は遺族からの調査をほとんど断念して、文献から本格的に調べようと思い、漱石の「日記及断片」や「書簡集」を読み深めた。カードは殖え続け、ルーズリーフの年譜は十冊を過ぎた。

一九七四（昭和四九）年三月、突然、菅高重氏から電話があり、今梅林寺に来ているので、至急逢いたい、都合はどうか、ということである。私は小躍りして飛んで行った。高重氏は大変好意的で、漱石学界では全く未知の新事実を次々に御教示になった。何よりも私を喜ばせだのは、菅 虎雄の遺筆その他一切の文献資料がそのままそっくり高重氏に移譲されており、数人の遺族に分散しなかったことであった。菅家の系譜はほぼ明らかになった。虎雄の母・貞の兄は蛤御門の変の後、天王山で屠腹した真木和泉に随った加藤常吉である。同じく屠腹した池尻茂四郎もまた母方の親族であることがわかった。妻・静代は久留米有馬藩の典医、南塚磨（眼科）の二女であることもわかった。久留米市善導寺町木塚在住の一冨家との関係も明らかとなった。

同年八月、上京したとき、逗子に菅高重氏宅を訪れた。そのときの興奮を私は今も忘れることができない、圧巻は漱石自筆の書簡と門外不出の漱石借金証文であった。この菅 虎雄あての漱石書簡は『漱石全集』（岩波書店）にも未収録の新資料であった。借金証文の方は、百三〇円入りの封筒を受け取ったというもので、日付と「あて名」がないが、「夏目金之助」の文字は漱石自筆であることは明らかである。その他、菅 虎雄の久留米師範学校（これは現・明善高校の前身）附属小学校修了証書や東京大学予備門の卒業証書、父・京山の医師免許証など多数の資料を写真撮影することが許された。夏目漱石の学生時代の写真、漱石と菅との共通の友、狩野亨吉・藤代禎輔・大塚保治などから来た書簡、写真類、未公開の資料が多数あり、複写するのに、どれから始めていいか、迷うほどだった。高重氏の紹介で「鎌倉漱石の会」代表者、内田貢氏にお逢いして話を拝聴する機会も得た。

その夏、久留米に帰り、久留米市役所で菅家の除籍謄本をとり、ほぼ完全な形の系図（人物百三〇名以上登場）を作成した。そして、一九七四（昭和四九）年一一月、筑後地区高等学校国漢部会の機関誌『ちくご』第八号に「夏目漱石と菅 虎雄――『全集』未収録菅 虎雄あて漱石書簡の紹介をかねて――」という論文を発表した。中間報告として、その後も継続する予定であった。

一九七四（昭和四九）年という年は漱石研究の上で、特に菅 虎雄との関連を考慮するとき、注目すべき本が多数出版された。まず第一に荒 正人氏の『漱石研究年表』（集英社、昭和四九年度毎日芸術賞受賞、漱石文学全集別巻）を挙げなければならない。これほど緻密にそして詳細に一人の文学者の一日一日の事跡を調べ尽くした著書を私は知らない。日本人の中で、これほど綿密に生誕から死没まで、毎日々々の行動を追跡され、一日単位の年譜をつくられた者は未だかつていない。後に私が荒 正人氏に教えを受けるきっかけとなったのは、この『漱石研究年表』である。荒氏の執念の作であり、今も私の座右には常にこの書があり、検索のたびに繙いでいる。第二に青江舜二郎氏の『狩野亨吉の生涯』(明治書院)は、定価八千円の大著で、東京大学教養学部図書館で発見された行李十二箱の狩野亨吉の日記・書簡・断片を資料にしたものだ。新資料をふんだんに駆使したもので、漱石との出会い、菅 虎雄との関係が明らかになった貴重な文献であった。第三に大久保純一郎氏の『漱石とその思想』(荒竹出版)は漱石を建築家志望から文学者に導いた奇才の哲学者・米山保三郎との交友を捕らえ、菅 虎雄の存在を浮き彫りにしている。第四に小坂晋氏の『漱石の愛と文学』(講談社)は漱石の初恋の対象として江藤淳氏の嫂登世説を排して、漱石・菅共通の友である東大教授大塚保治の妻、楠緒子説を提唱し、その鍵を握る重要人物として菅 虎雄を挙げた。この四冊は私の研究に大きな影響を与えずにはおかなかった。

一九七五(昭和五〇)年三月、上京して逗子の菅高重氏宅を訪問、前年夏に撮影しもらした資料を複写し、赤坂見附にある一高同窓会事務所に紹介していただき、事務局長西山雄次氏の御紹介で菅 虎雄の一高の教え子前尾繁三郎氏(当時、衆議院議長)を赤坂見附の衆議院議長公邸に訪ね、教え子から見た担任教授としての菅 虎雄像をインタービューすることができた。また、千葉県市川市に竹田復氏(菅 虎雄の同僚、元一高教授)を訪ね、いろいろな逸話を聞くことができた。

同年八月、再び上京したときは、菅高重氏の紹介で鎌倉の東慶寺住職井上禅定老師にお逢し、漱石が一八九四(明治二七)年一二月釈宗演の会下に参禅したときの鎌倉円覚寺居士名簿を見せてもらい、写真に撮影した。和辻哲郎あて、田村俊子あての漱石書簡も撮影した。その他、漱石の俳句を書いた短冊なども撮り、漱石の話を聞いた。次に漱石が参禅した円覚寺塔頭帰源院に行き、富沢敬道あての漱石書簡を撮影し、敬道の子息・宗純老師に漱石と禅の話を伺った。その夜は菅高重氏宅に泊めていただいた。このときの旅行であったろうか、思いがけなく国会図書館内で女子大生のOさんと邂逅したり、東京駅で古い卒業生で警察官になっているY君に逢ったり、目白の中華料理店で昼食を食べていると「先生！」と声かけられて見ると、前年卒業させたS君がアルバイト学生として働いていたり、偶然教え子に逢うことが多かった。

同年一一月二日、菅 虎雄三三回忌法要会挙行のため、高重氏が西下された旧一高教授として竹田復・竹内潔両氏も同伴され、地元の親族一冨丈夫・小城育子両氏と共に私も梅林寺での法要会に参列した。同月一三日、東京でも一高関係者が六〇名参集し、練馬区桜台の円満山広徳寺において福富雪底老師を導師として盛大な法要が営まれた。これを機会に私も休暇をとってこの年三度目の上京をした。駒場の日本近代文学館で、菅 虎雄の談話筆記「藤代君と漱石の思ひ出」という文を見つけたり、『呉秀三小伝』中から菅 虎雄の談話筆記「呉秀三君を憶ふ」の一文を発見したり、菅 虎雄伝記上、重要な資料が入手できたのもこのときのことだった。一九七五年は結局三回上京し延べ二一日間東京に滞在し、一〇日間国会図書館に通ったことになる。

一九七六(昭和五一)年は菅 虎雄研究にとってかなり充実した年となった。まず二月に『ちくご』第九号に「菅 虎雄と夏目漱石（その二）」を発表した。前号では「夏目漱石と菅 虎雄」と標題をつけたが、菅高重氏の要請により、三歳年長である菅 虎雄を上に冠した。

同年三月、予め論文を郵便して教示を乞うていた文芸評論家で漱石研究の第一人者、荒 正人氏を訪問した。郵送していた論文は遅延してまだ荒氏には届いていなかった。しかし、電話で案内を乞うと「今すぐおいで下さい。」と自宅の所在を説明され、「私が西荻窪駅まで出迎えに参上しましょう。」とおっしゃる。天下の文芸評論家荒 正人先生にお出迎えをいただいてはもったいなくて罰が当たる。私はお出迎えを御遠慮申し上げて、すっとんで行った。荒 正人氏の物腰は非常に柔和で女性的な感じだった。「漱石関係の情報ならば、何はさておいてもお会いします。」とおっしゃる荒氏の漱石に賭ける執念には驚かされた。きさくで決してぶるところのない謙虚な態度、服装などはむしろ無頓着とも思えるほどの天衣無縫ぶりであった。この夜は初対面にもかかわらず、ぜひ泊まっていけ、と言われたが、遠慮して、宿舎の門限過ぎ、当直の方を起こして帰りついた。翌日も荒 正人氏宅を訪問した。自宅の前に研究室兼事務所があり、収集された文献資料の多さには驚嘆した。一階は英文学・近代日本文学関係の書庫で、二階は事務室兼研究室と漱石関係書庫である。その資料の膨大さは、漱石関係資料だけでも浮羽高校図書館全蔵書の二倍はあることによっても推察できる。あの『漱石研究年表』はこの資料の分析の中から生まれたものであった。その後も私は荒 正人氏から測りしれない研究上の示唆と便宜と恩恵を受けた。そして何よりも不屈の真実追求の執念には素直に脱帽した。このときの上京での収穫は、福島県郡山市に行って「開墾率先碑」（菅 虎雄書）を見ることができたこと、菅高重氏の紹介で久能木法律事務所（新橋駅前ビル）において菅 虎雄あて漱石書簡（一九〇三（明治三六）年五月二一日付と同年六月一四日付の二通。漱石の精神状態を知る上でも重要視されている書簡である）を写真撮影することができたこと、一高同窓会事務局長西山雄次氏の紹介で東京大学教養学部図書館副館長小佐田哲男東大助教授にお逢いして、旧一高関係資料の複写ができたことであった。ただ残念だったのは東大教養学部図書館所蔵の狩野亨吉（漱石の畏敬した親友。菅 虎雄とも親しかった。元第一高等学校長）

文書の複写を願い出たが、未整理で非公開であるとのことで、複写も閲覧もできなかったことであった。しかし、一九七七（昭和五二）年五月より一部（日記・断片）は日本近代文学館に複製が寄贈され、現在ではいつでも閲覧できるようになったので、昨一九七七年八月に複写して来た。この資料によって漱石、狩野亨吉、菅　虎雄三人の交友がかなり明らかになった。青江舜二郎氏の『狩野亨吉の生涯』中の誤読も明白になった。

一九七六（昭和五一）年四月、東京三越百貨店日本橋店で「子規と漱石展」が開催された。私はこれを見ることと調査のため、再度上京した。「子規と漱石展」はなかなか充実したもので、特に興味深かったのは修善寺日記の中で鏡子夫人が鉛筆で書き込みをした部分などであった。このときも荒　正人氏宅ではいろいろ御教示を受けた。帰郷の当日、上野京成デパートの古書掘出市で偶然荒　正人氏とまたお会いし、昼食やらワインやら大変御馳走になった。なお、この古書掘出市に出品していた小宮山書店（神田神保町）の若主人とは菅高重氏の紹介で面識となり、狩野亨吉、大塚保治、菅　虎雄、山川信次郎連名あて漱石書簡（一九〇一（明治三四）年二月九日付。現在の漱石書簡の中で最も長く、ロンドン留学中の漱石の心理を知る上で重要な資料）をお買いになりませんか、と慫慂された。久留米に帰って後、愚妻と相談、熟慮の上、清水の舞台から飛び下りる気持ちで、私にとって少なからぬ大金をはたいて購入し、私のとっておきの家宝となった。

同年五月、菅高重氏が来久された。久留米郷土研究会の方々とお会いになるとの由であった。私もお供した。古賀幸雄氏、篠原正一氏などとお会いになった。両氏から新たな菅　虎雄関係の情報を入手できたのは望外の喜びであった。

同年六月一三日、九州大学国語国文学会総会の研究発表会で、私は「夏目漱石と菅 虎雄――『全集』未収録菅 虎雄あて漱石書簡の紹介をかねて――」と題して、今までの研究成果を発表し、研究者の批判を乞うた。参考資料として現段階では最も詳細な「菅 虎雄年譜」を付した。ちょうどその直後ごろだっただろうか、郷土史家の篠原正一氏よりの情報で、菅 虎雄の祖父・菅周策の祖先の系図と思われるものが、矢野一貞の『筑後国史』（筑後将士軍談）に載っていることを知った。これによると、菅周策家蔵の「菅原系図」というものがあって、その祖先は菅原高実といい、土師《はじ》蔵人と号し、河内国土師里の産であった。その子、高種は菅原三郎と号し、武勇を好み、膂力《りょりょく》人に過ぎ、菅丞相《しょうじょう》（菅原道真）に従て筑紫に下り、筑後国三潴《みずま》郡早津崎《はやつざき》村に住み、猛威を振るい、近隣を押領《おうりょう》したという。子孫は世々この地を領した。高実より数えて三四代・正喜は菅一流と号し、米府（久留米）に住み、医を以て業となした。その子、三五代・菅周策が菅 虎雄の祖父で、針療を以て業となし、三六代・京山は有馬藩の典医として鍼療にたずさわった。これらは、私が菅 虎雄の祖父が周策であることを篠原氏に申し上げていたが、それを篠原氏はよくお忘れなく御記憶になり、『筑後国史』の中の「菅原系図」を見つけられた賜物である。これによって菅家のルーツは虎雄をさかのぼること、三七代まで明らかになった。これはドストエフスキーやプルーストのルーツも一六代ぐらいまでしかさかのぼることができないのを、二倍以上も上まわる。

同年三月に昭和五一年度文部省科学研究費補助金奨励研究（B）を申請していたが、六月にやっと補助金一四万円が支給される内定通知があった。三〇万円要求していたが、半分以下に削減され少々不満であったが、わずか一四万円ではあっても、研究のたしにはなった。また週のうち火曜を研修日として、九大その他に研修に行く便宜を与えられた。後に国立国語研究所編『国語年鑑』（昭和五二年版）（秀英出版）を見ると、「昭和五一年度文部省科学研究費等の交付状況」の中で「奨励研究」は高校の国語国文学関係ではコンピューターを使用する研究を除いて一四万円が最高だった。日本の科学研究費の貧困をまのあたりに見る思いである。

七月だったか、福岡在住の郷土史研究家の深谷真三郎氏から一八九四（明治二七）年三月発行の『久留米郷友会誌』第七号と一八九五（明治二八）年三月発行の『同誌』第一〇号を見せていただいた。この雑誌の中に菅　虎雄の名が出ていると、久留米郷土研究会代表の古賀幸雄氏から聞いていたからである。この雑誌は東京に在住している久留米出身者の同郷懇親のための雑誌で、発行人は菅　虎雄であった。そして第一〇号の奥付に「発行人　東京小石川指ヶ谷町八番地　菅虎雄」とあった。私は電気に打たれたごとく仰天した。従来の漱石研究で、漱石伝記の中に、菅虎雄が登場するのは、一八九四（明治二七）年一〇月漱石は小石川指ヶ谷町の菅　虎雄の新居に数ヶ月下宿していたが、突然漢詩の書き置きを残して飛び出した、という事件が一番最初である。この事件は漱石の恋愛と深い関係があると思われ、大塚楠緒子説の小坂晋氏も「黒目勝の柳橋芸者」説の宮井一郎氏も重視している。この菅　虎雄の新居「小石川指ケ谷町」の番地は従来わかっていなかった。しかし、この雑誌によって「八番地」であることが確定した。年月も漱石が飛び出したのが、一八九四（明治二七）年一〇月ごろ、雑誌は九五年三月発行でつじつまが合う。

一九七六（昭和五一）年八月、この年三たび上京した。荒　正人氏の研究室、国立国会図書館に連日通い、古書展めぐりに日を費やした。厚さ一〇センチになんなんとする複写をとりまくった。同年九月は筑後医家研究家の小野正男氏を訪ね、菅周策、菅道泰、菅京山など虎雄の祖父・父・伯父など筑後医家の話を伺ったが、その一年後にお亡くなりになったことは残念なことであった。また郷土史家柳瀬道雄氏を訪ね、漱石が一八九七（明治三〇）年四月療養中の菅 虎雄を見舞い、久留米市内の古本屋で「一葉集」と「芭蕉句解」を買っているが、この古本屋は本庄三之丞の「知新堂」であろうという話を承り。「蟠龍堂」説より「知新堂」説の方が正しいような気がした。

同年一〇月、漱石の『吾輩は猫である』の中で苦沙弥先生に山芋を贈った豪快でユーモラスな多々良三平のモデルに擬せられた俣野義郎の二男・仁一氏を広島市己斐に訪問した。俣野義郎は三井郡櫛原村（現・久留米市東櫛原町）出身で、一八九四（明治二七）年福岡県立久留米尋常中学明善校（現・明善高校）を卒業、一八九七（明治三〇）年九月第五高等学校三年のとき、大江村（現・熊本市新屋敷）の漱石の家に下宿していた。奇行が多く大食漢で、いつも漱石の昼の弁当を学校まで届ける役目を受け持っていた。漱石が、「最近どうも弁当の量が少ない。」と妻の鏡子に不平を言うので、調べてみると、犯人は俣野がこっそり漱石の弁当を少々失敬しているのであった。その後、漱石の弁当には封印がされたという挿話が残っている。私はこの俣野義郎のことを調べようと思って、明善高校で学籍簿を調べたが、現存していない。明善校はいままで数次の火災にあっているのでこれはやむを得ない。なおついでながら、漱石が五高教授時代、一八九七（明治三〇）年一〇月、福岡・佐賀両県に出張し、主な中学校の英語授業を視察しているが、その中に中学明善校もあったと推測され、明善高校で調べたが、当時の資料は一切ない。俣野義郎の除籍謄本は久留米市役所に現存する（私は一二月以前にとったので、第三者でもとれたが、一九七六（昭和五一）年一二月一日より第三者が他人の除籍謄本をとることは困難になった。差別的身分に悪用されるからである。しかし学術研究に利用するときはもっと何とかならないものだろうか）。この除籍謄本から二男・仁一氏が判明し、さらに仁一氏の戸籍謄本から現住所が割り出され、広島市に在住されていることが明らかになった。私は俣野仁一氏に一度お目にかかってお話を伺いたい旨、手紙を出した。仁一氏から好意ある御返事をいただき、私のぶしつけな質問にも懇切丁寧な回答をお寄せ下さった。

一〇月上旬、広島に立った。仁一氏は耳鼻科医でいらっしゃるが、多忙な時間を割いてお会い下さった。俣野義郎は東京帝国大学法科大学卒業後、旧満洲大連の実業界で活躍したが、一九〇九（明治四二）年九月漱石が満鉄総裁で親友の中村是公の招きで満洲・朝鮮旅行のとき、大連で再会している。漱石の『満韓ところ〴〵』の中に次のような話が伝えられている。『吾輩は猫である』に出る多々良三平のモデルは俣野義郎であるという評判が立ち、みなが俣野を「三平君」と言ってからかって自分は大変迷惑をしている。これは「筑後の国は久留米の住人多々良三平君」とあるからであって、ぜひ取り消してくれ、と五、六度漱石に親展至急で強行に要求してきた。多々良三平は俣野義郎にあらずと新聞で広告して取り消してやろう、というと、御免だという。それからも三度も四度も猛烈な手紙を寄こした後、とうとうこういう条件を出した。自分が三平と誤れるのは、双方とも筑後久留米の住人だからである。幸い肥前唐津に多々良の浜という名所があるから、せめて三平の戸籍だけでもそっちに移してくれ、というので、次の版から三平の戸籍を肥前の国唐津の住人に改めた、という。

さて、俣野仁一氏宅に漱石直筆の一幅の掛軸がある。

漾虚碧

「在世誰非客還家
即是郷　漱　石　夏目金之助　漱石
」

(世に在りて誰か客に非《あら》ざらん。家に還《かえ》れば即ち是《こ》れ郷) 書といい落款《かん》といい、紛れもない漱石直筆である。私の胸は高鳴った。これは新発見の漱石自作の漢詩ではあるまいか。久留米に帰ってから、岩波書店版『漱石全集』第一二巻の漢詩集で検索してみたが載っていない。いよいよ新発見か、と期待に胸をふくらませて、荒 正人氏に連絡し調査をお願いした。荒氏は漢文専攻の石川忠久氏に調査を依頼した結果、漱石自作ではなく、李端の「送鄭宥入蜀」(『三体詩』所収) の頷連二句であることが判明し、少々落胆した。しかし、自作ではないにしても、漱石がこのような風韻遁世の詩を愛好したこと、漱石直筆であることは確かである。

その他に、『陽関帖』と称する知名士からサインしてもらった別離の辞を集めた折本様の署名帖があった。ざっと見ただけでも、夏目漱石、菅 虎雄、徳富蘇峰、河東碧梧桐、杉浦重剛、福田平八郎、池辺三山、野田大塊、樋口銅牛などの書画が折本五冊ほどに収められていた。漱石のものは「雲の峯雷を封じて聳えけり」という句が書かれている。すでに『漱石全集』に載っているものであるが、自筆であった。これらの貴重な資料は応召中の仁一氏の留守を守っておられた美枝夫人が、戦後大連より引き揚げてこられるとき、生命の危険を冒してまで、持って帰られたものである。

行徳二郎
原武 哲著『喪章を着けた千円札の漱石』笠間書院、2003年10月22日刊、早稲田大学学生時代、行徳家提供

夏目筆子（後の松岡筆子）
松岡譲編『漱石写真帖』1929年1月9日刊、1915年日比谷大武写真館撮影
左より夏目筆子・恒子・栄子

同年一〇月中旬、漱石の五高時代の教え子で明善校出身の行徳二郎の未亡人を佐賀県神埼郡三田川町に訪ねた。行徳二郎は柳瀬道雄氏の御教示により明善校に在学していたことは確認できたが、卒業生名簿、同窓会名簿にその名が記録されていない。兄の俊則、弟の三郎は明らかに明善校卒業生名簿に載っており、五高、東大を卒業しているが、二郎は明善校卒業も確認されないし、五高も卒業していない。一九〇〇（明治三三）年一月に二郎は当時五高三年生だった兄・俊則に連れられて、内坪井町の漱石宅を訪問し、その日から下宿した。三月漱石は北千反畑に転居したが、行徳二郎も一緒に移った。五月二郎は病を得て漱石宅を去り、郷里佐賀県三田川に帰った。七月には漱石もロンドン留学の命を受けて熊本の地を離れた。その後、漱石書簡（行徳二郎あて一九〇六（明治三九）年一〇月一六日付）によると、鹿児島の七高に

も在学している。一九一〇（明治四三）年五月一日、行徳二郎は早稲田大学に入学し、一〇年ぶりに漱石を牛込早稲田南町に訪ねた。そして牛込鶴巻町に下宿し、ひまさえあれば、毎日夏目家を訪れて、鏡子夫人のお気に入りとなり、筆子、恒子、栄子、愛子のよきお守り役となって夏目家の執事のような仕事をした。その間、自分の耳目に触れた漱石や家族の言動を、細大漏らさず克明に丹念に日記に書き続けた。一九一四（大正三）年一一月行徳二郎は漱石から二百円借金して日本を去り旧独領ラバウルに渡海した。一九三七（昭和一二）年一〇月、岩波書店から第二次『漱石全集』が刊行されたとき、第一九号月報に森田草平編「漱石先生言行録十九」で「行徳二郎日記」の一部、特に漱石の私生活を描いたさわりの部分が三頁ほど見本のような意味で発表され、いずれその日記は全文「言行録」の中に収録する予定と予告されていた。しかし、行徳二郎は一九四五（昭和二〇）年一一月二七日佐賀県三田川で死去し、森田草平も亡くなり、松岡譲も亡き今日、この幻の行徳二郎日記を探し出すことはもはや不可能かと思われていた。荒 正人氏も東京都内の電話帳より片っぱしから行徳姓の家に電話を掛けてその遺族を探索された。私はまず、漱石書簡にある行徳二郎の住所・佐賀県神埼郡三田川村苔野が本籍地とにらんで、現在の三田川町役場に行徳源誠・俊則・二郎・三郎の除籍謄本を請求した。いずれも亡くなっておられたが、俊則の三男・徹彦氏が東京都大田区山王に現存されていることがわかった。二郎の未亡人・キクノ氏と二男・律氏が三田川町に、長男・至氏が埼玉県越谷市に在住されていることが判明した。さっそく私は、三田川に未亡人と律氏を訪ねたのである。

まず驚いたのは未亡人の壮健なことであった。あと、半月で八〇歳という御高齢なのになお矍鑠《かくしゃく》としておられる。記憶もたしかなものである。荒正人氏の情報だと、行徳二郎はラバウルではなく、ボナペ島に行ったのではないかとおっしゃっていた。ラバウルという説の出所は漱石の長女・松岡筆子（松岡譲夫人）氏のお話であり、ポナペ島説は行徳徹彦氏の電話でのお話である。しかし、三田川に行って、ラバウルの写真を多数見て問題は氷解した。そして、待望の夢にまで見た幻の行徳二郎日記は存在していた。漱石研究家が探し求めていた垂涎の行徳二郎日記は一九一五（大正四）年より一七年までの分、三冊が「櫨松《ろしょう》日記」と題され半世紀以上を経て現存していたのである。一九一五（大正四）年一一月に二郎は漱石から二百円借りて日本を去り、ついに再び漱石にまみえることはなかった。従って一九一五（大正四）年の日記が漱石研究に重要な意味を持っている。一九一六（大正五）年一二月九日、漱石は五〇年の生涯を終え永眠した。行徳二郎が漱石の死を知ったのは翌一七年一月二九日英船マシーナ号のもたらした兄・俊則の雁信によってであった。行徳二郎は晩婚であり、一九二一（大正一〇）年一二月三九歳でキクノと結婚しているので、未亡人は漱石の死後、行徳家に入嫁している。従って未亡人は直接、漱石に逢ったことはない。ただ日頃、夫・二郎より漱石の話は聞かされていたし、夏目家の家族と写った写真や日記・書簡・断片・書画を丁寧に保存されていた。それらの資料は全く未公開の資料で、私ははやる心を抑えて写真を撮影した。しかし、「行徳二郎日記」（櫨松日記）だけはお許しになられなかった。それからもう一つ貴重なものとして、漱石直筆の漢詩の掛軸があった。俣野仁一氏蔵の掛軸の正体がまだ判らなかったときであったので、胸躍らせて撮った。しかし、この書も漱石直筆は間違いないが、自作ではなかった。

漾虚碧

「月明古寺客初到風度
閑門僧未帰　漱石山人書　夏目金之助　漱石」

（月は古寺に明らかにして客初めて到り　風は閑門に度《わた》りて僧未だ帰らず）

俣野仁一氏蔵の掛軸が『三体詩』からの出典であったので丹念に調べてみると、やはりあった。項斯の「宿山寺」と題する七言律詩の中の頷連二句である。山寺の寂寞たる間適の境地である。漱石自作の漢詩でなかったので残念ではあったが、出典が自分の力でわかったのは愉快なことであった。

一九七六（昭和五二）年一〇月一九日、私は年休をとってこの年四度目の上京をした。せっかく俣野仁一氏から令弟・義道氏（NHKディレクター）が漱石筆「竹図」（一九一六（大正五）年）を所蔵されていると聞き、どうしてもこの目で確めたかった。町田市の玉川学園の自宅に俣野義道氏を訪ね、「竹図」を見た。岩波書店版『漱石書画集』（一九七六年六月発行）所収の「竹図」とほとんど同じ構図で同時期に描かれたものと思われる。俣野氏蔵のものは満州から苦労して持ち帰られただけあって、所々しみがついている。岩波書店が『漱石書画集』を出版するとき、俣野氏蔵のものも見たそうであるが、結局もう一方を選んで、俣野氏蔵のものは日の目を見なかったのも、已むを得ないところである。

次に大森に行徳徹彦氏を訪ねた。徹彦氏は行徳俊則の三男である。俊則は二郎の兄で、漱石の五高時代の教え子であり、一九〇九（明治四二）年に東京帝国大学医科大学を卒業し、在京中は夏目家に出入していている。後に佐世保市で開業、一九三五（昭和一〇）年ごろ東京に出て開業した。徹彦氏宅で父・俊則の話をお聞きし、一九一五（大正四）年一一月二二日付行徳俊則あて漱石書簡を拝見し写真に収めた。

一〇月二二、二三日の二晩は荒 正人氏宅に泊めていただき、夜を徹して漱石のことを歓談した。荒 正人氏の徹底した追求ぶりと鋭い洞察力に舌を回いた。

一〇月二三日、埼玉県越谷市に行徳至氏を訪問した。行徳至氏は二郎の長男でいらっしゃる。三田川の律氏宅にも漱石関係資料は多数あったが、越谷の方が一段と豊富である。残念ながら『漱石全集』にも収録されている行徳二郎あての三通の書簡は所在不明である。一九一一（明治四四）年一二月三日「行徳二郎に与へたる『切抜帖より』の包紙に　六句」とある包紙所在不明である。しかし、夏目家の人々と一緒に写した多数の写真には一つ一つ撮影年月日や人名・年令・その由来経緯が裏書きされて、その間の事情がよくわかる。荒 正人氏の『漱石研究年表』でも明らかにされていない新事実が多数わかった。渋紙に書かれた「夏目先生と予」「夏目先生の家庭と予」という断片・漱石の署名入りの『行人』『こころ』、行徳二郎書き込み入りの『漱石写真帖』（松岡譲編、一九二九年二月、第一書房）、漱石直筆の書画帖など、私は興奮に震えながら百回以上もシャッターを切り続けた。ついでながら、行徳二郎の妻・キクノの母・ヤスノの従弟（ヤスノの母・コトの妹の子）は久留米出身の天才洋画家青木繁である。行徳至氏宅には青木繁の中学時代の水彩画があって未公開のものである、夕暮時であろうか、川岸に小さな帆船二艘と屋形船風の船一艘、ボートのようなオールのついた舟一艘が碇泊している図である。行徳二郎日記「櫨松日記」の複写許可をお願いしてお別れした。

一九七六（昭和五二）年一一月三日、荒 正人氏が久留米に西下された。筑後地区高等学校国漢部会創立三十周年記念講演の講師として、私がお世話して招聘したものである。私の家に二泊していただき、四日は荒氏と三田川の行徳律氏宅に弔問に行った。というのは、私が幻の行徳二郎日記は三田川に現存するということを荒氏に報告していたので、荒氏はぜひ久留米に行った折、この行徳二郎日記を見せていただきたいと熱望されていた。私も漱石研究家の第一人者である荒正人氏がお願いしたならば、あるいは写真撮影をお許しになるかもしれないと大いに期待していたのであった。ところが、何と不運なことか、六日前、未亡人（二郎の妻・キクノ）は不慮の交通事故で卒然冥府に旅立たれてしまった。私が二週間前にお逢いしたときには、あれはどのお元気であったのに、あのときが最初で最後の対面であった。三時間余りであったろうか、行徳二郎の話、漱石の話を直接、未亡人の口から聞くことができたのが、せめてもの慰みであった。荒氏も呆然とされ、残念だともらされた。初七日であったが、弔問だけにとどめて、漱石の話は出さなかった。五日は久留米BS会館において国漢部会創立三〇周年記念式典が挙行され、記念講演として荒 正人氏に「夏目漱石と九州」というテーマでお話しいただいた。その後、明善高校の文化講演として「漱石の『こころ』について」と題して講演をお願いした。漱石が一八九七（明治三〇）年三月春休み久留米で休暇中の菅 虎雄を訪ねたとき、歩いた高良山・発心山の登山コースに、荒氏を御案内した。また梅林寺にも御案内して、一八九六（明治二九）年九月当時の寺の記録を調べた。その当時、漱石は妻・鏡子を連れて、博多・箱崎八幡・香椎宮・太宰府・二日市・久留米・船小屋を旅し、久留米では梅林寺で「碧巌を提唱す山内《やま》の夜ぞ長き」という句をよんでいる。だから梅林寺の記録「碧巌録会日単」の中に何か夏目漱石の記録が残っていないものかと探したが「夏目」も「金之助」の記録も皆無であった。ただ一つ興味深いことがあった。一八九六（明治二九）年一一月ごろ、漱石は伊底居士という者から「漾虚碧堂図書《ようきょへきどう》」という蔵書の石印を刻してもらっているが、この伊底居士は初め久留米の梅林寺におり、後、熊本の見性寺にやって来て、たまたま菅　虎雄に紹介されて見性寺の宗般玄芳禅師（八幡町円満寺の住職となり、松雲室と号した）に参禅していた漱石と親しくなったものとみえる。この梅林寺の「碧巌録会日単」を調べていると、一八九六（明治二九）年八月二九日と九月七日の項に「伊底居士」の名が出ていた。八月下旬、九月上旬は梅林寺にいたわけである。この記録をすべて調査したわけではないので、もっと詳しく調べると案外「夏目金之助」の名が埋もれているかもしれない、という気がした。荒氏も大変喜ばれ、漱石と禅との関係を特に研究されている京都の北山正迪氏（元奈良女子大学教授）と連絡をとられた。私はその時まで北山正迪氏に一度もお目にかかったことはなかったが、かつて漱石が歿後その葬儀に際して釈宗演の香語が捧げられ、その転句は「即今興尽きて遽然として去る」（『傍伽漫録』巻五）とあったが、私が菅　虎雄の筆になる漱石偈辞を見たところ、「即今興に乗って遽然として去る」とあった。「興尽」と「乗興」とはどう違うのか、禅の立場から北山正迪氏にお尋ねしたことがあり、その後も文通をしている。

一一月に『ちくご』第一〇号に「菅 虎雄と夏目漱石（その三）」を発表した。

大阪で小児科医でありながら漱石研究を進められ、『日本医事新報』に次々と漱石研究論文を発表されている松本健次郎氏とも九月ごろから文通を始め、資料の交換、情報交換をした。一一月下旬、荒 正人氏から集英社版『漱石文学全集』全一〇巻と別巻とを含めて一一冊を寄贈された。私の方が資料を送っていただいたり大層お世話になっているのに、逆に贈物をされ、感激したり恐縮したりであった。ちょうどそのころ宮井一郎氏の『夏目漱石の恋』が刊行された。買おうと思っていた矢先、これも荒氏から贈っていただいた。八ポ二段組み六百頁を越す大著は八一歳の執念がにじみ出てくる。漱石の恋をめぐって、今、三つの学説が鋭く対立している。(1)江藤淳氏の嫂登世説（『漱石とその時代』、『漱石とアーサー王伝説』、『決定版夏目漱石』）、(2)小坂晋氏の大塚楠緒子説（『漱石の愛と文学』）、(3)宮井一郎氏の「黒目勝の柳橋芸者」説（『夏目漱石の恋』）である。

一一月の下旬に、この宮井氏の『夏目漱石の恋』を読んでいる最中に、突然、宮井一郎氏から一通の手紙を受け取った。あまりにタイミングがよすぎてびっくりした。宮井氏はどうして私のことを御存じなのだろう。荒 正人氏が知らされたのだろうか。封を切って読んでみると、松本健次郎氏の紹介だったそうだ。宮井一郎氏は漱石の恋の重要な鍵を握っている者として菅 虎雄を重視される。すべてを承知し、漱石のために尽力した菅 虎雄のことを調査したいと考えておられ、私のことを松本健次郎氏からお聞きになり菅 虎雄のくわしい資料を教えてくれ、とのこ

夏目登世
『朝日小辞典　夏目漱石』朝日新聞社、19787年6月15日刊

とであった。おそらく日本中で菅　虎雄のことを調査研究している者はそう多くはないと思うが、大抵は漱石研究の傍証のためであって、正面きって菅　虎雄伝記に取り組んでいるのは、五指にも足らないと思う。その後、宮井一郎氏と情報・資料の交換を続けることとなった。

一九七六（昭和五一）年は四度上京し、京阪、広島、長野、北海道各一度ずつと、かなり旅行した。東京だけでも延べ三五日ほど滞在したので、一年の内の、一〇分の一は東京にいたことになる。金も随分費った。文部省科学研究補助金はとうの昔になくなってしまった。愚妻は「おとうさんの道楽」と称する。

一九七七（昭和五二）年三月末、例年の如く、また上京した。「今年はどうも転勤《とば》されそうだ。もし転勤の内示があったら、夜八時過ぎに宿舎に電話してくれ。」と愚妻に言い渡して出かけた。今度の上京の最大の目的は埼玉県越谷市の行徳至氏にお逢いして「行徳二郎日記」を写真撮影して調査することである。私は荒　正人氏にお会いし行徳氏との交渉がうまくいくように話し合った。まず予備交渉として行徳氏の勤務先日清製粉本社（日本橋蛎殻町）を荒氏と一緒に訪ねた。一応の了解点に達し、「明日、会社に日記を持って来ましょう。」と言うことになった。

その夜、久留米の自宅から電話かあり、「やっぱり、来たわよ。おとうさん。浮羽高校よ。」という愚妻の声である。じたばたしても仕方がない。こっちは幻の「行徳二郎日記」が撮れるかどうかの瀬戸際である。「校長には、どうぞ御勝手にと言ってくれ。」と言って受話器を切った。当日朝、荒　正人氏より電話があり、一夜で逆転して、写真撮影は困るという電話があった、とのことである。転勤の内示があったり、どうもいやな予感がしたが、案の定、卦は凶と出た。「写真撮影は困るが、見るだけならば、結構です。」とのことだ。とにかく日清製粉本社で荒氏と落ち合い、行徳氏にお逢いして、「行徳二郎日記」大正四年の分を見せていただき、二時間余りお借りして荒氏と共に漱石と関係のありそうな部分を書き写した。見せていただき書写できただけでも感謝すべきであった。私ががっかりしていると、荒氏が「資料を所蔵している人は絶対ですからね。こんなことはよくあることですよ。」とかえって慰められた。この日午後荒 正人氏のお供をして隅田川畔の長命寺などを見物、言問だんごをほおばって、正岡子規、漱石を偲んだ。浅草でどじょう汁を食い、梅園で漱石も食べたぜんざいを御馳走になった。荒氏曰く「私は漱石が食ったものは何でも食べてみたいですね。」

翌日、漱石の恋を卒業論文のテーマにして研究している法政大学の学生M君と逢う。荒 正人氏から紹介され、私に文通を求めてきていろいろ菅 虎雄に関して質問してくる。三月に上京するので、そのときお話を聞きましょうと約束したのだった。どうやら、宮井一郎氏の『夏目漱石の恋』に触発されて、このテーマを選んだらしい。延々午前九時から午後四時ごろまで、漱石の恋の話が続いた。

四月上旬、文部省科学研究費補助金の報告書「陵雲菅 虎雄と漱石夏目金之助」を文部省に提出し、やれやれと安堵する。しかし研究は終わったわけではない。いや、始まったばかりと言っていい。浮羽高校に転勤して、研修日を水曜にとり、九大に行く。

一九七七（昭和五二）年五月、熊本市黒髪町の蒲池正紀氏を訪ねた。蒲池氏は徳島大学教授・熊本商科大学教授を歴任、熊本五高時代の漱石を研究されている。一八九六（明治二九）四月、

菅 虎雄の招きで漱石は松山中学を辞めて、第五高等学校に赴任した。一三日、熊本に着いた漱石は水落露石と武富瓦全という二人の俳人を連れてただちに菅 虎雄の家に落ちつく。菅の家はどこかよくわからなかったが、蒲池氏の調査によって、水落露石あての漱石書簡が発見され、その差出人住所から漱石も下宿した菅 虎雄の住所は熊本市薬園町六二番地と判明した。この説は後に修正しなければならなくなった(参照二八頁)。菅 虎雄はさらに宇留毛に転居したことが蒲池氏によってわかった。私は蒲池氏と一緒に、二ケ月ばかり漱石が居候していた薬園町の菅 虎雄旧居跡を見た。今はアパートのようなものが建って漱石を偲ぶよすがもない。そこから五分足らずの所に見性寺という禅寺がある。菅 虎雄の紹介で漱石も参禅した寺である。蒲池氏の案内で住職に逢いに行ったが、あらかじめ連絡していなかったので、留守で逢えなかった。

久留米に帰って、見性寺住職阿部宗徹師に手紙を出して、漱石・菅 虎雄関係の資料はないか尋ねたが、「向後一〇年間ぐらい当寺の記録は一切公開しません。」との返事で、どうにも手の下しようがない。見性寺の歴代住職法嗣系図はわかった。しかし漱石とのかかわりは一切不明である。ただ浅井栄熙《えいき》の三男・浅井栄資《よしすけ》氏の住所がわかったのはありがたかった。

一九七七(昭和五二)年八月、この浅井栄資氏を東京八重洲の海洋会に訪ねた。七八歳であるが、今もなお、日本航海学会長・日本海技協会長として日本航海学界の大立者で、一九五八(昭和三三)年から六六年まで八年間東京商船大学学長(現・東京海洋大学)を勤められた方である。この方の父・浅井栄熙は漱石の五高時代の同僚で同じ英語を教えていたが、大学を出ていないので講師で終わった。熊本見性寺で熱心に打坐を試み禅を通じて、菅 虎雄、漱石と親しんだ。彼が漱石伝記上でクローズ・アップしたのは、一八九八（明治三一）年六月ごろ、漱石夫人・鏡子が梅雨のため増水していた白川に身を投げて、自殺をはかったことからである。たまたまそこに居合わせた人が彼女を助け上げたため、事なきを得た。この鏡子を救い上げた人は前記の蒲池正紀氏の御研究（『熊本商大論集』第四五号、一九七五年三月）によると、松本直一という人で、直一の子が改蔵といって、後に大の漱石ファンとなり、「峠の茶屋」、「三四郎」という飲み屋を営み、当時五高生には名の売れた人物だそうだ。元首相の池田勇人などもよく飲みに来たという。ところが、改蔵は一九五五（昭和三〇）年八月、入水して自殺したとかで、妙な因縁である。話は横道にそれたが、この鏡子入水事件が当時の新聞の三面記事にはならなかったのは、五高の寮監（小宮豊隆『夏目漱石』では舎監とあるが、誤り）だった浅井栄熙が新聞社に手を回して新聞種にならないようにもみ消したのである。『道草』（七十八）によると、細君御住（鏡子）のからだと自分のからだとを紐で結びつけて細君の行動がすぐわかるようにして、毎晩床についたという。ここまでは大抵の漱石研究書に出ている。そこから先を浅井栄熙の三男・栄資氏に尋ねようと思ったのである。その結果、浅井栄熙の略歴は判然となり、漱石夫人・鏡子入水事件のもみ消し問題もおそらく知人であり、後に熊本日々新聞社長となった山田珠一（後に熊本市長）などを通じて行なったのではないか、ということもわかった。漱石・菅 虎雄・浅井栄熙の三者を結びつけた見性寺の記録は、向後一〇年間ぐらい未公開ということで、禅関係は未だ暗雲に閉ざされたままである。ただ「自哲居士」という居士号を宗般禅師からもらったことだけはわかった。漱石がロンドン留学のため、熊本を去ったとき、愛用の黒檀の机を浅井栄熙に送っているが、栄資氏は幼少のことに見憶えがあるけれども、熊本から朝鮮に渡ったときに処分したらしく今はないとの御返事であった。漱石は熊本で独身時代の菅 虎雄仮寓（宇留毛）を除けば、六回家を構えたが、そのうち数回は土地の人である浅井栄熈が住居の心配をして借家の世話をした。それがどの家であったか、今はわからない。また、浅井家にいた女中の一人（とめ）を夏目家に世話したそうだが、夏目鏡子の『漱石の思ひ出』にはその記載はない。短期間だったのかもしれないが、新事実である。

一九〇九（明治四二）年一〇月六日、夏目漱石は満韓旅行の折、京城（現・ソウル）市太平町の三等郵便局で浅井栄熈に再会したことが、『満韓ところぐ』や「漱石日記」に出ている。浅井栄熈は熊本旧細川藩士族たちで始めた第九銀行監査役で無限責任社員であったので、倒産のため窮乏に瀕し薪炭商を営んだが、これも失敗、一九〇六（明治三九）年ごろ妻子を熊本に残して、単身朝鮮に渡り、朝鮮人相手の質屋と郵便局（三等郵便所といったそうだ）を経営した。一九〇九（明治四二）年四月ごろ、栄資氏たち家族も朝鮮に渡ったそうだ。そのころ浅井の郵便局は太平町にあり、漱石はここを訪ねたのである。「引き返して太平町の郵便局に浅井栄熈を訪ふ。先生三等郵便局の主人なり。膝を容るるとは正に是なり。余と陶山さんと這入つたらあとは何うする事も出来ない。浅井さん大いに喜こぶ。其顔を見たのが甚だ愉快であつた。」と漱石は日記（〇九年一〇月六日）に記している。そのとき、栄資氏は小学四年生だったそうだ。漱石が来たときの御記憶をお尋ねしたところ、表が事務所で、家族は裏の住宅におり、表の事務所で漱石は栄熈とあったので、栄資氏はお会いになる機会はなかったらしい。もし会っておられたとしても、小学四年生の目には文豪漱石も鮮明な印象として残らないのが当然だろう。私は浅井栄資氏と二人で東京駅近く八重洲の小さな料亭で、酌んだ酒が実に印象深く、微醺を帯び、飄々踉々とお別れした後姿がなつかしい。

一九七七(昭和五二)年八月一〇日、私は神奈川県藤沢市辻堂に『夏目漱石の恋』(筑摩書房)の著者、宮井一郎氏を訪ねた。大阪の松本健次郎氏から紹介されたとかで宮井氏の方からお手紙をいただいて後、一年間一〇通ばかり文通しているがお目にかかるのは初めてである。満八二歳の御老体であるが、耳が遠い以外は矍鑠たるものである。若いころ昭和一〇年から文学愛好家で、事業を経営されながら同人雑誌『作文』など出されていたが、戦後六〇歳を過ぎて漱石研究に没頭された。しかし不幸にも島根で水害に会われ、資料を全部流して、一旦は挫折したかに見えたが、藤沢に出て再び研究に情熱を燃やし、『漱石の世界』、『現代作家論』の二著作を発表、一九七六(昭和五二)年一一月には大著『夏目漱石の恋』を上梓された。とにかく漱石研究を始めていろいろな研究者や漱石周辺の人々とその遺族にお目にかかったが、最近の御老人の壮健ぶりは驚くばかり、私がその年になったら、果たしてあれだけ精力的に活動することができるか、甚だ心もとない。宮井一郎氏の論文はその著書、雑誌、新聞で拝見し、論敵を攻撃するときの激烈さには驚かされていたが、お会いしてみると、なかなか好々爺であるのに、これまた驚いた。宮井氏はかねがね江藤淳氏の「漱石、嫂不倫説」、小坂晋氏の「漱石、大塚楠緒子相聞歌的恋愛説」を徹底的に批判し、「両者とも取るに足りない不毛の妄説」であると断言されていた。特に江藤氏の「登世という名の嫂」に至っては「虚妄に満ちた」「公害的な文学である」と規定している。「率直にいって江藤氏は、白を黒に、馬を鹿に、いいくるめることのできる強靭なレトリックの所有者である」という非難は感情的なものが感じられた。「したがって、『そうなると漱石はひょっとすると遊んだのかも知れませんね。遊廓のだんごを食べに行つただけではないのかも知れない。』などと考える人は、日本人のなかではおそらく江藤淳という文学博士くらいのものであろう。」（『夏目漱石の恋』）という文にはあっと驚いたものだった。しかし、今、眼前で漱石を語る翁はその激越さを潜めて、老妻をいたわる好々爺である。目下、『夏目漱石の生涯』執筆に余生の全エネルギーを燃焼し尽くさんものと頑張っておられる。「八二歳の私にとって、残された時間には限度があります。毎日毎日時間が惜しくてたまりません。身体を大切に、一日でも長生きして、漱石伝記に人物論、作品論をからませて、その生涯をたどってみるつもりです。」とおっしゃった。宮井氏の御子息はヨガの研究者としてインドに滞在中とかで、氏の独特の健康法、玄米食餌療法などうかがって大変面白かった。耳が遠いので、時々夫人（と言っても七〇以上と思われる）の通訳がいり、こみ入った話は筆談となる。昼過ぎから夕九時ごろまでお酒をよばれながらの対談は実に楽しかった。一日も早い完成を祈念して、バス停まで見送って下さった夫人とお別れした。

私は漱石・菅 虎雄研究を始めて、多くの人と知り合った。もしも菅 虎雄という人物が夏目漱石とこれほど親しくなかったならば、もしも菅 虎雄が久留米出身でなかったならば、私が菅 虎雄を調査したいという気を起こさなかったならば決して知り合うこともなかった人々と出会った。人と人との巡り合いの摩訶《まか》不思議につくづくと感慨を催すばかりである。そして、人のルーツを追っていくと、そこに過去の人物の喜怒哀楽の息づかいが直かに聞こえてくる。人の軌跡は必ずたどることができるという信念みたいなものができた。たった一通の尺牘《せきとく》から無限の示唆を得ることができる。たった一葉の写真が人と人との交りを教示している。たった一行の本の書き込みがその人の思想と深く結びついている。遺族たちの聞き書きも貴重なものであった。漱石と関わりをもつ者が等しく漱石を敬慕し、積極的に協力していただき、資料を提供して下さった。私は感謝の気持ちでいっぱいである。私がやらねばならぬ仕事はいまからである。漱石文学に菅虎雄がどう関与しているか。私はそれが知りたい。史実を客観的にさぐることも大切だが、漱石文学へのアプローチこそ必須の使命であろう。しかし、凡庸な私は今は考証に心ひかれる衝動を抑えることができない。漱石周辺の人物で久留米に関係ある人物として、前述した菅 虎雄・俣野義郎・行徳俊則・行徳二郎の外に、浅田知定（漱石を松山中学に世話した人）・樋口銅牛（漱石が序文を書いてやった『俳諧新研究』の著者）・村井啓太郎（大連市長。大連で漱石と会った人。明善校出身）などが旧有馬藩関係者である。その外に柳川旧立花藩関係者では立花政樹（東大英文科一回生。漱石の二年先輩。『満韓ところ〴〵』に出る）・立花銑三郎（旧三池立花藩。漱石と東大同期。哲学専攻。『満韓ところ〴〵』に出る）・清水彦五郎（東京帝国大学書記官。旧柳川立花藩士。漱石東大寄宿舎生時代の舎監。清水あての漱石書簡あり）・土屋忠治（五高時代、漱石の教え子。漱石宅に下宿。東大法科卒。柳川で弁士開業）など調査したい人物がいる。いつかはこれらの人物を明らかに光を当ててみたい。生来の不敏と怠惰で遅々たる歩みではあるが、着実に進んで行きたいと念願している。

（「巨瀬《こせ》」第二一号　福岡県立浮羽高等学校校友会誌、一九七八年三月一日）

清水彦五郎
東京帝国大学書記官

㉞漱石の跡を求めず、漱石の求めたるところを求めよ
――漱石と菅 虎雄研究その後――

松尾芭蕉は『柴門の辞』の中で、南山大師（弘法大師）のことばを引用して、「古人の跡を求めず、古人の求めたるところを求めよ」と書いた。書道・俳諧に限らず、芸術学問の道において、先達の足跡をいたずらに模倣するのではなく、先達の追求しようとした理念を追求しなければならないことを教えたことばであろう。いま、漱石を調査研究している私の耳には、「漱石の跡を求めず、漱石の求めたるところを求めよ」と聞こえる。しかし、ややもすれば、単に漱石の足跡ばかりをつつき回すだけで、漱石が生死を賭して求めて止まなかった「則天去私」の精神は、ついつい等閑視して来た。実証的研究という虚名の下に、微視的矮小化の枠から抜け出せずにいたのではないか。巨視的に大局を見ずして、重箱のすみばかりをほじくる瑣末主義に陥っていたのではないか。私はこのことばを自戒として、常に反芻しつつ、研究を進めたいと念願している。

一九七八（昭和五三）年の『巨瀬』第二一号に「〝ルーツ〟を求めて――漱石の親友・菅 虎雄研究閑話――」という小文を書いてみたが、その後一年間、研究は遅々たる歩みながら、いささかの進捗もみた。ここで拙き蹌踉の跡をたどることも全く徒労とはたれも言うまい。

一九七八（昭和五三）年二月一五日、福岡県高等学校国漢部会筑後地区部会の研究誌『ちくご』

第一一号が発行され、私は四年連続して寄稿し、「菅 虎雄と夏目漱石（その四）」を発表した。やっと一九〇七（明治四〇）年九月のところまで書き進めて来た。漱石の死まであと一〇年もある。今のペースでいくと、あと三年書かねばならぬことになる。また私が常に指導を仰いでいる文芸評論家荒 正人氏に特別寄稿をお願いしたところ、快くお引き受けいただき、「夏目漱石（金之助）と九州」という貴重な論文を頂戴し、花を添えることかできたことは望外の喜びであった。

三月二三日（木）、例年のごとく春期休暇を利用して調査研究のため上京した。品川区豊町の国文学研究資料館（国文学の文献資料を収集する研究資料センターとして設置され一九七七年七月開館）に初めて行ってみた。国立国会図書館、日本近代文学館にはいつものように通って、資料を収集したが、今回は主として第一高等学校の校友会雑誌や同窓会雑誌と第五高等学校『龍南会雑誌』をありったけ全部調査することにした。

二六日（日）は久しぶりに「鎌倉漱石の会」の代表内田貢氏を鎌倉市二階堂に訪ねた。四年ぶりの再会であるが、まだお元気の様子で何よりであった。満八二歳でまだ一週三日間は群馬大学で講義されておられる由、全くお若いのに驚き入る。漱石参禅のことを聞く。参禅二回説は否定された。正午に菅高重氏とお会いし、昼食後、鎌倉国宝館長で青山学院大学文学部長の貫《ぬき》達人氏とお会いした。貫氏は中国哲学の泰斗宇野哲人氏の三男で、古文書学の権威者でいらっしゃる。漱石、菅 虎雄などのお話を伺った。それから東慶寺に行き、住職井上禅定老師にお会いした。老師とお目にかかるのは二度目で、これまた四年ぶりの再会となる。円覚寺にある今北洪川門下の居士入門名簿を見せていただくようにお願いしたが、「今すぐに所在がわかるというわけにはいかないので、探しておこう」と言われた。この名簿には菅 虎雄や、漱石の親友で漱石を建築家志望から文学者志望に変えさせた米山保三郎の名前があるはずであり、入門の年月日のわかる手がかりがひそんでいるはずである。

「向陵碑」
旧第一高等学校建立（現・東京大学農学部）、拓本 菅 虎雄 筆（『陵雲無為 菅 虎雄先生遺墨法帖』より）、菅高重氏旧蔵

東慶寺墓地の一角には、一九七七（昭和五二）年五月一五日（日）、「向陵塚」という第一高等学校の記念碑が建立、除幕式が挙行された。碑の題字は菅 虎雄の「向陵碑」（東京大学農学部、元一高跡）の二字と「大塚家累代の墓」の一字を合わせて作られている。菅 虎雄死して三四年なるが、文字は「向陵塚」の中に蘇生したわけである。夕方、鎌倉市中央図書館に行き、館長の鹿児島達雄氏に文学者と鎌倉についてのお話を伺った。帰り道、品のいい中年過ぎの御婦人と出会い、菅高重氏が親しく話しておられた。菅氏は「あの人が高浜虚子の末の娘ですよ。」と言われた。道理で品のいいはずだと何となく合点できた。

二八日（火）、明善高校時代の教え子T君と会い、八重洲のMという私の幼なじみがやっている小料理屋に連れて行き、一献傾けて楽しい一夕を過ごした。三〇日（木）は文芸評論家の荒正人氏宅に泊めていただき、夜のふけるまで漱石のことを語り明かした。三一日（金）、久留米に帰省した。

四月二九日、例年天皇誕生日に「鎌倉漱石の会」の春の例会がある。会長の内田貢氏よりぜひ出席して下さいと慫慂されていたし、今回の講演（「漱石と江の島」）の講師は我が師・荒正人先生なので万難を排して上京することにした。それとともに今回の上京の目的はもう一つ「菅 虎雄・人とその作品展」を鑑賞することであった。二九日（土）早暁久留米を立ち福岡空港から日航機で東京へ一っ飛び、横須賀線で東鎌倉駅下車、円覚寺塔頭帰源院に着いたのが午前一〇時半、参集した人は約三百から四百人ぐらいか、境内一ぱいに思い思いの座席で荒 正人氏の講演に聴き入っていた。この帰源院は私には二度目だが、漱石が二八歳のとき一八九四（明治二七）年一二月に参禅したところで、『門』の中でも出てくる。講演が終わり、荒 正人氏夫妻と三人で昼食の精進料理を食べに行き、江の島の漱石由縁の地を訪ねた。夕食は横浜の「ホテルニューグランド」で御馳走になった。荒氏は隣にいる外人の若いカップルに洋酒を献上し、盛んに乾盃を重ねておられた。三〇日（日）、午前中雑司ヶ谷霊園に行き、菅虎雄の筆になる漱石夫妻の墓に詣でる。既に四度目だ。菅 虎雄の筆になる大塚保治の墓も参る。それから板橋区常磐台の「日本書道美術館」に「菅 虎雄・人とその作品展」を見に行った。菅高重氏は毎日会場に見えておられるとか、菅 虎雄の書の説明をしていただく。菅 虎雄が清国の南京三江師範学堂の教習として招聘されていたとき、書道の師として師事した李瑞清《リズイセイ》の書もあった。専門の書家ではないが、書道一筋に生きた菅 虎雄の筆は格調高雅、脱俗清明の骨法が生き生きと躍動していた。菅高重氏より名古屋の浜野義大君を紹介される。既に書簡の交換だけはしていた浜野君は若い身で菅 虎雄に大変興味を示し、特に漢詩、漢文、仏典の出典探索に精力を傾注されておられるようだ。昼食を共にしながら、漱石、菅 虎雄、その周辺の人々のことについて語り合った。こうして全国各地の未知のいろいろな人と話して情報を交換していると、思いがけない収穫がある。自分の無知を思い知らされることもある。

五月一日（月）、九大教授今井源衛先生の紹介状をもって、近代文学研究の第一人者長谷川泉氏宅（文京区西片）を訪問した。今井先生と長谷川氏とは第一高等学校時代の同窓でいらっしゃるそうで、東大国文科でも御一緒とかいうことだ。本業の医学雑誌の編集の傍ら、学習院大学講師として御勤務になり、森鷗外・川端康成研究では他の追従を許さぬ研究ぶりには圧倒される思いである。お会いしていろいろ御教示いただき激励された。

三日（水）、新宿紀伊国屋書店で国士館大学の吉村駿夫氏とお会いした。吉村氏は久留米郷土研究会の会員で、久留米出身の文化人の伝記を調査研究されておられる。『久留米郷土研究会誌』第七号（一九七八年二月発行）に「菅 虎雄と久留米」という論文を発表されておられる。この論文は菅高重氏所蔵の菅 虎雄あての書簡を解読し、その中から菅 虎雄と久留米人との交友関係を浮かび上がらせているのであった。私の論文についても言及されておられたが、まだ一度もお会いしたことがなく、このときが初対面であった。ここでも久留米人についていろいろ未知の情報を御教示いただき、大変勉強になった。

五日（金）、新宿より京王線に乗って、多摩霊園に行き、直木賞で有名な直木三十五の追悼碑と呉秀三の墓を見た。直木三十五の追悼碑を菅 虎雄がなぜ書いたかというと、菅 虎雄の二男・忠雄（新感覚派の作家）が『文芸春秋』の編集長、後に『オール読物』編集長をしていた関係から、『文芸春秋』と関係の深い直木三十五の追悼碑の碑文を忠雄を通じて依頼されたと思われる。呉秀三

（東京帝国大学医科大学精神科教授）は菅 虎雄の東京大学医学部予科時代の同窓生で、同じ下宿で親しく交わった、管鮑もただならぬ仲であった。だから生前から呉より墓碑銘を書くことを頼まれていたのであった。呉秀三はまた漱石ともロンドン留学中に会っている。そして一九〇三（明治三六年）、漱石が帰朝後、熊本の第五高等学校に帰任したくないので、神経衰弱のにせの診断書を呉秀三博士に書いてくれるように、菅 虎雄に頼んでいる。菅 虎雄と呉秀三とは医科時代の親友で、同じ下宿で生活し、肝胆相照らす仲となっていたので、それを知っている漱石が菅に診断書を依頼したのである。

七日（日）、連休の最終日、久留米に帰着した。

五月二七日（土）、福岡市の西南学院大学で日本英文学会総会が行われ、西下された荒 正人氏が久留米に訪ねて来られた。その夜は私の家に泊まっていただき、翌二八日（日）は浮羽郡、日田市の漱石曽遊の地を案内した。一八九九（明治三二）年一月一日、五高教授夏目漱石は元旦の屠蘇を祝って、同僚の奥 太一郎と熊本を出発し、太宰府、博多、小倉を通り、宇佐で下車、宇佐八幡宮に参詣し、羅漢寺、口の林、耶馬渓、柿坂、守実を経て、豊後日田に入った。日田から吉井、追分を通って久留米に入っている。「日田から久留米までのコースを逆に行ってみませんか。」と荒氏に申し上げたところ、「ぜひ行ってみましょう。」というお言葉だったので、さっそく元浮羽高校教諭江崎菊太氏（国語科）にお電話して、御案内していただくことにした。江崎氏はかつて本校の『巨瀬』第一三号に「浮羽郡を訪れる夏目漱石」をお書きになったこともある郷土史家でいらっしゃる。西鉄久留米駅より吉井行の快速バスに荒氏と一緒に乗り込み、吉井駅前で下車、江崎氏の紹介により、郷土史家で本校学校薬剤師今村武志氏にお会いした。漱石が日田から舟で下り、志波の渡しで上陸したこと、恵蘇の宿から札の辻までの一本道を寒さにふるえながら、吉井の町に入ったこと、漱石の「棒鼻より三里と答ふ吹雪哉」の「棒鼻」は地名ではなく、駕籠かきの先棒のことであること、吉井で漱石が宿泊した旅館は天神町の長崎屋以外考えられないことなど、お二人から話を伺った。長崎屋は現在では「ヒロ」というクラブに様変わり、明治の面影は全くない。漱石はここで「なつかしむ衾《ふすま》に聞くや馬の鈴」という俳句を作った。今村薬局では幕末ごろの吉井の町についてお話を伺い、特に町並みの一軒一軒の名前を調査して書き入れた地図を見せていただき、御苦心の程がしのばれた。それから荒氏を長崎屋の跡に御案内し、一直線の新道を見て、江崎氏に別れを告げ、日田に向かった。まず広瀬淡窓の咸宜園に行く。ここは漱石とは関係ないが、日田に来たからは、ここに御案内しないわけにはいかない。次いで、平野五岳（詩画書に秀でた禅僧）の専念寺を訪ねた。漱石は日田で「詩僧死して只凩《こがらし》の里なりき」という句を詠んでいるが、おそらくこの専念寺に立ち寄ってつくったものであろう。境内にこの句を刻んだ句碑がある。住職は不在であったが、留守番の方に『人間五岳』という本をいただき、再訪を約して辞した。帰途は久大線で帰り、荒氏を有明海の魚料理を食べさせてくれる店にお招きした。

六月五日（月）、『朝日新聞』筑後版に「漱石とその友」という随筆を書いた。漱石の親友・菅虎雄が地元の久留米ではほとんど知られず、わずかに漱石研究家や一高関係者にのみ伝説的に伝えられただけなので、顕彰する意味もあって筆を執ってみたのであった。

六月七日（水）、熊本大学法文学部国文学科の助教授金原理氏の御世話で第五高等学校関係記録を閲覧させていただくことになった。かねて、一八九七（明治三〇）年一〇月一〇日、五高開校記念日に教員総代として漱石が「祝辞」を読んでいるが、その「祝辞」が現在熊本大学に保管されており、自筆であるか、代筆であるかが問題になっていた。一九七七（昭和五二）年一〇月一〇日、熊本大学体質医学研究所鹿子木敏範教授（気質学）が「夏目漱石の『祝辞』について」という論文を発表された。一八九七（明治三〇）年の漱石の「祝辞」は筆跡を照合した結果、五高教授黒本植（国語漢文）の代筆であることを考証された。私はこの論文を荒 正人氏より教示され、複写していただいた。その中に、前年一八九六（明治二九）年一〇月の開校記念日に読んだ菅 虎雄の「祝辞」が熊本大学に現存していることが書かれていた。私は九州大学国語国文学会総会のとき、熊本大学の金原理氏に五高資料閲覧斡旋の労をお願いしたところ、快くお引き受けいただいた。どうせ漱石関係資料は既に漱石研究者が調査しているだろうが、菅 虎雄のものは未調査に違いない。特に菅 虎雄の「祝辞」の筆跡と内容を調査して、漱石のものと比較検討してみたかった。漱石の「祝辞」は必ず前年の菅 虎雄のものを参考にして、執筆したはずである。菅 虎雄の書いた資料が不足しているので、ぜひ見たいと期待して熊本大学を訪ねたのであった。

まず金原氏にお会いし、法文学部長鎌田浩教授に紹介していただき、閲覧の許可を受け、庶務係長安藤千尋氏から懇切丁寧なる便宜をはかってもらった。倉庫の中は五高開校以来の貴重書類がきちんと綴じられて整理されている。ただし年代順に整理されていないので、漱石在任中のものだけを抽出して閲覧し、関係部分のみ写真撮影したり、複写をとったり、筆写したりするのにかなり時間がかかった。その中で一八九七（明治三〇）年一一月八日から一一日までの「佐賀福岡尋常中学校参観報告書」（漱石自筆）を発見したときは興奮で胸の動悸が止まらなかった。というのは、一八九七（明治三〇）年一〇月二九日、漱石が五高校長中川元から「学術研究ノ為メ福岡佐賀両県下へ出張ヲ命ズ」という辞令を受けていることは、既に小宮豊隆の『夏目漱石』（岩波書店）によって広く知られていた。しかし漱石がこのとき、佐賀・福岡両県尋常中学校英語授業視察であることはわかっていたが、いつ、どこの中学校の、だれの英語授業を、どう感じどう批評しつつ視察したか全くわからなかった。一八九七（明治三〇）年といえば、福岡県には修猷館、明善校、伝習館、豊津中学の四校、佐賀県には佐賀中学の一校しか、中学校はなかった。私は明善高校在任当時、この点に着目し、漱石は明善校を視察したはずであるから、一八九七（明治三〇）年の明善校資料を調査しようとしたが、一九三九（昭和一四）年七月五日の火災で一切の資料は灰燼に帰し、漱石来訪の資料を見出だすことはできなかった。昨年三月の本校『巨瀬』第二一号の拙稿にも私は「漱石が五高教授時代、一八九七（明治三〇）年一〇月、福岡・佐賀両県に出張し、主な中学校の英語授業を視察しているがその中に中学明善校もあったと推測され、明善高校で調べたが、当時の資料は一切ない。」と書いた。しかし、半歳後、この事実を証明する直接資料が発掘できたことは全く夢のようであった。私にとっては、埼玉の稲荷山古墳の刀剣の文字や、太安万侶の墓誌に匹敵する発見であった。私は裏付けの傍証をとるため、さらに資料を渉猟した。その結果、漱石と同行した同僚は従来英語の山川信次郎教授と思われていたが、これは誤りで国語漢文の武藤虎太教授であることが判明した。複写したコピーは厚さ五センチを越えた。一八九八（明治三一）年一二月一〇日より一三日まで五高内において行われた第五地方部高等学校及び尋常中学校協議会の「議事録」の中に、漱石の五高入試英語成績の概況報告があることも発見した。これによって従来「中学改良策」（一八九二〈明治二五〉年一二月）と「語学養成法」（一九一一〈明治四四〉年一月）でしかわからなかった漱石の英語教育観が、かなり鮮明な形で浮き彫りになって来た。

熊本大学にはその後、六月一五日（木）再び年休をとって調査に行った。朝一〇時から午後五時まで、森閑とした倉庫の中でただ一人、古いほこりにまみれた資料を一枚一枚めくっては文字を解読して行く。夏目金之助の文字、菅 虎雄の文字があれば写真に撮影し、コピーをとった。漱石研究に関連のある事項もコピーをとる。時々、庶務係の方が「お暑いのに大変ですね。」と冷い麦茶を差し入れてくれた。汗をふき感謝して、のどを潤した。夏休みに入ってからも、七月三一日（月）と八月七日（月）の二度、熊本大学に足を運んだ。

一方、佐賀西高校に問い合わせたところ、校長の花島広次氏より漱石が授業視察した「平山」という教師の履歴書が現存し、その複写を送っていただいた。これによって「佐賀福岡尋常中学校参観報告書」の信憑性が確認されたこととなった。続いて同校教諭池田史郎氏より一八九七（明治三〇）年一一月一〇日付『佐賀自由新聞』（現在の『佐賀新聞』）「・二教授の出発　来栄中の熊本第五高等中学校教授武藤虎太同夏月金之助の二氏は一昨日当地を出発せり」の複写をいただいた。「夏月」は「夏目」の誤植、「来栄中」の「栄」は「栄（さかえ）」から佐賀の意味である。

七月二一日（金）には伝習館高校に行き、浮羽高校旧職員でもある龍悦子氏（国語科）の紹介で、伝習館旧職員履歴書を調査し、「玉真氏」の正体が玉真岩雄であること、「同志社卒業生」が加藤延年であること、「農学士某氏」が水野喜太郎であることを突き止めることができた。

七月二六日（水）には修猷館高校に行き、図書館で校友会雑誌、同窓会雑誌を調査し、「平山氏」「鐸木氏」「小田氏」の正体を明らかにすることができた。その間、国士館大学の吉村駿夫氏からも明善校の松下丈吉、稲津雅通に関する情報を教示され、大変参考になった。

八月一三日（日）、この年三回目の上京の途についた。またまた荒 正人氏のお世話になり、研究室を利用させていただいた。国会図書館に連日通いつめた。一九日（土）より福岡県高等学校国漢部会の「おくのほそ道研修旅行」に参加、上野駅に午前一〇時集合、東北の旅についた。この旅のことは漱石と直接関係ないので、ここでは触れない。二四日（木）に東京へ帰り、荒氏宅に二泊、二六日（土）に久留米に帰着、一四日間の旅を終えた。

「佐賀福岡尋常中学校参観報告書」の調査はほぼ終了したので、東京から帰って以後、執筆にとりかかった。一日原稿用紙五枚のペースを目標としたが、結局、百二〇枚書くのに九月末日までかかった。しかし、最初、九州大学国語国文学会機関誌『語文研究』第四六号に発表のつもりであったが、量が長すぎること、次号は大学院生中心の若い研究者特集になること、発行が遅くなることなどで『語文研究』への発表を見合わせた。

一〇月二日（月）、学校から帰宅してみると、部厚い手紙が来ていた。神多川県藤沢市の井口鉄介という未知の人からの書状である。不審に思って開封すると、藤沢駅前の「井筒」という喫茶店を経営している四二歳の漱石愛好家からのもので綿々一二枚の便箋にびっしり東慶寺住職井上禅定老師から私のことを紹介されたこと、今「漱石と碁」について研究していることなどが綴られていた。興味を覚えたのは「虞美人草」の宗近一は菅 虎雄がモデルと以前からいわれていたが、井口氏は、これは漱石が借金返済のため菅 虎雄に「送金」していたので「そうきん」↓「宗近」と名づけたのだという面白い説を立てられていた。

さて、この漱石自筆資料のことを九大の後輩の山田高校教諭の石田忠彦（後に鹿児島大学教授）氏に話すと、同氏は西日本新聞社文化部長坂井孝之氏に紹介しましょうということで、一〇月四日（水）、西日本新聞社久留米総局の安元記者が取材に見えた。そして、一〇月六日（金）付朝刊に「漱石先生　修猷館ほめる」「明善・伝習館・佐賀中も参観　自筆報告書見つかる」という六段見出しの写真入りで、恥ずかしいぐらいでかでかと報道された。一方、毎日新聞社久留米支局には大牟田南高校の教え子小柳進君が記者をしているので、西日本、朝日がニュースをキャッチしているのに、教え子のいる毎日に知らせない法はないというわけで、一〇月五日（木）電話すると、直ちに浮羽高校に取材に来てくれた。『毎日新聞』の方は一〇月六日（金）夕刊に「漱石英語教育チクリ」「福岡、佐賀、中学参観報告書　高校教諭が発見」「読訳主義でなく発音法の重視を」という五段見出しで、これまた大々的に写真入りで報道された。この夜は一晩中電話は鳴りっぱなしで、知人、友人、教え子から祝福と激励のことばをもらった。『朝日新聞』学芸部からは九月末に原稿執筆を依頼されており、遅れて一一月四日（土）付夕刊「文化」に署名原稿で「熊本時代の漱石の新資料」「中学校授業参観と英語教育観」と題して発表した。

一〇月一六日（月）、熊本大学体質医学研究所教授鹿子木敏範氏から、「菅 虎雄の『祝辞』が今自分の手元に借用してあるので、見においでになりますか。」というお電話をいただいた。一九日(木)に行くことにし、例の漱石の「祝辞」の話、黒本植教授の話など伺い、菅 虎雄の「祝辞」を見た。おかげで、漱石は確かに菅のものを参考にしているという確信を持つことができた。晩年の菅 虎雄の書は随分たくさん見たが、三〇歳ごろのものは初めてである。晩年の六朝風の枯れた書体に比較すると、やはり幼い。

一一月五日(日)、RKK熊本放送局より電話があり、「今度、発見された漱石新資料についてラジオでお話していただけませんでしょうか。」とのことであった。一一月一八日(土)に「第二一回日本病跡学懇話会」の全国大会が熊本市民会館で行われ、鹿子木教授が「漱石の周辺――外人教師「不敬」事件――」と題して研究を発表されるので、私も参加するつもりでいた。「では、一八日に熊本に行きますので、その日に出演しましょう。」ということに約束した。「モーニング・ダイヤル」の「おはようお茶の間」というラジオ番組で、午前九時五〇分から一〇時五分までの一五分間、松永さんという女性と江越アナと私との三人の談話で、二人が質問し、私が答える形式である。未公開の漱石の新資料発見のきっかけとか、熊本における漱石のエピソードとか、菅虎雄と漱石の交友について話した一五分間はあっという間に過ぎた。

ラジオ出演が終わってすぐ「日本病跡学懇話会」に参加した。実はこの全国大会の世話人が鹿子木教授であり、一〇月一九日(木)、同氏とお会いしたとき、お誘いを受けていたのであるが、その「日本病跡学懇話会」のことを荒 正人氏にお話しすると、荒氏はぜひその大会に出席したいとおっしゃったので、鹿子木氏に申し上げると、同氏はそれでは荒氏に特別講演をお願いしたいということになった。それで一一月一八日に荒 正人氏は熊本に西下され、鹿児島で漱石周辺の鹿児島県人を精力的に調査研究されている白坂数男（画茶）氏もお見えになり、三人で「草枕」で有名な小天温泉の那古井館、漱石館、鏡ケ池に行き、峠の茶屋を見に行った。荒氏も何度か行かれたそうだし、私も三度目であった。その夜、荒 正人氏は私の家に泊まっていただいた。

翌一九日、荒氏を石橋美術館、市民図書館に御案内し、菅 虎雄の姪に当たる小城育子氏の娘婿・石野光一氏宅を一緒に訪ねた。小城育子氏とは菅 虎雄三十三回忌法要のとき、梅林寺でお会いしたことがあるので、二回目である。『西日本新聞』に私のニュース記事が掲載されたその夜、石野夫人からお電話があり、自分の母は菅 虎雄の姪であるとおっしゃったので、よく聞いてみると、かつてお会いした小城育子氏だったわけだ。荒 正人氏と石野氏宅に入ると、大変な歓迎ぶりで、小城氏の弟の一冨丈夫氏もおいでになっておられる。一冨氏とはもう四回もお会いし、いろいろ菅 虎雄の話を聞かせていただいた。菅 虎雄の書簡を持参されていたので、写真撮影させてもらった。この夜は、荒氏の帰りの汽車の発車時刻まで歓待を受け、すっかり御馳走になってしまった。荒氏は御機嫌よく次の宿泊地岡山（漱石の恋愛の対象は大塚楠緒子であるという説で有名な岡山大学教授小坂晋氏を訪問）に向かわれた。

一一月一一日(土)付『朝日新聞』夕刊に詩人野田宇太郎氏（東京都町田市在住）が「久留米の墓詣で」という日記風の随想を書かれていた。久留米梅林寺の菅 虎雄の墓に詣でたときの印象を回顧的に敬慕の念をこめてなつかしく描いていた。私は野田氏が以前から菅 虎雄のことに興味をもっておられることを知っていた。そして熊本で荒 正人氏にお会いしたとき、「あなたのことを野田宇太郎氏に知らせておきましたよ。」とおっしゃっていただいたので、私は今までに書いて発表した菅 虎雄関係研究論文を野田氏に送った。野田氏は大層お喜びになり、丁重なる御礼と共にいろいろ懇切なる示唆をいただいた。野田宇太郎氏が尾崎一雄（昭和五三年度文化勲章受章者）・井上友一郎・荒垣秀雄・古谷綱正・扇谷正造・中西悟堂・村松喬諸氏らと出している同人雑誌『連峰』昭和五四年一月号が送られた。この雑誌に野田宇太郎氏は「聯談㈢ 菅 虎雄のこと」という随筆を書かれ、そこで「その中でもっともわたくしをよろこばせたのは、福岡県の浮羽高校教諭で久留米に住む原武 哲氏から、思ひもかけぬ沢山の菅 虎雄研究論文を送ってもらつたことであった。原武氏のやうな篤学の士によって、やがて菅 虎雄の生涯が明るみに出る日も近いと思はれる。」と面映ゆいことばが綴られていた。

一二月九日（土）、漱石忌の日の朝（午前七時二〇分より一五分間）、NHK総合テレビ「ぶらり散歩」（九州管内）で夏目漱石の熊本時代のことが取り上げられたそうである。そこで熊本女子大学の木村一信講師（私は面識はない）が私の発見した漱石新資料「佐賀福岡尋常中学校参観報告書」のことについて言及していたそうであるが、残念ながら視聴することができなかった。

一二月二〇日（水）、荒 正人氏の御紹介により私の「漱石新資料 熊本時代漱石の『佐賀福岡尋常中学校参観報告書』」を掲威した学燈社の『国文学』昭和五四年一月号が発売になった。初めて公開された漱石自身の「報告」を原文通りに翻刻し、解説を付して二九枚にまとめたものである。学燈社『国文学』では新資料紹介は一五枚以内であるが、異例の長さで掲載してくれ、表紙にも標題を掲げてくれた。

明けて一九七九（昭和五四）年一月二〇日（土）、学燈社『国文学』二月号に「新資料　五高時代の漱石――五高入試英語成績の概況報告――」という論文を発表、発売になった。この資料もまた熊本大学法文学部保管の五高関係記録の中から発見したものである。この論文を書くため、英語教育法のにわか勉強を一所懸命した。

漱石研究者は国文学者より英文学者の方が多いし、幅の広さは国文学者よりずっと広汎な研究者が多いようだ。それから考えると、漱石文学の多様性と深さがつくづくと思い知らされる。私ごとき国文学の片隅をそっと素通りしただけの者にとっては、漱石文学は実に重たい。背負いきれないほどの重量感に圧迫されそうな怖じ気を感ずる。いま漱石と菅 虎雄との交わりの晩年六年間を執筆するところまでこぎつけた。第一段階の峠は越した。峠から下るのは楽である。私は峠の上から第二段階の山と第三段階の山を遙かに展望している。雲海の涯にかすかに山巓《てん》が見えて来た。力を振りしぼってあの山を登ろうと思う。漱石の跡を求めず、漱石の求めたるところを求めつつ。

（「巨瀬《こせ》」第二二号　福岡県立浮羽高等学校校友会誌、一九七九年三月一日）

㉟「自著を語る」　遅れて走り出した漱石狂い

数校武者修行の末、一応進学校の母校「福岡県立明善高等学校」に勤務することができた私は、これで定年退職までこの居心地のいい母校で働くことができると、大満足であった。一旦入ると定年まで移動しないのが、この高校の暗黙のルールだった。しかし、勤評闘争、六〇年安保闘争、三池争議と時代は大きく動き、職場もぎすぎすと軋み出した。

鬱屈して満たされない私は、授業で漱石を扱った時、「夏目漱石年譜」に出て来る、松山中学や熊本の五高赴任を漱石に斡旋した久留米出身の友人菅　虎雄とは何者だろう、調べてみたいという欲求が台頭してきた。一九七二年一一月一三日、たまたま『朝日新聞』の「筑後版」に「遺墨集を霊前へ」「久留米　菅　虎雄氏の法要会」という二段見出しの小さな記事が目に入った。読んで見ると、久留米出身で、旧制一高の伝説的名物教授菅　虎雄の三十回忌法要会が久留米の梅林寺で挙行され、教え子三〇名余りが西下し、三十回忌記念『菅　虎雄先生遺墨法帖』を霊前に捧げた、と書かれていた。ただし、漱石との関係については、ただの一行も書かれていなかった。この記事を書いた記者は、菅　虎雄が漱石の親友であったことを知らないのであろうと推測した。

それから半年後、偶然、妻の勤務校の校長が梅林寺に参禅していると聞き、菅　虎雄三十回忌法要会のこと、遺墨法帖の話をすると、

「旧制一高教授の令息で、菅さんという方が毎年数回逗子からお見えになります。」ということであった。お伴をして梅林寺に行き、献呈された『菅 虎雄先生遺墨法帖』を見せてもらうと、「菅 虎雄年譜」が付されており、漱石研究では参考にされたことのない事実が連綿として記載されていた。

その後、菅 虎雄の四男高重氏と文通する機会を得て、菅 虎雄の閲歴、菅家の系譜などについて問い合わせたが、なかなか回答はなかった。一九七四年三月、突然菅高重氏から電話があり、「今梅林寺に来ていますので、至急お会いしたいと思います。ご都合はいかがですか。」ということであった。私は雀躍して梅林寺に行き、高重氏に初めてお会いした。菅 虎雄の遺墨や文献資料はそっくり高重氏が移譲され、菅家の系譜はほぼ明らかになった。

同年八月、上京して逗子に菅高重氏を訪ねた。虎雄の母貞の死去に対する哀悼の手紙は『漱石全集』（岩波書店）未収録の菅 虎雄宛漱石書簡であった。その時、私は初めて漱石の筆跡を眼のあたりにして、手を震わせた。百三〇円金子入り封筒を受け取ったという「夏目金之助」の署名の付いた証書もあった。漱石・狩野亨吉・呉秀三・藤代禎輔などの個人写真（本人の裏書あり）、誠意会・紀元会の集合写真（日付入り）、狩野亨吉・藤代禎輔・大塚保治などから来た書簡など未公開の資料が多数あった。私は興奮し、夢中で写真のシャッターを切り、コピーを撮った。

一九七四年は漱石伝記研究上、注目すべき著作が次々に出版された。第一に荒 正人氏の『漱石研究年表』（昭和四九年度毎日芸術賞受賞。集英社）を挙げなければならない。「年表」というよりもむしろ「日表」と言った方が当を得ているほど、綿密に一日一日単位で漱石の行動を徹底的に追跡したものであった。

第二に小坂晋氏の『漱石の愛と文学』（講談社）は漱石の恋の対象として、漱石・菅共通の友大塚保治の妻・楠緒子説を提唱し、鍵を握る重要人物として菅 虎雄を挙げた。後に、岡山では世話になり、菅関係の資料をいくつもいただいた。

第三に大久保純一郎氏の『漱石とその思想』（荒竹出版）は漱石を建築家志望から文学者に導いた奇才の哲学者・米山保三郎との交遊を捉え、菅 虎雄の存在を浮き彫りにした。金沢の自宅を訪ね、米山と菅との交遊について語り合ったのも懐かしい。

第四に青江舜二郎氏の『狩野亨吉の生涯』（明治書院）は六四七頁に及ぶ大著で、一高の名校長と謳われ、京都帝国大学文科大学初代学長となった狩野亨吉の日記・書簡・断片が東大教養学部で行李十二箱も発見され、これを資料として活用し、漱石との出会い、菅 虎雄との関係を明らかにしたものであった。

この四冊の研究書は私に多大の刺激と影響を与えた。一九七六年三月二〇日、予め私の書いた漱石・菅 虎雄関係論文を荒 正人氏に郵送し、上京の折に、電話を掛け御宅に参上したいと言うと、

「今すぐ来てください。」

と道順を指示された。これ以後上京の度毎に西荻窪の荒氏宅を訪ね、夜を徹して漱石を情熱的に語り合い、しばしば泊めていただいた。今でも私は荒 正人門下生であったと思っている。約束時間を一分でも遅れると、烈火のごとく癇癪玉を破裂させて怒る荒氏は、私の一時間遅延には寛

容で、

「原武さんは地方出だから、東京の交通事情をご存じないでしょう。仕方ないです。」

とおおらかに助手の冨田さんに言われたという。冨田さんは、

「先生は、原武さんの持って来られる漱石新情報を期待して待っておられます。」

と言われた。私は荒 正人氏を師と仰ぎ、小坂氏・大久保氏・長谷川泉氏・野田宇太郎氏・重松泰雄氏を優れた先達として親炙することになった。

一九七七年三月、突然浮羽高校に転勤になった。荒氏は、

「高校では、研究などする教師は疎外されます。進学指導に熱心な教師ほど良い先生なのです。原武さんは研究に熱心過ぎましたね。」

と冨田正子さんに言われたそうである。私は高校教師に見切りをつけ、遅蒔きの研究者を目指した時、既に四〇代半ばになっていた。

荒氏との訣別は突然やって来た。一九七九年六月九日、授業を終えて職員室に帰った時、冨田さんから荒氏の訃報を、遥かなる宇宙の涯の声のごとく聞いた。私はどうしても西荻窪の荒邸に最後のお別れに行かねば、一生後悔するだろうと思った。もう謦咳に接することはできないけれども、二度と到来しない永訣を逃すことはできない、生涯後悔しないためには、今すぐ上京しようと決心した。

まさか九州からお別れに飛んで来ようとは予想されなかったのであろう、奥様、長女のみどりさん、次女のこのみさん、冨田さんも驚かれた。師の亡骸の前に、死の床で最期まで手離さな

かった本が置かれていた。

「これが、先生が倒れられた時、ベッドの中で改訂の書き込みをされていたサインペンと『漱石研究年表』です。」

と冨田さんは、筆太の大きな読みにくい、滲んだ本を示された。

「ぜひ泊まって通夜をしてください。父も喜ぶでしょう。」

と、このみさんのお誘い否みがたく、泊めていただくことにした。氏の生前、上京の度に泊めていただいた二階の洋室のベッドに身を横たえたのは、氏の御舎弟の回想がそろそろ静かになった午前一時過ぎであった。そこはかとない慟哭が我が身を襲った。

翌日、御親族の方々と一緒に納棺式に列席し、アルコールをしませた脱脂綿で静謐を取り戻されたお顔を拭いて差し上げた。棺の中には、命を賭して追い求めた『漱石研究年表』一冊と死の床で握られていた青のサインペンが納められた。六月一一日、西荻の自宅で告別式がしめやかに執り行われ、棺は霊柩車に乗せられた。みどりさんの夫君植松氏のお誘いに従って火葬場まで同乗した。焼けたばかりの遺骨を骨壷に入れる時、人の世の儚さを象徴するかのような乾いた音がした。その夕べ、かけがえのない、貴重な宝物を失った傷心を抱いて、うなだれつつすごすごと九州に帰った。

嬉しかった思い出の最大のものは、『佐賀福岡尋常中学校参観報告書』の発見であった。どうせ熊本大学の五高資料を調査しても、漱石関係資料は、既に多くの研究者が調査済みであろうが、菅　虎雄資料は未調査に違いない。五高開校記念日で教員総代として漱石が読んだ「祝辞」は有名であるが、前年の菅 虎雄が読んだ「祝辞」を参考にしているはずである、と目星を付けた。一九七八年七月、菅の資料を探すため、五高資料の調査を申し出、比較文学の金原理氏の紹介で許可された。

一八九七（明治三〇）年一〇月二九日、五高教授夏目金之助が「学術研究ノ為メ福岡佐賀両県下へ出張ヲ命ズ」という辞令を受けていることは、既に小宮豊隆の『夏目漱石』（岩波書店）によって広く知られていた。しかし、漱石がいつ、どの中学校の、誰の英語授業を、どう感じ、どう批評して視察したか、全くわからなかった。明治三〇年と言えば、修猷館、明善校、伝習館、豊津中学の四校、佐賀県は佐賀中学の一校のみであった。私は明善高校在任中、この点に着目し、漱石は明善校の英語授業を視察したはずであるから、明治三〇年の明善校資料を調査しようとしたが、火災で烏有に帰し、漱石来訪時の「教務日誌」等資料を見付けることはできなかった。

熊本大学で『佐賀福岡尋常中学校参観報告書』を見付けた時の興奮は、今思い出すだけでも身震いする。視察した中学校は、佐賀中学・修猷館・明善校・伝習館の四校、月日も判明、参観した授業課目・学年・教科書・指導教師・生徒人員・教授法・生徒の傾向などが直筆で書かれていた。一時間一時間の綿密な記述、的確な講評は、漱石の英語教育に対する並々ならぬ意気込みが感じられた。今後漱石の英語教育観を考察する時は、欠かすことのできない第一級資料となった。その成果を荒 正人氏の紹介で『国文学　解釈と教材の研究』一九七九年一・二月号（学燈社）に発表することができ、背景をさらに詳細に調査し、拙著『夏目漱石と菅 虎雄――布衣禅情を楽しむ心友――』（教育出版センター）に収録することができた。今も『漱石全集』（岩波書店）の注解に引用されている。

一九七四年一一月から「夏目漱石と菅 虎雄」を福岡県高等学校国漢部会筑後地区部会の機関誌『ちくご』に八回にわたって連載した。従来、ほとんど顧みられることのなかった菅 虎雄について、菅高重氏、菅寿子氏などの遺族、教え子の貫達人氏・竹田復氏・前尾繁三郎氏・朱牟田夏雄氏など多くの方から取材することができた。赤坂見附の「一高同窓会」、神宮前の「五高倶楽部」では協力いただいた。日本近代文学会九州支部大会などで口頭発表したり、学会誌などに誌上発表したりして、批評・情報を受けて、充実させていった。初期に発表したものは、誤謬や不明の部分が多く、やがて誤りを正し、不明の空白部分を埋めて、改稿増補を続けた。九州大学名誉教授今井源衛先生のご紹介で、一九八三年一二月、教育出版センターから『夏目漱石と菅 虎雄——布衣禅情を楽しむ心友——』として刊行することができたのは、生涯忘れ得ぬ喜びであった。

五二歳で県立高校を退職、一九八五年四月、福岡女学院短期大学国文科に転進、おっかなびっくりで遅れて飛び出した研究者として、不格好な出発だった。やがて、同大学人間関係学部に移籍、二〇〇三年三月、停年退職した。同年一〇月、惰眠を貪った二〇年間の成果を問うにしては拙い著作『喪章を着けた千円札の漱石——伝記と考証——』(笠間書院)を上梓した。

これら著作の調査過程で、多くの漱石周辺人物の伝記考証に関わった。漱石や菅 虎雄と繋がる人々が、漱石の作品誕生に深く関わっていることに強く魅かれた。いつか漱石周辺人物の伝記や漱石作品との影響関係を事典として纏めようと思い、資料を収集した。二〇〇二年四月〜〇四年一二月（不定期）、「夏目漱石をめぐる人々」一九八五〇回を『毎日新聞』「筑後版」に連載発表した。自分の余命を考えると、「日暮れて途遠《みち》し」の慨嘆が我が身を責める。出版社を決め、刊行予定日が設定されると、一日でも早く原稿を書き上げなければ、四〇年間収集した資料が立ち腐れになってしまう。単著のつもりであったが、私一人では寿命の方が足りない。遂に知人の研究者に協同執筆者としてお願いした。何としても二〇一四年一二月九日（漱石忌）には出版に漕ぎ付けたいと思っている。

二〇一〇年一〇月、友人知己からぜひ漱石の心の友菅 虎雄を世に知らしめなければならないという声が揚がり、遅きに失した憾みはあるが、駑馬に鞭打って菅の故郷久留米で「菅 虎雄先生顕彰会」を設立した。事業計画として、①久留米旧藩主有馬家と菅家の菩提寺・臨済宗妙心寺派梅林寺の外苑に「梅林寺　碧巌を提唱す山《や》内《ま》の夜ぞ長き」（漱石直筆）の漱石句碑・「菅 虎雄先生顕彰碑」の建立（二〇一三年一〇月）、②『菅 虎雄先生生誕百五十年記念文集』の刊行（二〇一四年一〇月）を目指している。多くの方々のご支援をお願いしたい。

（『総合文化雑誌　ＫＵＭＡＭＯＴＯ』創刊号、ＮＰＯ法人くまもと文化振興会、二〇一二年一二月一五日）

第五章　作品と教育

㊱実践文学講座　講演「夏目漱石をどう読むか」――『夢十夜』を題材として――

期日　二〇〇三年八月二七日
場所　福岡県青少年科学館

（司会　平城）それでは、お待たせしました。まず、開会の言葉を『文叢ちくご』の編集委員長の宮原先生にお願いしたいと思います。

（宮原）こんにちは。どうもお忙しい中、時間をとっていただきましてありがとうございます。本日は実践文学講座を文叢委員会で計画しました。文叢委員会では例年この時期に座談会を実施しておりましたけれども、それを今年は講演会にかえまして、そのテープを書き起こしたものを文叢に載せることで多くの先生方の参考にしていただきたいと思い、こういう講座を持つことにいたしました。大先輩の原武先生をお迎えして「夏目漱石をどう読むか」ということをテーマにお話ししていただきます。今日のお話を楽しみにしておりました。ただいまより実践文学講座を始めたいと思います。よろしくお願いいたします。

（司会）続きまして、会長挨拶および講師の紹介を野田会長にお願いいたします。

（野田）皆様こんにちは。今日は足下の悪い中お集まり下さいましてどうもありがとうございます。

さきほど編集委員長の宮原先生からも話があったんですが、例年は座談会を行い、それを『文叢ちくご』に載せていたんですが、筑後地区の国語部会は数年前から若手に向けての実践講座として香道・茶道・能などの実践と講話を夏休みに行っていました。ここ何年かはいろんな先生方が忙しくてできなかったものですから、今年は、実際に授業に生かせるような夏目漱石に関する講演をしていただこうと思って原武先生にお願いしたところです。今日、私も楽しみにしておりますのでよろしくお願いしたいと思います。それから、原武 哲先生は、以前、浮羽高校に勤めていらっしゃいまして、その時に国漢部会の会長をしていらっしゃいました。その時に『夏目漱石と菅 虎雄』(教育出版センター)という本を上梓なさいまして、退職後、福岡女学院短大の方に教授として迎えられ、その後福岡女学院大学の方に行かれて、今年の三月ご退職なさっていらっしゃいます。先生は、夏目漱石関係の研究をなさってまして、今年の一〇月にも『喪章を着けた千円札の漱石』という題で本を笠間書院から出されます。また現在、『毎日新聞』朝刊(筑後版)に月二回ですけれども「夏目漱石をめぐる人々」を連載なさっていますし、その他「はがき随筆」の選者もなさっていまして、非常にお忙しい毎日を送ってらっしゃるようです。それから、昨年ニュースになりましたが、私財を投じて、中国の吉林省徳恵市の荒れた小学校を新改築されました。「原武 哲希望小学校」という小学校で、それをつくられた以後も寄付金とか、鉛筆やノートなどを集めては寄付をなさっているそうです。機会がありましたら寄付などしたいと思いますので、よろしくお願いします。まとまりませんが原武先生の紹介を終わらせていただきます。今日はほんとうによろしくお願いいたします。

（司会）それでは原武先生よろしくお願いします。

（講師　原武 哲先生）ただいま、野田先生からご紹介いただきましたように、私、一八年前まで高校教師をやっておりました。最初は、門司南高校におりまして、それから、大牟田南高校、明善高校、そして浮羽高校が最後で、一九八五年三月に退職いたしまして、福岡女学院短期大学国文科にまいりました。ですから、高校の現場を離れて一九年目になります。浮羽高校時代に、部会の会長を五年間やらせていただきました。そのころ、野田先生はまだ、新進気鋭の先生で、いろいろ部会の方にご協力いただいたのですが、その先生が会長になられる年配になられたということで、感無量でございます。もうちょっと言いますと、私が高校教師になった頃は、ご存じのように国漢部会と言っておりました。国語、漢文の部会ということでして、恐らく、この名称は全国でも福岡県だけだったと思います。しかも会長は、県の会長も現場の教諭がなっておりました。その後いろいろないきさつがありまして、私が会長を退いた後に国語部会となり、県の会長も校長がなるというように時代も変わってきました。私も今言いましたように、高校現場をはなれて一九年になりますし、高校現場がどう変わったか、教科書もどう変わったか、甚だ疎いもので、本気でそれを調査しようと言う意欲もありませんので、一九年以前の感覚で話すことが多かろうと思います。で、頓珍漢なことも言うかもしれませんけれども、そこはご指摘いただきまして私も勉強させていただきたいと思います。

福岡女学院短期大学から、今度は福岡女学院大学の人間関係学部に、ご承知のように今は国文科は冬の時代と言っていいくらいで、これは全国的な傾向で、日本文学科とか国文学科は存在意義がないというのか、改組されるたびに名称が消えています。それはご承知のとおりだろうと思います。国際文化とか比較文化とか、そういう名称に変わって非常になげかわしいと私たちは思っているのですが、これも時代の流れといいますか、若い高校生の、日本文学を本気で勉強してみようという若者がだんだん減っている、文学そのものが衰弱しているという感じがいたします。国立でさえそうですから、ましてや私立、あるいは短期大学はいっぺんでふっとんでしまうわけです。そういうことで私の学院も結局はリストラにあいまして新しい学部を立ち上げようということで「人間関係学部」という得体の知れない学部を作りました。学生にうけるような名前をつけなければいけない、なかなかネーミングはむずかしいですね、お客さんにアピールするような名称をつける、ということで「人間関係学部」という学部を作りました。そこでは、何が一番メインになるかというと今は心理学ですね。心の悩み、人間関係に苦労しているから人間関係学部にきましたという生徒がいるが、例えば自分は不登校を体験し心に病を持った人の悩みがよく分かるから臨床心理士になりたいという、そんな人がほんとうになれるかどうかわかりませんけれども、そういうところに経営者はどうしても迎合するわけですね。そういう心理学がやたら増え、心理学の先生がひっぱりだこです。そして文学をやっているものは窓際族になってしまいました。みんな、心理、心理と言いながら、本当に心の悩みを持った大学生が増えているという、皮肉な現象です。そこで私としましては、今文学がたいへん衰弱していると言いました。純文学の本が売れない、国文学科がつぶされているとか、すくなくとも、文学の中で、自国の文学ですね。日本で言うと国文学を独立して研究する場所がなくなっていいものだろうかと危惧している。本当に文学というのはわれわれの生活の中にもういらないものになっているのかということを考えるわけです。決してそういうことはない。やっぱり大事なものだと言うことを私は痛感しています。また、これは終わりのところで申し上げたいと思いますが、自国語の文学の灯りを絶対消してはいけないということを強く思います。

配付資料

夏目漱石をどう読むか

――「夢十夜」を題材にして――

1、はじめに

高等学校国語教育における夏目漱石　高等学校国語教科書の「夢十夜」

多様なる読み　権威による正解万能主義　読者論　作者の死

2、第一夜

瓜実顔

真白な頬　赤い（唇）　真黒な眸　赤い日　真白な百合

真珠貝　星の欠片《かけ》　墓標《はかじるし》　東から西へ　唐紅の天道

百年待つてゐて下さい

3、第四夜

爺さん　自分（子供）

臍《へそ》の奥　浅黄（股引、袖無し、手拭）　蛇になる　真直《まっすぐ》

4、第六夜

運慶　護国寺　仁王

赤松　青空　松の緑　朱塗の門

眉や鼻が木の中に埋ってゐるのを、鑿と槌の力で掘り出す迄だ。

明治の木には到底仁王は埋ってゐない。

5、第七夜

黒い煙　蒼い波　蘇枋《すおう》の色　紫　真白に（泡）　紫（波）

黒い（水の偽、波）

焼火箸の様な太陽　西へ行く日の、果は東か。

心細い　悲しい　詰まらない

思い切って海の中へ飛び込んだ――急に命が惜くなった。

何処へ行くんだか判らない船でも、矢っ張り乗って居る方がよかった。

無限の後悔と恐怖

6、おわりに

差異化　相対化　自己化　文学作品からカルチャー・テクストへ

文学の死からの復活　言語はコミュニケーションだけか　言語の芸術
国語と日本語　高校国語教育の中の夏目漱石

そこで夏目漱石にはいっていくわけですけれども、まず中学校の教科書の中から鷗外・漱石の作品が消えたと、新聞にのっていました。私はそれを調査したわけではありませんから、本当に消えてるかどうか知りませんが、おそらく皆無とは言わないが、極端に減ったか、全然なくなった教科書が多くなったのだと思いますが、これは高等学校にも響いてくるわけで、高等学校で夏目漱石がどのように教えられているか、心配になってきます。

高等学校の国語教育の中で漱石がどのようにあつかわれているか、これは都留文科大の関口安義先生が、戦前から今日までの調査をしておられましたが、戦前では一番漱石の作品でとりあげられているのは、『草枕』とか『坊っちゃん』とか『吾輩は猫である』という作品が圧倒的に多い。『草枕』では、例の「峠の茶屋」がとりあげられている「おいと声を掛けたが返事がない。」という場面がとりあげられていました。戦後の教科書は、我々が習った時代、(昭和二〇年代初期)は「峠の茶屋」は出ておりませんが、『草枕』とか『三四郎』などが出ていたと記憶しております。私が高校教師になった頃（一九五〇年代後半）はやはり『こころ』が一番多いようでした。それから『三四郎』『それから』など教えた記憶があります。あとは評論、『現代日本の開化』『硝子戸の中』とか、評論・随筆類が多いような気がします。小説では圧倒的に『こころ』が多く教科書に採用されていたと思います。

本日やろうと思っています『夢十夜』は戦前、終戦前は全く無視された作品です。それは、小宮豊隆が認めなかった。漱石の評価のまず第一人者は小宮だったわけです。岩波の『漱石全集』それから解説を集めたのが『漱石の芸術』という本ですが、この中の評価が最初のものであった。ここで認められなければ一般にはあまりとりあげられないことが多かった、そういう中で『夢十夜』はほとんど研究されていない、と言っていいでしょう。感想文程度があったぐらいで全く無視されておりました。私が高校教師をやめた一九八〇年代半ばごろにちょこちょこ『夢十夜』が現れて来出したぐらいです。最近はどうか、くわしくは調査していませんが、比較的『こころ』とか『夢十夜』が取り上げられているそうです。

『夢十夜』を全部読むということはないでしょうから、その中で最も取り上げられているのがどうやら第一夜、第四夜、第六夜、第七夜、この四つが比較的取り上げられているというお話を聞きました。本日はこの『夢十夜』の一、四、六、七、という四編について考えて行きたいと思っております。最近はますますこの『夢十夜』の研究が進んでおりまして、夏目漱石の深層心理を知るためにはどうしてもこの『夢十夜』は欠かせないというような傾向が強くなっています。その『夢十夜』の評価の最初は伊藤整です。伊藤整が戦後、昭和二三年頃に「人間存在の原罪的不安」を表現していると論じました。そしてその後に荒 正人がフロイト流精神分析学を使って、エディプスコンプレックスつまり父親殺しというものを使って、特に第三夜の青坊主の子どもを背負っていく場面にこの方法を使いまして非常に脚光を浴びました。このお話は皆さん御承知とは思いますけれども、ギリシャ神話に出てくるエディプス、あるいはオイディプスともいいますけれども、テーベの王であるライオスとイオカステの子どもとして生まれたエディプスが結局父親を殺し母親と結婚するという神話からフロイトがエディプスコップレックスということを言い始めて、そのモチーフをこの『夢十夜』の第三夜に使ったわけですね。

第三夜は、盲目の青坊主の六歳の子どもを背中に背負って、ずっと道を行く。そのうちにその子どもがだんだん親のように、たった六歳の子どもが親に予言したり、命令をする。「田圃へかかったね」と言うから、「どうして解る」と聞くと「だって鷺が鳴くじゃないか。」と答えます。こんどは「左が好いだろう」と命令をするんですね。そして最後に杉の根方で「御前がおれを殺したのは、今から丁度百年前だね。」という話が出てきてますね。で、これが父親殺しのモチーフだと荒　正人さんはいうのです。この人間の原罪的な不安ということを伊藤整が言って、荒　正人もフロイト流精神分析学を用いてそういうことを言いました。その当時昭和二〇年代頃はフロイトの精神分析学というのは大変文学に用いられまして、私もちょうど大学時代にドイツ文学の高橋義孝先生（当時、九州大学助教授。東京からジェット機で通勤されることで有名）がおられて、高橋先生の講義を、私はドイツ語はあまり上手じゃありませんけれども、欠かさず聞いておりました。大変面白かったという覚えがあります。私も、フロイト派の精神分析にちょっとかぶれた時代がありました。そういうことで『夢十夜』が脚光を浴び、今日もその状態は続いておるわけですけれども、もちろんフロイト流の文学研究方法が万能ではないということは今日では当然のことであります。じゃあ今日はテクスト論が大変評判になって、小森陽一（東京大学教授）とか石原千秋（早稲田大学）達の方法というのは大変もてはやされていますけれども、これもまた、今ちょっと行き詰まり状態であります。ですから、これで万能だという方法はまずない。フロイトも使わなきゃならないし、デリダも使わなきゃいけないし、ロラン・バルトのやり方も用いざるを得ないわけですね。で、『夢十夜』は非常に評価が難しい。つまり、多様な読みができる。それはやはりまず、夢を題材に取り扱っているというところで夢のような話になってしまうんですけれども、まあ、我々は夢というとまず、睡眠中に見るあの夢。そして「私の夢は映画スターになることです」という時のような、自分の理想とか希望とかそんなものにも夢という言葉を使います。あるいは、「夢のようなたわいのないことを」夢幻というふうに、荒唐無稽なことも夢なんですけれども、いろいろプラス評価される面もあればマイナス評価されることもある。そしてそれが全く根拠がないと言われることもあるし、あるいは実は夢というのは重大なものをその中に秘めているというような、精神分析学の人たちフロイトなどは抑圧された願望として夢判断、夢分析もなされています。

『夢十夜』の場合、あれは漱石が見た夢を書いてるんだという考えの人と、いや必ずしもそうではない、漱石が考えたフィクションであるという人とがいて、それは、僕は漱石が見た夢であっても漱石が考え出したものであってもいっこう、構わないんで、そんなことを議論することはあんまり意味がないと私自身は思っております。だから、漱石が見た夢もその中にあるでしょうし、あるいは空想したこともあるでしょうし、まあ、フィクションですからね、そういうことをイメージして描いているんだろうと思います。で、まず、夏目漱石という作者が、「自分」という語り手、あそこでは「わたくし」という言葉に相当するのが「自分」ですけれども、主人公でもある「自分」に語らせます。そしてその「自分」が一晩にひとつ夢を見る。それが、第一夜、第二夜というふうに一〇日間の夜の夢がそこに描かれています。で、一〇という数字に一応区切りをつけて十夜にしているわけですけれども、まあ、一〇そろえるためにはどうしても数合わせも必要で、その中には非常に重要な意味を持っている夢もあるでしょうし、たいしたことないと思われる、数合わせのための夢もあるかもしれません。そこで、一〇の夢の中で四つを選んで、高等学校の教科書にでておるわけですけれども、私はこの四つの選び方が適切であるかどうかというと、ちょっと疑問に思うものもあります。第四夜なんかは、一〇のうち四つを選ぶ時に選ばれるほどの意味があるだろうかという気がしています。それともうひとつは、だいたい漱石を教えるために『夢十夜』であるべきかという疑問も僕は持っております。文学研究のためには、あるいは作家研究のためには非常に重要であっても、教材として、特に高等学校の教材として『夢十夜』がふさわしいかどうかということには僕はやっぱりちょっと疑問を持っております。もし、漱石を高等学校で教えるならば、むしろ僕は今は軽視されている『草枕』をもう一度復活させる必要があるんじゃないかと思っております。『草枕』は最近の教科書には出ておりません。戦前の教科書には非常に多く出ておりました。ところが最近はあまり出ない。むしろ『夢十夜』を教材として、まあ、文学研究のためには『夢十夜』は非常に重要だと僕は思うんですけれども、高校生は別に文学研究者になる人ばかりじゃありませんから、そんな『夢十夜』を教材に選ぶこと自身、疑問に感じております。しかし現実に『夢十夜』が教科書に出ておりますので、まあ、さしあたり、教科書によく出ているという一、四、六、七夜を今から検討していきたいと思います。

多様な読みということをそこに書きましたのは、『夢十夜』は他の作品以上に非常に評価が様々であるという点ですね。特に第一夜を考えますと、まず、第一夜はハッピーエンドなのか、それとも悲劇なのかということから話が分かれて来るんですね。それほど幅広い読みがなされる。で、幅広く読まれる、つまり評価が分かれる作品というのはだいたいいい作品が多いんですけれども、この『夢十夜』の中でも一番人々に関心を持たれるのがこの第一夜なんですね。これはもし高校生に『夢十夜』を教えるとしたらこの第一夜は落とすことができないと僕は思っております。ですから、これは『夢十夜』の中では特徴もあるし、高校生にとってもふさわしいじゃないかと思っております。それから、「権威による正解万能主義」ということを書きましたけれども、それは最近特にテレビのクイズ番組で、四択か五択の中から回答を、はじめはいろいろ解答者に当てさせて、そして司会者が正解はこれだという。そうするとみんなが喜んだりがっかりしたりします。僕は、あまりそういうやりかたを高校生が真似すると、教師の正解に導くための指導になってしまって、なぜそれが正解になるかという過程を抜き去って、ただ正解に誘導していくだけで、論理をネグレクトして、ただ四つの中のAが正解ですと言ってそれでおしまいとなっています。テレビのクイズ番組を見ていると、全然疑問にも思わずに正解を当てるか当てないかで一喜一憂している状態があって、どうも僕はあまり気に入らないわけです。特に夢の場合、正解はないですね。どういう読みも可能です。そういう違いを認め合う。これは終わりのところで「差異化」という言葉をいってますけれども、違いをそれぞれ確認し合う、認め合うことが必要であって、どれが正解だということはこの『夢十夜』を教える場合あまり意味がないというふうに考えます。それから「読者論」という言葉、「作者の死」ということ、これは別に私が言った言葉ではなくて、デリダやフーコーがテクスト論の中で言った、つまりテクストを忠実に読むことが一番大事なことであって、作者が何年何月に生まれて、家庭環境がこうで、学校はこういう学校に行って、友人はこういう友人がいて、どんな文学サークルに入って、何賞をもらってというようなことはあまり意味がないことになります。むしろそんなことは必要ないんで、テクストを読み込むということが一番大事なことだということです。そうなると、作者よりも読者の方が大事で読者がどう読み込むかということです。そういう点では高校生というのは先入観があまりありません。予備知識があまりありませんから、読者論的な立場から言えば高校生の読みというのは一番忠実な読者なんですね。だから読者論的な立場で言うと高校生の読みというのを非常に大事にする必要があろうかと思います。そうすると、特に我々文学研究をやっている者は背景をつぶさに調べあげていくやり方、それはそれでひとつの、僕なんかは特にそうなんですけれども、人よりもよけい自分自身を戒めなければいけないと思っているんです。伝記つまりその人の歩んだ過去についてつぶさに洗い出す、そういう作業をやるわけですね。あるいはその作品の舞台になった所とか、その時代背景を調べあげる。そして作品に至るというようなやり方を徹底的に批判したわけですね。そういう傾向（ロシア・フォルマリズム、ニュー・クリティシズムなど）は昔もありましたけれども、最近は特に読者ということでそれを徹底的に追究して新しい発見をやったのが小森陽一たちのやる『こころ』の解釈ですね。『こころ』の新しい解釈（「『こころ』を生成する『心臓《ハート》』」）については御承知の人も多いと思いますけれども、このことはもう十何年か前に国漢部会（一九八八年五月二三日、筑後地区高等学校国漢部会総会「漱石『こゝろ』研究の現段階と高校教育」）で久留米の中央公民館でお話したことがありますけれども、あの教科書に出て来る部分というのは大体先生とKが出てきて、それから下宿のお嬢さん、後に先生の奥さん「静」になった人ですね。この三角関係でこの物語が語られる。そういう読みはそれはそれなりの意味がありますけれども、本当はそんなことじゃないんだと。小森さんたちはむしろこの「私」という語り手「青年」を重視するわけですね。そうなってくると、青年「私」が奥さんとその後、あの「こころ」という手記を書いている時点においてはすでに、場合によっては結婚しているかも知れないと言っています。先生が自殺して亡くなった後ですよ。あの手紙の「遺書」が非常に長いです。全体の半分近くあります。単行本では上・中・下三巻に分けられました。下の部分は全部手紙（先生の遺書）で、その初めの上と中の部分であれを書いている「私」という青年はその時点では先生が死んでから数年経っているのです。物語が完了した後の立場で見ると先生が亡くなった後、私と奥さんはあるいは場合によっては子どももできているかもしれないという想定もしているわけですね。まあ、それは深読みだといって三好行雄さんたちは批判をしてますけれど、そこまで深読みすることは私もちょっと行き過ぎではないかと考えますが、そういう読みも可能であるということは言えると思います。そこでそういう新しいテクスト論、読者論という立場で見てみますと、それが万能ではありませんけれど、一応そういう方法も加味しながら見てみます。

『夢十夜』第一夜にいきますけれども、第一夜はここでは本文がプリントされておりますのでご覧下さい。「こんな夢を見た」ということで始まります。「こんな夢を見た」で始まるのが、初めの方に多いんですね。第一夜、第二夜もそうでしょう。どなたが言っておられたか忘れましたが、「こんな夢を見た」で始まる作品は大体夜が多いと言われますね。夢を見ている「自分」が、ある場合は少年になったり、ある場合は老人になったり、いろいろ変わりますけれども、第一夜の場合はおそらく若者でしょう。そしてそこに一人の女性が仰向けに寝ている、そして静かに「もう死にます」と言いますね。この女性はおそらく漱石の永遠の女性であろうと言われます。それは死んで百年後に会いに来るというのですけれども、会いに来た百年後、それでは本人がやってくるか、若い女性が会いに来るかというと、そうではなくて白い百合になってくるわけですね。はたしてその白い百合がその死んだ女性であるかということは何も証拠がないわけで、お墓から百合の花が出て、青い茎が伸びてきて、そして一輪の蕾が花びらを開く、真っ白な百合の花が咲きますね。そして「自分」の前で冷たい露が滴り、「自分」は白い花びらに接吻をする。その時暁の星がたった一つ瞬いた。それによって「自分」は「百年はもう来てゐたんだな」と初めて気がついた。この白い百合が一体何を指しているか。もちろんこの女が再生したというように多くの人はみるわけですね。だから「自分」は百年後にその女と再び相まみえることができて、ハッピーエンドだというふうに江藤淳たちは見ているのです。ところがよく見ると、何日も何日もお墓の側で女が会いに来るのを待っている、その時「自分」はだまされたのではないだろうかと疑いの念を持ちます。百年間も待つ、仮に「自分」は今恋をしていて、恋人が死んでいくのですから、二〇代半ばぐらいですか、女性も二〇歳ちょっとぐらいと仮定してそれから百年後というと百二五歳ぐらいになってしまう、そんなことは現実にはありえないことで、そんなことを詮索してもこれは意味のないことで、そういう夢のようなというか、実際夢の話ですからね。ここに白い百合となって会いに来るんです。この人は百合の花が咲いた時、百年来たと思わないんですね。そしてその百合に接吻をする。そして百年来たんだなあと思ったのは実は暁の星がたった一つ瞬いていた。それで初めて百年が来たということに気がついたのですね。そこが果たして百合の花が恋人の生まれ変わりなのかどうか、果たしてハッピーエンドかどうか、必ずしも素直にハッピーエンドとは言い切れない部分ではないかと思います。しかし、これを高校生に読ませると、おそらくこの百合が生まれ変わりだと素直に感じるだろうと思います。それはそれで僕はいいと思います。それが素直な読みの一つではあろうかと思います。特に『それから』と比較すると、瓜実《うりざね》顔の女ですから、これは『それから』の女主人公三千代と全く同じで、漱石は瓜実顔の女性が好きですね。他にもたとえば夏目鏡子が述べた『漱石の思ひ出』の中に漱石の初恋の女性として、漱石が鏡子に話した話の中に、トラホームを患って井上眼科に通院している時、若い女性がおばあさんを連れてやって来る、それが非常に好ましい感じのいい女性で、漱石があこがれた女性なんですけれども、その女性がやっぱり瓜実顔だと漱石が言っていますね。ですから瓜実顔の女性というのは漱石の最も愛する永遠の女性なんです。それは永遠の女性であるから、漱石の恋愛論と結びつけて、あれは兄嫁の登世《とせ》である、

大塚楠緒子
『夏目漱石—漱石山房の日々』群馬県立土屋文明記念文学館、2005年10月15日刊

登世がモデルであるとか、それから漱石の親友の大塚保治（東大教授。美学）の妻である大塚楠緒《くすお》(子をつけてもいいんです。正式の名前は楠緒)、という説があります。登世説は江藤淳ですね。楠緒説は小坂晋、岡山大学の先生だったんですが、亡くなられました。その他宮井一郎という人が芸者の娘だといって、名前はちょっとはっきりしないが黒目がちの女だ、と言うようなことを言っています。宮井さんももう亡くなられました。江藤淳も亡くなりました。みんな死んじゃったですね。そういう人達が漱石のあこがれの女性ということで、それがモデルではないかというふうにいわれております。あるいはそれはお母さんのちゑ（千枝）につながる――だいだい男性のあこがれの女性というのはお母さんとよく似ているということをよく言いますけれども、そういう点ではこういう人達も母ちゑ(千枝)とつながる女性です。大塚楠緒の場合は写真がありますから、顔を見ればだいたい瓜実顔に近いですが、その他の写真はあまり見たことがないですね。もちろん黒目がちの芸者の娘というのはどんな顔かわかりません。こういう女性達が生まれ変わる、『それから』の三千代という女性、これは漱石の中の女性としても魅力的な女性ですけれども、見かけは弱々しいように見えるけれども、なかなか芯が強い。代助がいよいよ自分の愛を告白する時に、自分の部屋を白い百合で囲む。その中で三千代に愛の告白をするわけです。あの『それから』という作品は僕も好きな作品ですけれども、それはやっぱり三千代の魅力ということと大いに関係あると思います。またあの頃（一九〇九（明治四二）年）は前年刑法が改正されて、姦通罪が非常に厳しくなります。三千代の行為は姦通罪の疑いをかけられる可能性があるわけですね。そういうことを意識しながら漱石は作品を書いたと思います。夫ある妻が他の男性と交わると姦通罪を問われる。もちろんあの小説の中では代助と三千代がそういう関係に至るということは書かれておりません。ですから現実に姦通罪で告訴されることはないでしょうが、そういう疑いをかけられる。その三千代に対してかつては代助が友情という美名のもとに自己犠牲を払って友に愛する人を譲るという行為、これは『こころ』と正反対ですね。『こころ』の場合は三角関係の中でKを出し抜いて「先生」がお嬢さんに求愛するわけですけれども、求愛というか下宿の奥さんに「お嬢さんを下さい」と抜け駆けでやるわけですが、『それから』の場合、最初は逆で友情という名のもとに義侠心を発揮して平岡に三千代を譲るわけですね。結婚後平岡は三千代を大事にしない。そしてその夫婦は冷え切ってしまう。それが過ちである、自然に反している、ということに気が付いて三千代に求愛をする。つまり愛を甦らせる。再生させるというところでこの百合が使われる。百合が『夢十夜』第一夜の場合もいったん死んだ愛する女性が百年後に百合となって現れるというのはなかなかロマンチックな、設定としてはおもしろい題材だろうと思います。これは高校生も非常に納得するのではないかと思います。

夢というのはだいたいカラーで見るか、モノクロで見るのか、僕もカラーの夢というのは見たことがあるのかないのか、それも判然としませんけれども、ここで見る夢は非常に色が出てますね。第一夜を見ただけでもちょっとそこに色を羅列しました。真っ白な頬、赤い唇、真っ黒なひとみ、それから太陽です。赤い日、それから真っ白な百合、こういう色が鮮やかに出ておりますね。たとえば黒というのはだいたい暗いということからマイナスイメージが強いですけど、ひとみとかあるいは髪ですね、黒髪とか黒いひとみとかいうのは必ずしもマイナスイメージではなくてプラスのイメージとして出てきます。それから赤というのもだいたいマイナスイメージが、まあこれも情熱を表したりする時は赤が使われるし、『それから』の中では赤というのが非常に印象的に使われています。最後の場面なんかは電車の中が真っ赤になっている。赤がしばしば出てきますけれど、この場合も『それから』はマイナスイメージとして出てくる。ここでは赤い唇というのは決してマイナスイメージではありません。白い頬に、赤い唇、黒いひとみ、そして最後に真っ白な百合、だから真っ白というのは、純白とか純潔とか穢れのないものを指す時に使われますが、特に聖母マリアのイメージが非常に強いと思いますね。そういうのが再生、再び生まれ変わるということに百合が使われている。これは例えばキリスト教の中でも白い百合は再生に使われるそうですね。キリスト教の辞典なんか見てもそういうことが書かれています。いずれにしてもこの第一夜はハッピーエンドなのか、あるいはとうとう会うことができなかったという桶谷秀昭みたいな解釈もないことはないけれども、どちらかというとやっぱり僕はハッピーエンドと断定はできないにしてもやっぱり白い百合で再会したというイメージで読んでいきたいと思っております。そこは高校生もそういう読みで抵抗感はなかろうと思います。

次に第四夜を見てみたいと思います。ここは爺さんが出てきますね。

「自分」という語り手、主人公は子どもなんですけれども、この爺さんがお酒を飲んでいる。別に香具師《やし》のような職業ではないみたいですけれど、子どもに手ぬぐいをねじってそれを輪のようにしてそれがやがて蛇になると言うんですね。こういう大道芸人はよく興味を引いて期待させながら最後には薬を売りつけたりして、最後は商売をすることが多いのですが、ここでは違うようです。ここで面白いのは「御爺さんの家は何処《どこ》かね」と聞くと「臍《へそ》の奥だよ」と言う。ここが面白いですね。我々が生まれた時はお母さんと臍の緒でつながっているわけですから、臍の奥というのは結局女性の胎内ということになる。だから爺さんは胎内からやってきたわけです。そして我々は母性回帰というか胎内回帰という願望を持っている。これは幼児返りとつながっていくわけです。そして「どこへ行くかね」と聞かれて「あっちへ行くよ」と言う。そして真直《まっすぐ》に行くと書いてある。この「真直」という言葉もここではひとつのキーワードとなっています。

そこでこの爺さんは何者かということになりますが、いろいろと言われていますが、漱石の養父、塩原昌之助がモデルではないかということもいわれています。漱石は塩原家に養子に行きますが、父と同じ町名主仲間、下町の小さな在の村長みたいな役目ですが、そこに養子に出されます。この塩原家の養父昌之助と養母やす夫婦は、昌之助に愛人ができて結局離婚をします。この愛人かつにはれんという連れ子がおりました。金之助は短期間一緒に暮らした時期もありまして、れんと仲良しになり、金之助の初恋の女性の一人としても数えられています。この昌之助は非常にけち、吝嗇家《りんしょくか》でありまして、金之助を養子にしたのは、自分の老後の生活の安定のためでした。幼い漱石はそれを見抜いているわけです。お父さんもお母さんも本気で自分を愛しているのではない、将来のためにかわいがっているのだと。養父母はおもちゃとかお菓子をふんだんに与えてかなり贅沢させています。そういう点ではいいのですが、必ずそれを恩着せがましくやるわけです。「お前のお父さんは誰か。」といちいち聞きます。そしたらお父さんを指さす。また「お母さんは誰か。」と聞く。お母さんを指さす。それをしないとものを買ってくれない。けちであるけれども子どものためにはかなり贅沢をさせる。しかしそれは決して無償の愛情ではなくて、将来自分たちが年を取って扶養してもらうためにやっているわけです。そういうことを幼い金之助は直感で感じ取っている。この養父の行動をこの「爺さん」が象徴しているのではないかと考える人もいます。『道草』の島田のような男ですね。

つまり「蛇になる」「蛇になる」といって手ぬぐいを見せびらかして期待させるわけですが、最後に川の中に入って、向こう岸に着いたら蛇になるところを見せてくれるだろうと思っていたら、結局はその爺さんは川の中に入ったまま二度と姿を現さなかった。他の子どもはみんなあきらめて帰ったけれど、「自分」だけは最後までまだかまだかと待っている。しかしついに現れなかった。つまり「期待と裏切り」というものがここに表れているのだろうと考えられます。

この話を教科書の編集者がどうして教科書に採り入れたのか僕はわからない。文学作品としては面白いけれども高校生の教材として果たして適当なのかどうなのか、僕は疑問に感じております。

だいたい蛇というのは聖書でも狡猾、ずるがしこいとされています。エデンの園でアダムに禁断の木の実を食べさせたのは蛇です。ずるいということから商業の神様（マーキュリー）になってるそうですけれども、安く買ったものを高く売りつけるから商業というのは狡猾だなどと昔の人は思ったんでしょうけれども、蛇は商業の象徴となっています。

それから真直ということですが、融通のきかない真っ直ぐということですが、手ぬぐいを丸くする。円を描く。漱石の作品では円環というのがよく出る。ぐるっと回ってまた元に戻ってくるということです。先ほどの第一夜でいうと東からでて西へ、地球を東から西へ西へと行っていたら最後はまた東になるわけで、ぐるっと一回りするわけです。そういう終わりのない、エンドレスな空間そこに一直線の棒、これもこの中の重要なポイントになる。どう解釈するかなかなか難しい面もありますし、いろいろ解釈できるかと思いますので、高校生に率直な意見を求めるといろいろな意見が出るのではないかと思います。

ここでも色のことを触れておきます。黒光りの大地、御爺さんの顔が赤い、白い髯をはやしている。それから浅黄色の股引《ももひき》を穿いて、浅黄の袖無しを着ており、手ぬぐいも浅黄色である。ここで浅黄色というのは浅い黄色という字を書いていますが、ここは「黄色」の「黄」という字を書くのではなくて正しくは「葱《ねぎ》」という字を書くんじゃないかと思います。そっちの浅葱色じゃないかと思います。これは決して黄色ではなくて、薄い青色です。よく間違えられますが黄色とは違う。ですから中程に「浅黄の股引を穿いて、浅黄の袖無しを着てゐる。」と書いてますが、その後を読むと「足袋丈《だけ》が黄色い。」と書いてあります。もし浅黄色の股引や袖無しが薄い黄色であるのならば「足袋丈が」という限定を表す言葉を使う必要がないわけです。だからここでの浅黄は黄色ではなくて浅葱（薄い青色。空色。水色）だと思います。これを笹淵友一氏は、明治書院から出版された本『夏目漱石――「夢十夜」論ほか――』の中でこれを黄色に解釈しています。黄色は道教の色でこの爺さんは道士であるというふうに解釈しておられますけれども、私は浅葱色で解釈した方がいいのではないかと思います。

次に第六夜をみてみます。これはよくでる話で、運慶と護国寺が出てきます。護国寺は実は五代将軍綱吉の母桂昌院が建てたお寺ですから、江戸時代の話です。すると運慶が鎌倉時代で護国寺が江戸時代で、そこの見物人たちは明治の人、「自分」ももちろん明治時代の人間です。だから鎌倉と江戸と明治が混在しているということになります。運慶がそこで仁王を彫っていますけれども、そこの見物人が「流石《さすが》は運慶だな。眼中に我々なしだ。天下の英雄はたゞ仁王と我とあるのみと云ふ態度だ。天晴れだ」と一人の男が賞めます。するとほかの男が「あの鑿と槌の使ひ方を見給へ。大自在の妙境に達してゐる」実に見事な彫り方をしている。そうすると若い男が「なに、あれは眉や鼻を鑿で作るんぢやない。あの通りの眉や鼻が木の中に埋《うま》つてゐるのを、鑿と槌の力で掘り出す迄だ。丸で土の中から石を掘り出す様なものだから決して間違ふ筈はない」と言つた。そこで「自分」は家に帰って仁王を彫ってみたくなって樫の木を彫るけれどもいくら彫っても仁王は見あたらない。次のを彫っても三番目のを彫っても出てこない。そして「遂に明治の木には到底仁王は埋まってゐないものだと悟つた」と書いております。

この最後の部分「遂に明治の木には到底仁王は埋まってゐないものだと悟つた」でもって明治の文明に対する批判というような解釈をするのが一般的ですが、果たしてそれでいいのかというのが僕の疑問です。もちろんそれもあるでしょうけれども、必ずしも明治の文化を批判しているだけではないのではないか、むしろそういう理想的な芸術造形を自由自在に使う鑿と槌でもって、見事に造り上げるんですけれども、ではそれを他の人がやって、果たして石ころ彫るようにですね、そんな仁王が出てくるかというと、出てこない。そういう芸術造型の難しさ、あるいは現代社会の困難性とか、そういうふうに、僕は広い取り方をした方が、いいのではないかと思います。だから、「明治」というこの言葉に、あまり囚われない方がいいのではないか、というような気がいたします。どうしても、「明治」の木には仁王は出てこない、というふうになると、では、鎌倉時代の木には仁王は埋まっているのか、というとそんなことはないんで、いつの時代でも、樫の木の中には、そう簡単に仁王が埋まっているはずがない。「明治」ということに、あまり囚われ過ぎて明治文明批判とか、漱石の『現代日本の開化』という、あの論文の影響を受けて、ついつい我々は、そういうふうに見たがりますけれども、それだけではなかろう、というふうに私は思います。

それから、第七夜の方に行きます。これは大きな船に乗って「西へ西へ」と旅立って行きます。そうすると、我々はどうしても漱石が一九〇〇（明治三三）年九月、留学命令を受けて、ロンドンに向かう、あの英国留学の船（プロイセン号）を連想します。それはそれで、その体験が土台にあることは、確かなんです。で、船に乗って「西へ西へ」と行きますね。この「西へ西へ」と行くということを、ちょっと考えてみると、あの『思ひ出す事など』という、漱石の一九〇九（明治四二）年の「修善寺の大患」の後に書く、あの随筆の中の最後の方（二八）を思い出します。漱石が大学を出て、小石川にある「法蔵院」というお寺に下宿をしていたことがあります。つい二、三日前、僕は東京に行って、この「法蔵院」にたまたま行きましたけれども、この「法蔵院」の和尚が占いをやるんですね。で、和尚が手相を見てやろうというんで、漱石も見てもらうんです。そうすると、「貴方は、親の死に目には逢へませんね。」と言われます。確かに漱石は、親の死に目に会えない。『坊っちゃん』の中でも、お母さんが死んだ時に、親の死に目に会えない話が出ています。で、もう一つ言われるのが、「貴方は西へ西へと行く相がある。」と言われる。その後、「西へ西へ」と行く。確かに、その通りなっています。まず、松山に行きますね。東京に帰ろうと思ったら、今度は熊本に行きます。熊本もまた西ですね。それから沖縄かどこかに行くだろうというふうに思っていたら、さらに今度はロンドンに行ってしまいます。だから、「西へ西へ」と行くんですね。「西に対するこだわり」と言いますかね。そういうのは、別に何となく占いを信じた訳じゃありませんけれども、そういうことが、ありますね。そしてついにここでは「西へ西へ」と行くと、果ては東へと到達する、というようなことで、「西へのこだわり」は、結局はこれまた「円環」、円く元に戻ってゆく。こういうのがあります。

船中で、若い女の人が、ピアノを弾いています。一人の異人から、天文学を知っているか、と聞かれたりしております。そういうのは、全く自分とは関係のない世界と、無視したいと思っておりますけれども、結局「詰まらなく」なる。「詰まらない」という言葉ですね、今もコマーシャルで、大滝秀治が「お前の話は、詰まらん。」と言って出てきますけれども、漱石の頃は、今使う「詰まらない」よりも、もっと強い意味があるように感じます。だから、「心細い」、そして「悲しい」ということが出てきて、そして「詰まらなく」なって、結局それで自殺をするんですね。だから今では、「詰まらない」から自殺をするというと、ちょっと変に思います。「詰まらない」から自殺するというのは、原因不明で、自殺の理由にはなりにくいんですけれども、ここでは十分「詰まらない」という言葉が、非常に「心細い」、「悲しい」よりももっと強い意味にとられておるようですね。①道理に合わない。得心できない。②意に満たない。おもしろくない。③とるに足りない。価値がない。④ばかげている。とんでもない。⑤金に困る。うまくゆかない（『広辞苑』）。結局、「詰まらない」ので、船から飛び込みます。そして飛び込んで急に命が惜しくなった。これを文章で読むと、「所が——自分の足が甲板を離れて、船と縁が切れた其の刹那に、急に命が惜しくなつた。心の底からよせばよかつたと思つた」。しかし、船からもう飛び込んでいます。船から飛び込んで、海の上に落ちるまで、何秒かかりますかね。現実には、まあ一〇秒もかからないでしょうけれども、その間に、命が惜しくなった。後悔します。ところが、もう遅い。いやでもおうでも、自分は海の底へ、だんだん、だんだん落ちていくんです。どんなに、藻掻いても藻掻いても、海に近づいてゆく。しかも、掴まえようとするけれども、掴まれるところがない。こういうところは、何か『吾輩は猫である』の猫が、ビールを飲んで、瓶《かめ》の中に落ち込んで、藻掻くところとよく似ているんですけれども、藻掻いても藻掻いても、もう手掛かりがない。落ちていく。そのうち船が行ってしまうんですね。取り残されたまま、空中に藻掻きながら、少しずつ海の中に落ちようとしている。よく昔、子どもの頃聞いた、高い所から飛び込んで落ちるまで、自分の一生の姿をね、まざまざと見るんだというようなことを、聞いたことがありますけれども、本当か嘘か知りませんけれども、飛び込んだ瞬間からコンクリートか何かに激突するまでの間に、自分の一生を、映像としてずらーっと見る、そんなこともちょっと思い出されます。そして最後にこう書いてあります。「無限の後悔と恐怖」を抱いて、黒い波の上へ、静かに落ちていった。この「無限の後悔と恐怖」、ああ、飛び込まなきゃよかったという後悔と、死んでしまいたくないのに、もう死ななきゃならない恐怖、こういうのをみると、我々の一生というのもね、案外、「無限の後悔と恐怖」で、我ら、死に近づいておるんじゃないかという気もいたします。

漱石は、自殺肯定論者ではないですね。彼の生死、死生観というのを、見てみますと、よくわかるのは、あの『硝子戸の中』の「六」に出てくる、自分の失恋の話を漱石に訴えて、これを小説にしてくれませんかと言って、会いに来る女性がおります。吉永秀というんですけれども、この吉永秀の話を、『硝子戸の中』の中に、彼は書いています。その中で、結局漱石は、この吉永秀に「生きなさい。」ということを言います。この世の中は、辛い、苦しいこともあるかもしれないけれども、結局「生きなさい。」ということを、結論として言います。漱石も、死にたいと思ったことは、何度もあったと思いますけれども、結局は、窮屈なこの世の中を、やっぱり生きているんですね。そういう点では、彼の死生観というのはね、やっぱり死に対する恐怖、それから生に対する執着というのが、その底にあるかと思います。よくここでも船がヨーロッパに留学する時の船、プロイセン号だというんですけれども、そのプロイセン号の留学中の体験が元になったことは、確かであるけれども、ロンドンに留学するための航海が実は不安と恐怖であった、というふうにこじつけられます。僕はそういうふうに、ロンドン留学と強く結びつけることには、あまり賛成しません。この体験が土台になったことは、確かです。しかし、だから留学が怖いとか、そこに強く結びつけることには、ちょっと疑問を感じます。だから、我々の生そのもの、死そのものに対する「無限の後悔と恐怖」というのは、やっぱり彼の心の中に、強くあったことは、確かであるし、そのことをここでいっているんじゃなかろうか、と思います。だから『現代日本の開化』という、あの論文は論文として、非常に大事なことですけれども、ここではやはり、生と死の問題の漱石の考え方を、ロンドンに行く時の体験を元にして、描いておるということじゃなかろうか、と思います。ですから、生徒に指導する場合も、やはり自殺賛美になってもいけないし、生きるということが、大事なことだということはもちろん言わなきゃいけないけれど、それればかりを強調してもですね。また現実、この世の中は、そんなに甘いことばかりでもないわけですから、やっぱりやって失敗し、挫折し、不安なものを乗り越えて、初めて生の肯定というものが、生まれるんじゃないですかね。強く生きなさいだけじゃ、世の中はそう簡単にうまくいかない。やはりここにも、漱石の挫折とか不安とか恐怖、そういうものが、土台にあるんじゃないかと思います。

そこで、もうだいぶん時間が、過ぎましたけれども、終わりに申し上げたいのは、初めのところで問題提起したことへの、私の解答を、申し上げたいと思います。まずは「多様な読み」ですね。僕は「夢」というと、どうしても寓意的にね、意味づけをして、「ここはこういう意味だ。何々が象徴されているんだ。」と言ってしまいがちですけれども、やっぱり「多様な読み」を許容するということが、非常に大事じゃないかと思っております。だから、「これはこれの象徴です。」というふうに、解答を一つ用意するんじゃなくて、やっぱりいろいろ生徒に言わせる。あるいは、我々が気づかない面白いこともあるかもしれません。そういうところで、いろいろな意味があるということを、そして、それはそれぞれの価値を持っていることを、言いたいと思います。だから、「差異化」というのは、違いがあり、違いを互いに認め合ってはどうだろうか、ということです。「相対化」とは、その反対のものを出すことによって、もう一方を浮かび上がらせる、そういう方法が、小説の中でしばしば使われています。「自己化」というのは、読者が自分なりのものとして、考えていくということです。つまり、高校生が、初めて新しい作品を、先入観なしに読んで、そこから出てきた率直な感想というものを、拾い上げて、そこに価値を与えてやる。それは、正解でない場合もあるかもしれません。あるいは、正解でないことの方が、むしろ多いかもしれませんけれども、そこに至った、生徒なりの解釈というものを、大事にしてやったらいいんじゃないかと思っています。

その次の「文学作品からカルチャー・テクストへ」というのは、これは、私たちは国文学、文学を専攻してくると、どうしても、「国語」の教科書の中の文学の方を、教えたくなってくるんですね。そして、今までの既成の評論家、研究者が言ったことを、なぞって、そういう解釈に囚われがち、解説書に囚われがちです。「国語」の中の文学を、どうしても重視したくなるんですね。これはもう、私自身がそうでした。まあ、一つの自省自戒の意味を込めて、申し上げるわけですけれども、そういうことから、今度は、「カルチャー・テクスト」へ、ということは、結局、文学作品だけではなくて、一つの文化として捉える。「作品からテクストへ」ということは、これは、テクスト論者がよく言うことなんですけれども、それも、僕は、一理あると思う。僕は、万能とは思いませんけれども、それは、一理あると思っております。しかしですよ、今度は逆に、今、文学が死にかかっているんですね。だから、それはやっぱり文学は殺しちゃいかん。だから「文学の死からの復活」ということですね。「文学作品からカルチャー・テクストへ」ということと、「文学の死からの復活」ということは、相反することのように、ちょっと見えます。確かに相反する逆のことなんですけれども、やっぱり文学は、復活させたいという気持ちも、一方ではあるわけですね。ですから「国語」の中だけではなく、もっと読書指導全体として考えていった方がいいかもしれませんね。

次に、言語はコミュニケーションだけかということですが、現在、言葉というのはコミュニケーションの手段だという考え方が支配的で、確かにその通りなのですが、本当にそれだけかといいたいですね。言語の芸術としての文学というものももう一度見直して、日本文学の美しさとか、感性の素晴らしさとかを生徒に伝えていきたい。それは今の大学生がそういうことに非常に無関心で、ただ心理、心理と言いながらやっている姿を見て特にそう思います。臨床心理学の大家である河合隼雄さんが、よく古典文学や現代文学を材料にしていわれるということはやはり臨床心理学を学ぶ上で、日本文学というのは重要な役割を果たしているからだと学生たちにはよく言います。

それから国語と日本語についてです。従来は日本人に日本語を教える時は「国語」、外国人に日本語を教える時は「日本語」と言っていました。最近では国語学を日本語学、国文学を日本文学と言い換えていますが、すでに四〇年以上前から立教大学が従来国文学科といっていたのを日本文学科に言い換えたのが初まりです。同様に最近日本語学会というものができたのですが、これも従来国語学会といっていたもので、学会の中でも大問題となりましたが、結局は日本語学会に結論的にはなったのです。その理由は国文学、国語学というのは、昔の本居宣長の国学のイメージがあって国粋主義的印象が強いとか、もっと国際的になるためには、世界の中の、日本語学、日本文学、日本語と言った方がいいというひとつの考えがあって、だんだんそういう傾向になっています。だから高等学校の「国語」もやがて「日本語」という科目名に変わる時代が来るのではないかと感じております。

最後に現代の高等学校の国語教育の中での夏目漱石を考えるときに、先程も申しましたように中学校の教科書から夏目漱石、森鷗外が消えてなくなるので高等学校では今後どうなっていくのかということですが、やはり美しい日本語、感性豊かな日本語を考えると特に漱石、鷗外の文章は今まで以上に大事にしていきたいと考えています。その中でも漱石の『こころ』も『夢十夜』もいいですが、美しい文章という観点からすると、『草枕』も復活させてはどうかと思います。復古調といわれるかもしれませんが、やはり朗読に耐えうる文章も教科書には必要ではないかと考えています。長くなりましたが、これで私の講座を終わらせていただきます。

（司会者）ありがとうございました。『夢十夜』を題材にしてキーワードを一つ一つ説明していただき夏目漱石をどう読むかという講座でしたが、何かご質問はありませんか。

（芦刈先生）戦後、漱石の作品で特に『夢十夜』をフロイトの深層心理学を用いて作品分析した研究者たちが登場したことをご指摘なさいましたが、漱石とフロイトはほぼ同時代の人のようですが、漱石はフロイトの心理学を知って『夢十夜』を書いたのですか。

（原武先生）漱石はフロイトのことを知っていただろうと思います。しかし当時の日本ではそれほど紹介されていませんでしたので、それに応じて彼が書いたということはないと思います。漱石は明治四〇年の三月に東京大学の非常勤講師を辞めて四月から朝日新聞の専属の作家になりますが、本当に職業作家になったのは、彼が四〇歳のときです。彼が入社してから『虞美人草』『坑夫』を書いて次に『夢十夜』を書いています。そしてその後に『三四郎』『それから』『門』と前期三部作を書いたことになります。戦後当時はフロイトブームで伊藤整や荒 正人氏がフロイトでこの『夢十夜』を解釈したのをきっかけに一躍漱石の作品の中で浮かび上がり、評価されたのです。それまでは完全無視といわれてもいいぐらいの作品で小宮豊隆や安倍能成も評価しませんでしたが、昭和二〇年代に脚光を浴びる作品になったのです。それからユングはまだ使っていません。ただし「第一夜」の〝瓜実顔〟の女のことをアニマ（最も女性的なもの）と言い、ユングを使った解釈（秋山さと子『夢診断』）もなされています。

（芦刈先生）漱石は初め建築家を志望しますが教師をしたりした後、小説を書き始めていますが、どうして突然作家志望に変わったのですか。

（原武先生）高等学校時代はおっしゃるとおり建築家になりたいと思っていたのですが、友人の米山保三郎から建築家になってもセントポールのような建築は日本にはできないといわれて文学志望になりました。その頃の漱石の文学というのは漢詩、漢文をやっていました。それから正岡子規と出会って俳句をやりました。大学では英文学を専攻しその後英語教師として東京専門学校（早稲田大学）、高等師範学校で教鞭をとり、そして専任として働いたのが松山中学で次に第五高等学校と続きますが当時は俳句が中心でした。その後ロンドンに渡るのですが、その時文部省から言われたことは英語教育の研究のために留学してもらいたいということだったようです。しかし漱石は英語教育の研究だけならお断りをしますということで一度は断りました。しかし、英文学の研究もやっていいということになって留学したのです。帰国してから東京帝国大学に非常勤として働くのですが、その時高浜虚子からなんか創作を書いて欲しいと頼まれて『吾輩は猫である』を書いたのが創作の最初です。漱石は常々研究者であるよりも創作家になりたい。「江湖の処士」になりたいと思っていたのです。「江湖の処士」というのは役人として公の場で働くのではなく民間の中で自由に暮らす生き方で漱石にとって「江湖の処士」は文学創作をやりたいということだっただろうと思います。そして『坊っちゃん』を書いたり『草枕』を書いたりしているのですが、やはり創作一本でやりたいということで大学を辞めて一介の新聞屋になったということです。

（司会者）ほかに質問はありませんか。

（畑江先生）先程のお話の中で『夢十夜』の「第一夜」の白百合は愛の象徴であり、愛の再生を意味するということでしたが、『それから』では代助が三千代に告白する場面で三千代が自分を象徴し、愛の再生を意味する白百合の香りで気分が悪くなったのには、どんな意味があるのでしょうか。

（原武先生）実は白百合は三千代が結婚する前にも出てくるのですが、代助はあの時のことを思い起こして昔に返るんだという思いで自分の部屋に百合を飾るのです。それに三千代が香りの強さで気分が悪くなったりしたのですが、この部分をどういうふうに意味付けをするかは難しいのですが、やはり三千代としてはその日が重要な代助の告白の日ということをそれほど痛切に感じていなかったと思います。それに比べて代助の方は「僕の存在にはあなたが必要だ」ということを告白しますが、三千代は決してそういう言葉を期待して訪ねたわけではなかろうと思います。だからそこでは代助の意気込み、復活への願いを強烈に感じて圧倒されたという感じだろうと思っています。そして三千代は最後には「覚悟を決めましょう」と言って代助の愛を受け入れようとしますが、実際は平岡は三千代を外に出さなかったので二人が会えたかどうかはわかりませんけどおそらく会えないで代助は気違いになったのか、それとも三千代が死んでしまったのか結末はつけていません。だから、白百合の香りの強さは代助の復活への願いの強さを表していると勝手に解釈しています。

(司会) ないようでしたら、謝辞を野田会長よりお願いいたします。

(野田) 今日は本当にありがとうございました。先生の漱石に関する、漱石自身のいろんなエピソードとか、漱石に関することだとか、いろいろ我々の参考になることをたくさん聞けてよかったと思います。それから、『夢十夜』に関しましても読み方、言葉一つ一つを本当に大事にしていらっしゃいます。また、参考書などいろんな先生方が書いていらっしゃるのですがそういうものをそのまま信用するんじゃなくて、一つ一つ自分で確かめて読んでいく方法とかですね、生徒の感性を大事にしていきなさいとか、とても参考になりました。私は定時制でなかなか夏目漱石を教える機会はないのですが、教科書には載っておりますので今度挑戦してみようかと思っております。本当に本日はありがとうございました。

(司会) それでは　閉会の言葉を龍副会長の方より申し上げます。

（龍）例年座談会を計画しておりましたが、今回初めて実践文学講座を計画いたしました。今日はたくさんの方にお集まりいただきましてありがとうございました。今回は重たいものもありましたが、文学作品を主体的に読むことの大切さを再認識し、自分が「私なりの読み方」をした上で、生徒に「私なりの読み方」をさせているかについても自己反省をしながら聞かせていただきました。

事務局の方でこれからもいろいろ計画していきたいと思いますので、何かありましたらお知らせ下さい。本日はありがとうございました。これで講座を終わらせていただきます。

（司会）どうもお疲れさまでした。これで、実践文学講座を終わります。

（『文叢ちくご』第三七号、福岡県高等学校国語部会筑後地区部会、二〇〇四年三月二三日）

第六章　名作のふるさと

㊲熊本県阿蘇町長陽村『二百十日』（夏目漱石）

［初出・初刊］『中央公論』（一九〇六（明治三九）年一〇月）初出。『鶉籠』（一九〇七（明治四〇）年一月、春陽堂刊）所収。

［主たる舞台］熊本県阿蘇郡阿蘇町、長陽村。


［梗概］肥えて豪傑肌の圭さんと小男の碌さんは阿蘇登山のため、宿屋に一泊する。圭さんは豆腐屋の倅で、華族や金持ちが馬車に乗ったり、別荘を建てたりして、人を圧迫すると言って悲憤慷慨しはじめた。二人は温泉に入る。圭さんは明朝六時に起きて登山しようと言う。碌さんは消極的で、昼食は饂飩《うどん》であることも不賛成である。荒木又右衛門を知らない圭さんは碌さんから無識だと笑われるが。人格に関係しないと平気である。湯から上がると、下女が夕食の準備をしている。半熟の卵四個注文すると、下女は生卵二個とゆで卵二個を持って来る。単純な田舎女は、奇麗な顔をして下卑たことをする華族や金持ちに比べて、ずっと大らかだ。

阿蘇に登りはじめる。阿蘇神社に詣で、饂飩を食べた昼ごろ、雑木林を過ぎると、雨が落ちて来た。火山灰が雨に溶けて真黒になりながら、薄《すすき》の原を行くうちに、碌さんの麦藁帽が風で飛んで行く。轟々と鳴り、濛々と沸き上る噴煙を見て、圭さんは「僕の精神はあれだよ。文明の革命さ。血を流さないのさ。」と言う。足に豆を作った碌さんを励ましているうちに道に迷ってしまう。急に圭さんが消えたと思うと、クレータに落ち込み、生爪をはがす。碌さんは兵児帯と蝙蝠傘でやっと圭さんを救い出す。二百十日の半日山中を歩き回って下りたら、元の饂飩屋の三軒隣の馬車宿だった。翌朝は上天気だ。碌さんは足の豆が痛いので馬車で熊本に帰ると言う。圭さんは文明の怪獣を打ち殺して。金も力もない平民に安慰を与えるため、阿蘇に登ろうと言う。碌さんもともかく登ろうと同意する。阿蘇は轟々と百年の不平を限りなき碧空に吐き出している。

[例文] 濛々《もうもう》と天地を鎖《とざ》す秋雨を突き抜いて、百里の底から沸《わ》き騰《のぼ》る濃いものが渦《うづ》を捲《ま》き、渦を捲いて、幾百噸《トン》の量とも知れず立ち上がる。其幾百噸の烟《けむ》りの一分子が悉《ことごと》く震動して爆発するかと思はるゝ程の音が、遠い遠い奥の方から、濃いものと共に頭の上へ躍《をど》り上がつて来る。雨と風のなかに、毛虫の様な眉を攅《あつ》めて、余念もなく眺めて居た、圭さんが、非常な落ち付いた調子で、

「雄大だらう。君」と云つた。

「全く雄大だ」と碌さんも真面目で答へた。

「恐ろしい位だ」しばらく時をきつて、碌さんが付け加へた言葉は是《これ》である。

「僕の精神はあれだよ」と圭さんが云ふ。

「革命か」

「うん。文明の革命さ」

「文明の革命とは」

「血を流さないのさ」

「刀を使はなければ、何を使ふのだい」

圭さんは、何にも云はずに、平手で、自分の坊主頭をぴしゃ〳〵と二返叩《たゝ》いた。

「頭か」

「うん。相手も頭でくるから、こっちも頭で行くんだ」

「相手は誰だい」

「金力や威力で、たよりのない同胞《どうはう》を苦しめる奴等《やつら》さ」

「うん」

「社会の悪徳を公然道楽にして居る奴等は、どうしても叩きつけなければならん」

——中略——


［解説］第五高等学校教授夏目金之助（漱石）は同僚山川信次郎が第一高等学校教授となって転任するので、送別の阿蘇登山を二人で試みた。一八九九（明治三二）年八月三〇日熊本を出発、立野《たて》野《の》を経て戸下《とした》温泉に泊まり、三一日、内牧《うちのまき》温泉養神館（現山王閣）に泊まった「囲ひあらで湯槽《ゆぶね》に逼《せま》る狭霧《さぎり》かな」。九月一日（二百十日）阿蘇神社に詣で「朝寒み白木の宮に詣でけり」と詠み、中岳目指して登りはじめるが、山中で道を失い「灰に濡れて立つや薄《すすき》と萩の中」という状態であった。やっと立野に下りて馬車宿に泊まり「語り出す祭文は何宵の秋」一句を作った。この時の体験が「二百十日」に活かされた。

一九〇六（明治三九）年八月末、『中央公論』の滝田樗陰《ちょいん》から小説執筆の依頼を受け、三女エイの赤痢入院や九月からの講義準備のため、構想まとまらず苦吟の末、九月九日に脱稿、「昨日また読み直して見た処始めてよんだ時より少しは面白」い出来具合だった。漱石は高浜虚子あての書簡（一九〇六（明治三九）年一〇月九日）で「碌さんはあのうちで色々に変化して居る然し根が呑気が〔な〕人間だから深く変化するのぢやない。圭さんは呑気にして頑固なるもの。碌さんは陽気にして、どうでも構はないもの。面倒になると降参して仕舞ふので、其降参に愛嬌があるのです。圭さんは鷹揚でしかも堅くとつて自説を変じない所が面白い余裕のある逼らない慷慨家です。」と自解した。

意志強固な圭さんは権力や金力を濫用して他人を圧迫する華族や金持ちを頭脳の力で文明革命を志す。円満な常識家である碌さんは強引に意志を通す圭さんにあきれながらも刺激され、同感し、彼らを地獄へたたき込むために再度阿蘇登山を試みる。圭さんは次作の『野分』の白井道也を単純化したものである。『虞美人草』の宗近一の原型と言ってもよかろう。

[文学散歩] 内牧温泉（現阿蘇温泉）の山王閣の入口には「夏目漱石先生二百十日起稿の宿」記念碑があり、一室が保存されている。もちろん「起稿」というのは誤りである。阿蘇神社は一の宮町宮地にあり、肥後国一ノ宮として健磐竜命《たけいわたつ》を祀る、延喜の制にもある古社である。坊中キャンプ場下に「小説　二百十日文学碑」が建てられている。立野《たての》（長陽村）で泊まった馬車宿は「長代《ながしろ》屋」といい、近年まで、「益城《ましき》屋」として旅館を営業していたが、今は煙草屋のみになった。漱石の

泊まった部屋は今も残っている。戸下温泉も長陽村で立野から近い。

（『近代名作のふるさと〈西日本編〉』長谷川泉編、国文学解釈と観賞別冊、至文堂、一九九一年四月一〇日）

㊳熊本県 河内町 天水町 『草　枕』（夏目漱石）

［初出・初刊］『新小説』（一九〇六（明治三九）年九月）初出。『鶉籠』（一九〇七（明治四〇）年一月、春陽堂刊）所収。

［主たる舞台］熊本県飽託郡河内町（現・熊本市）、玉名群天水町。

［梗概］どこへ越しても住みにくい人の世を離れ、超然と出世間的に利害損害の汗を流し去った心持ちで「非人情の天地」に逍遙したい願いを抱いて、画工《えかき》の余（三〇歳）は春の山路を越え那古井の温泉にやって来た。峠の茶屋で一休みして、志保田の宿に着いたのは夜の八時ごろであった。夜中に眼を覚ますと、歌声がして月下に背の高い女がいた。翌朝、湯から出ると、瓜実顔の女がふわりと着物をかけてくれた。顔に統一のないところをみると、不仕合な女に違いない。「御部屋は掃除がしてあります。」言うのでもどると、写生帖にしたためた余の俳句の下に誰かが俳句の落書をしていた。食後、女（志保田のお嬢さん）がお茶を運んで来て、二人の男に愛されて淵川に投身した長良の乙女の歌の話をした。床屋に行くと、親方が志保田の娘はき印だと言う。宿で湯に入っていると、洋燈《らんぷ》の下に女がはいって来る。じっと動かず観察していると、女はホホホと笑って湯煙の中を階段を飛び上って消えた。

翌日、宿の老人（主）の部屋でお茶を御馳走になる。相客は観海寺の大徹和尚と満洲に出征する久一である。ここで切めてお嬢さんの名が那美であることを知った。部屋に帰って本を読んでいると、那美さんがはいって来て。非人情で本を読むことについて語り合う。那美さんは「鏡の池の方に廻つて来ました」「身を投げるに好ゝ所です」「私が身を投げて浮いて居る所を」「奇麗な画にかいて下さい」と言った。余は鏡の池に行ってみた。椿の赤い花が落ちた。那美さんの表情に憐れの念が表れていないので物足りぬ。画はできない。

翌日、縁側に出ると、向こう二階の那美さんが立って、短刀を抜き、風のごとく二振り三振りして白鞘に収めた。海の見える岨道《そばみち》で寝転んで木瓜《ぼけ》の花を見ていると、中折れ帽をかぶった野武士のような髯《ひげ》男が現れ、那美さんと出会った。余は奇異に思って見ていると。男は那美さんから財布を受け取り立ち去った。余は那美さんに見つかり驚いていると、「あれは離縁された私の亭主です。」と言った。

川舟で久一を吉田の停車場まで見送る。老人、那美さん、那美さんの兄、源兵衛と余も同行する。駅で久一は汽車に乗りこみ、発車した。その時、最後尾の三等車の窓から野武士の顔が出た。那美さんの茫然の中に憐れが一面に浮いていた。「それだ。それが出れば画になります。」と余は女の肩を叩いた。

［例文］山路を登りながら、かう考へた。
智に働けば角が立つ。情に棹《さを》させば流される。意地を通せば窮屈だ。兎角に人の世は住みにくい。

住みにくさが高じると、安い所へ引き越したくなる。どこへ越しても住みにくいと悟つた時、詩が生れて、画が出来る。

人の世を作つたものは神でもなければ鬼でもない。矢張り向ふ三軒両隣りにちら／＼する唯の人である。唯の人が作つた人の世が住みにくいからとて、越す国はあるまい。あれば人でなしの国へ行く許《ばか》りだ。人でなしの国は人の世よりも猶《なほ》住みにくかろう。

越す事のならぬ世が住みにくければ、住みにくい所をどれほどか、寛容《くつろげ》て、束《つか》の間《ま》の命を、束の間でも住みよくせねばならぬ。こゝに詩人といふ天職が出来て、こゝに画家といふ使命が降《くだ》る。あらゆる芸術の士は人の世を長閑《のどか》にし、人の心を豊かにするが故に尊《たつ》とい。

［解説］第五高等学校教授夏目金之助（漱石）は、一八九七（明治三〇）年一二月二七日ごろ、同僚の山川信次郎と小天《おあま》温泉の前田案山子《かかし》（衆議院議員、宿の老人のモデル）別荘に湯治に出かけた。その時の体験を基に一九〇六（明治三九）年七月二六日起稿し、八月九日脱稿したのが、『草枕』である。

漱石は『草枕』発表直後「予が『草枕』（一九〇六（明治三九）年一一月『文章世界』）で「私の『草枕』は、この世間普通にいふ小説とは全く反対の意味で書いたのである。唯一種の感じ――美しい感じが読者の頭に残りさへすればよい。」「美を生命とする俳句的小説もあつてよいと思ふ。」「この種の小説は未だ西洋にもないやうだ。」と彼の抱負や意気込みは大きい。『草枕』の掲載された『新小説』九月号は発売早々売り切れ、広告を出す暇もないほど評判であった。これを読んだ『大阪朝日新聞』主筆鳥居素川は感激して、漱石を朝日新聞社に招聘、職業作家になる機縁を作った。
冒頭のひばりの声を聞きつつ、春の山路を逍遙して雨に降りこめられる場面は、一八九七（明治三〇）年三月末から四月初めの春休み、久留米で高良山に登り、発心の桜を見物した時の体験が美しく長閑なる風光として活かされている。那美さんのモデルは前田案山子の二女卓子《つなこ》で、当時離婚して実家に帰っていた。一九三五（昭和一〇）年一〇月『漱石全集』月報第一号の森田草平編「漱石先生言行録」一に前田卓子の談話が収録されている。峠の茶屋は通越峠《とりごえとうげ》と野出峠《のいで》の両方にあったが、『草枕』の峠の茶屋は野出峠にあった方で、当時中山屋尾《やお》という八四歳の媼《おうな》がいた。一九二二（大正一一）年茶屋はなくなり、那美さんの花嫁姿を見送った桜の木も枯れてしまった。

［文学散歩］熊本から島崎町鎌研《かまとぎ》坂を登り、通越峠を通ると。観光用峠の茶屋がある。金峰山を左に見て野出峠に着くと「草枕　峠の茶屋跡」の石碑がある。小天温泉には前田案山子別荘が「漱石館」として、漱石の泊まった三番の部屋も保存されている。庭には「小説草枕　発祥の地」の文学碑もある。那美さんが入って来た風呂場は荒れたまま残っている。近くに鏡の池のモデルとなった田尻家の庭泉があるが、個人宅なのでことわらなくてはならない。「那古井館」という旅館は前田姓だが案山子とは直接関係ない。

（『近代名作のふるさと〈西日本編〉』長谷川泉編、国文学解釈と鑑賞別冊、至文堂、一九九一年四月一〇日）

第七章　紹介・書評

㊴紹介・重松泰雄編『原景と写像　近代日本文学論攷』

昨春（一九八五年三月）、九州大学を御勇退になった福岡大学教授重松泰雄先生の御退官を記念して編まれた『原景と写像――近代日本文学論攷』は、重松先生御自身と先生を敬慕する同学門下一七氏による一八論文を収録する。さすが日本近代文学会の九州探題の総帥として斯界をリードされるだけあって、縁につながる研究者は九州はもとより中京からも寄稿され、重松門下の層の厚さを物語っている。まず目次を見てみよう。

漱石「草枕」釈義――トニックとしての文学――　重松　泰雄
『文学論』着想への一仮説――トルストイの衝撃――　清水　孝純
『三四郎』の時間　助川　徳是
紅葉作「むき玉子」ノート　土佐　亨
没理想論考　石田　忠彦
国木田独歩「春の鳥」論　秦　行正
正宗白鳥「妖怪画」論　瓜生　清
「大川の水」論　松本　常彦
芥川龍之介の混迷――「舞踏会」の改変に露呈した〈開化〉の幻影――　海老井英次

芥川龍之介の死その後――「歯車」を軸として――　三嶋　譲
『惜みなく愛は奪ふ』研究（一）――初稿成立の背景を探る――　江頭　太助
萩原朔太郎における「信仰」と「疾患」　国生　雅子
――大正五年四月十九日の事件をめぐって――
未紹介　谷崎潤一郎書簡によせて　白石　悌三
ファルスの登場――坂口安吾の文学的出発――　花田　俊典
近代における狂意識の変容――石川淳の南畝発見まで――　狩野　啓子
中原中也の「春日狂想」――〈自力〉から〈他力〉への転回――　中原　豊
「雪国」論　赤塚　正幸
庄野潤三論――『静物』の世界――　宮崎　隆広

この大部四八九頁の論文集一八編すべてを与えられた限度の紙数で紹介することは、浅学菲才の筆者にとっては荷が重過ぎる。従って筆者の嗜好ないしは恣意によって七編のみ触れ、他は割愛させていただくので、その非礼をお詫びしたい。

まず重鎮重松先生の「漱石『草枕』釈義」を拝見しよう。かつて「漱石初期作品ノート(二)――『草枕』の本質――」(『文学論輯』第一二号、一九六五年三月)を発表し、「人生の芸術化、すなわち非人情の境地を展べ」たものであるとか、「芸術思想・人生思想をいうために書かれた思想小説」という通説を批判し、「脅威的、侵略的な塵俗を逃避して仙境に遊ぼうとする一種の神仙譚的作品」

であり、「不安定な精神的危機感の中に在って、その緊張を緩和する唯一の、確乎とした安定剤」の役割を果たすはずであったが、「所詮は迷妄であることの明白な『別乾坤』樹立の白日夢を追うて、徒労の上に徒労を重ねたような悲壮な作品」だったと規定された。そして、二十年たった今、同じテーマに挑戦された。

住みにくい現実世界から住み安い所へ非人情の旅に出た画工は、不仕合な出戻り女那美に出会う。「人を馬鹿にした様子の底に慎み深い分別」や「温和《おとな》しい情け」を秘めている彼女を、二十世紀日本文明の病患と重ねて批判したり、文明批評の〈人形《ひとがた》〉にするのではなく、二十世紀日本の犠牲者と見ておられる。画工はこれから逢う人物を大自然の点景として描き出そうとしながら、那美だけは捉えようとしていないと見る。画工は那美の奇行に憐憫と同情、さらには共感を持つ。「自らが同じような病歴を有するがゆえに、より深く患者の病因を診《み》とどけ、処置しうるすぐれた医師」のような「診《み》る人」の役割を画工に与えておられる。ただ「神境」の心持ちさえあればできる「第三の画」の成就にとって、画外の人間としての那美自身における「憐れの念」の存在はぜひとも必要ではないが、彼女の病患の〈処方〉の成就のためには「憐れ」は絶対不可欠とされた。さらに「天下に何が薬になると云ふ《ママ》て已《ママ》を忘るゝより鷹揚なる事なし無我の境より歓喜なし。……是トニックなり。」（一九〇五・〇六年断片）の一節を重視する。実生活で「神経衰弱」で苦しんでいた漱石は、喫緊の希求として「強壮剤《トニック》」としての文学「草枕」が切望されたと見られる。漱石は作者の分身として、「悟りと迷」が同居する那美〈診《み》られる自己〉と、非人情の美学を展開する画工〈診る自己〉とを対応させ「一つの『トニック』として、より根底的な〈現実超脱〉

の夢を語ろうとした作品」という結論は、かつての「積極的な精神回復のための手段」「安定剤」説を一歩踏み込んだ論として説得力に富む。

清水氏の「『文学論』着想への一仮説」は雄大重厚な論文である。漱石自身が「畸形児の亡骸」と卑下した『文学論』は従来池田菊苗の刺激が契機となって構想されたと言われて来た。ところで、『漱石資料――文学論ノート』の附録『文学論』序腹案の中に、トルストイの芸術論『芸術とは何か』についての記述が残されている。清水氏は漱石が『文学論』構想への真の刺激は実はトルストイの『芸術とは何か』から得たのではないか、と想定される。漱石の試みの壮大さは近代文明告発の書たるトルストイの『芸術とは何か』の壮大さと見合うものではないか、という仮説を立て検証される。漱石はトルストイ著『芸術とは何か』の英訳本を購入して、その現代文明告発に共感し、芸術理論の基本的概念が快楽説否定であることに感服し、真正の感情によって結合する感染性に共鳴した。しかし、漱石はトルストイ理論に全面的賛成したわけではなく、非論理的一面を批判した。清水氏は漱石の英訳本『芸術とは何か』の書き込みを検討して、トルストイは真正の芸術ならば万人に理解されるはずだと考え、漱石はそれを非論理的としたが、「普遍」に対する両者の考えに根本的懸隔があるとされる。またトルストイは民衆に最大の芸術理解力を認めたが、漱石は「習慣」に過ぎないとする。トルストイは「開化の大勢」を倫理的価値意識から快楽しか期待しない芸術の堕落と見たのに対して、漱石は没価値的科学的立場から倫理意識も習慣ととらえた。清水氏は二人の共通点と相異点を明確化して。「トルストイの『芸術とは何か』こそ、『文学論』着想への、もっとと強烈な触媒であった」とされた。そして『文学論』構想の試みは、「世界観あるいは人生観の探求という、いわば意味あるいは価値を問う哲学的観点」と「開化を構造する諸原素を解剖し其連合して発展するという面でのいわば没価値的観点ともいうべき心理学・生物学・進化論的観点」とが共存する矛盾をはらんでいたという。『文学論』が漱石の創作活動にどうかかわったか、今後の清水氏の研究を期待したい。

助川氏の「『三四郎』の時間」は漱石の『三四郎』の時間的構造を一つ一つ洗い直す。例えば、美禰子が大学の池で三四郎に出会って二ヶ月も再会していないのに、出会いを記念する自分の姿を、知り合いの画家に当時のままの姿で描いてもらう不自然さを指摘する。「子供の葬式」や「ハイドリオタフヒア」の夢からの覚醒までの間をつなぐものは転倒した世界の情景とする。そして三四郎が池の傍で倒立した風景（水の底の空）を眺める場面に強い指示性を含ませる。また、美禰子の結婚を近代的な自我の挫折と見る通説を否定すると共に、主体的な選択であるという見解（越智治雄、三好行雄説）にも批判的である。野々宮の求婚を待っていたが、結婚不能をさとった美禰子は、野々宮との交際の記念に「森の女」の絵を描いてもらうが、それは三四郎を傷つけないために、出会いを記憶しているという意味も含んでいると見る。美禰子は意識的には三四郎を愛してはいなかったが、「無意識に天性の発露のまゝで男を擒にする」働きはあるに違いないとする。美禰子は三四郎に対する演技を自覚して「われは我が愆《とが》を知る」とつぶやく。三四郎はそれを聞き取り、自分の盲目さに覚醒したという。助川氏は「三四郎の認識がことごとに誤謬にみちているという意味で、『三四郎』は曇った眼鏡をかけた人物を視点人物とする小説である。」と規定する。「漱石が語りたかったのは、生というもの、そのものの迷羊性である」とし、「人生という『命の根』のゆるみは、青春の虚妄性からかりに人が覚めることがあったにしても、人を迷羊であることから救うことはないだろう。」と結論づけている。

石田氏の「没理想論考」は堅牢に構築された考察である。坪内逍遙の没理想論は逍遥の存在そのものであり、芸術観、文学観、学問観、倫理観であり、拠って立つ批評原理であるとする。「細君」以後、批評として没理想論誕生の時期を一八九〇（明治二三）年とし、逍鷗論争を経て九三年「美辞論稿」に至って完成したとみる。その没理想論とはどういうものであったか、を明らかにするために演劇・小説・詩歌・批評における没理想論の形成過程を克明にたどり、文学批評原理としての没理想論の功罪を追求する。石田氏は「逍遥のいう造化自然の無限性は、文学理論の論理的前提にはなりにくいものである」という。ではなぜ逍遥は造化自然を前提としたか。逍遙の真の意図は造化自然の中に宿り、世界を支配する「理法」にあると見ていた。この「理法」は「人間に於て暗に見る所」のもので、一個人にではなく「人間」という類概念に宿るもの、「主観」が「客観」に没した所に宿るものと考える。「ドラマ」（人という個〔差別〕と人間という普遍〔平等〕とが兼ねそなわったもの。人の性格を緯とし人間の運命を経とせる脚本《ドラマ》）という文学の理想形態によって「理法」が窺知されるとする。ドラマとは主観が客観に埋没または拡大した作品だと逍遥はいう。石田氏は「物事自体の内部に同化してそこから認識すればより客観的な（普遍的な）認識をうることができる。……逍遥は、このような認識によって、文学における主観と客観との関係を考え、そのような文学の理想形態をドラマとし、それによって批評を行う」ことになったとする。従って演劇・小説論においてはこの文学理論は有効であるが、詩歌・批評論においては有効性を失うとされた。そして「逍遥の文学理論において、作家の主観や観念を作中にどのように投影させるかという、近代小説の根本的な課題に結局は解決を与えられなかった」と逍遥理論の弱点をも指摘されている。

秦氏の「国木田独歩『春の鳥』論」は「春の鳥」を「〈私〉と白痴の少年との偶然の出会いについて回顧する白痴児愛憐の物語とその少年の死の意味を問う自然児憧憬の物語」と規定する。そして未定稿「憐れなる児」と「春の鳥」とを比較して、前者は夫に死別して実家に寄居する母と子の苦しき忍耐を憐れむ「境遇悲劇」、後者は白痴ながらも普通の親と少しも変わるところのない親子の情を哀れむ「運命悲劇」と見なす。ワーズワスの「白痴児」との影響を過少に見る見解は多いが、秦氏は「渾然融合の被影響下――血肉化にこそ独歩におけるワーズワス受容の要諦がある」と言われる。六蔵が白痴児であることの現実をいかにして克服するかという独歩の課題は、死によって鳥の化身となり、宇宙の自然物へ回帰する形で完結する。秦氏は「白痴母子への愛憐と自然児への憧憬の道行きが結合・統一されて、少年六蔵の〈春の鳥〉復活という物語の結実」をみておられる。

海老井氏の「芥川龍之介の混迷」を見よう。芥川の作品活動の中期（一九一九〜二二年）を混迷期と考え、「舞踏会」の改変のはらむ問題を検討することによって、中期の混迷の様相と問題点を明らかにされる。ジュリアン・ヴィオという「佛蘭西の海軍将校」が作家ピエール・ロチだということを、H老夫人（往年の明子）が知っていたとする初出が、一年後の定稿では全く知らない形に改変された意味を中期の混迷と関連づけて問うている。初出における青年はH老夫人の話を引き出す役のみを与えられた無性格な人物に過ぎないが、改変後の定稿では海軍将校がロチであることに気づく文学青年は愉快な興奮を覚える存在感のある人物で、H老夫人と際立った落差がある。近代日本の文明開化を誇示した鹿鳴館の一夜を体験した令嬢明子が五十歳近くなってロチを知らない老夫人になっているということは、「真の内的発展を放棄したまま、皮相な形で近代国家の体を整えたその実状を象徴化しているもの」とし、花火を〈感動〉的な眼で見る明子と人生の悲しい実体と〈認識〉的な眼で見る海軍将校とのずれに注目している。海老井氏は「開化の殺人」「開化の良人」から芥川が開化時代（鹿鳴館時代を下限とする明治一〇年代）を「和洋折衷」の「美しい調和」した理想的な近代とみなしており、一八八六（明治一九）年の明子はその調和の原点に立ち、一九一八（大正七）年のH老夫人は近代化の趨勢の中に敗退したと見る。ロチを知識としてのみ知り憧憬する大正的知識派青年は、開化期ロマンチシズムの挫折の中で大正期個人主義を知識としてのみ把握し得ない日本の不幸の象徴と見ている。漱石の「それから」の主人公長井代助は三千代への愛によって個人主義の限界を知り、「自然ノ愛」を貫くのに対して、「芥川の方には〈自然〉は無く、解体していく〈自我〉とそれへの詠嘆」に中期の芥川の混迷の核があったと考えておられる。

白石悌三氏の「谷崎潤一郎書簡によせて」は杉浦正一郎博士（白石氏や私ども九大学生時代の教授で芭蕉研究者）旧蔵の佐藤春夫あて谷崎書簡の紹介である。「細君譲渡事件」直後のもので、白石氏の個人的な関わりもあり、興味深い。書簡は一九三一（昭和六）年四月一〇日付のもので、封筒を欠き、現在の所在は不明である。内容は帝国キネマ俳優前田隆と『痴人の愛』のナオミのモデルである葉山ミチ子（小林せい子）との離婚の後始末のこと、そのせい子を萩原朔太郎と結婚させせようとしているなど面白い。注は懇切で詳細を極める。さらに圧巻は前田事件の離婚交渉の場所を提供した立花邸の主人夫妻が九州出身の無声映画時代の業界の人で、実は白石氏の母堂と縁故があり、谷崎・佐藤も出入していたということだ。さらに愉快なのは（白石氏には失礼）、白石氏の母堂が立花夫妻の推めで映画に出演されたなど、白石氏の「思い入れ」である。中央公論社『谷崎潤一郎全集』書簡集にぜひとも収録してほしい一通だ。

さて、通読して感ずることは、重松泰雄先生譲りの鞏固な礎石の上に構築された堅牢なる実証主義の殿堂である。『原景と写像』という表題がどういういわれで付けられたか、迂潤にして聞き洩らしたが、作家から見れば、自然・現実は原景であり、作品は写像であろうし、研究者からみれば、作家・作品は原景であり、論稿は写像であろう。そして本書の執筆者諸子にとって重松先生は原景であり、己れ自身は写像と感じておられるかも知れないと愚考した次第である。

重松先生の新天地における御活躍と御指導を期待するとともに、割愛せざるを得なかった執筆者の方々にお詫び申上げる。

（一九八六年一月六日、原景と写像刊行会　六八〇〇円）

（『語文研究』第六一号、九州大学国語国文学会、一九八六年六月三日）

㊵書評・平岡敏夫著『夏目漱石――『猫』から『明暗』まで――』

第五冊目の漱石・作品を書名に持つ研究書刊行を著者と共に慶びたい。収録論文は『吾輩は猫である』から『明暗』まで主な作品はほとんど対象とした二八編、就中『坊っちゃん』の書名をタイトルに含む論文は一〇編を数える。

先ず、「漱石における家と家庭――『坊っちゃん』『それから』『門』――」を見てみよう。平岡氏はかねて東京法務局に願っていた夏目家の『土地台帳』の閲覧が許可されたそうである。それによると、漱石の実家は牛込喜久井町壱番ノ一の土地を兄直矩《なおただ》が、一八九七（明治三〇）年九月二七日、天谷永孝に売却したという事実が記されていた。

同年六月父直克が亡くなり、家督相続人の三兄直矩は土地・家屋を相続して、三ヶ月後には一四八・三五坪を地価坪当たり五五円六三銭で売却、総額八千二百五〇円余りを得たと想像される。その他書画・骨董類を売却し、相当な金銭が直矩の懐に入った。

平岡氏はこの夏目家の相続・財産処分の問題が、『坊っちゃん』『それから』『門』の中にどう活かされているか、近代における「家」の崩壊を冷静に見つめている。

例えば、坊っちゃんの「おれ」が「分れたぎり兄には其後一遍も逢はない」ということを家督相続に関わる財産の問題と絡めて、兄および「家」への訣別と見ている。兄の遺産独り占めは旧民法では不当ではないにしても、坊っちゃんは兄弟を差別する非人間性とそれへの批判意識が、戸主たる兄の保護を受けたくないという坊っちゃんの人間的な自立意識と背中合わせになっているという。

父直克の死後、推定九千円近くの遺産を手に入れた直矩が、既に家庭を形成していた漱石にいかほどの財産を分与したかわからないが、仮に「おれ」の兄が直矩と同額ほどの遺産を入手していたならば、「おれ」に学資・生活費として六百円を与えたことは、漱石としては望ましい金額ではなかったか。だから「おれ」は兄の処置を「兄としては感心なやり方」「例に似ぬ淡泊な処置」と受け止めたが、現実の漱石がそれほどの分与を受け取ったか、証拠はない。「法的に正しければそれでよいという考えを」「人間の要求として持ち得ない」のは、「坊っちゃん」だけではなく、生身の漱石ではなかったか。

中学生に広く読まれた『坊っちゃん』は、無鉄砲で明るい正直な坊っちゃんが活躍する痛快なユーモア小説という一般的『坊っちゃん』観を解体し、明治藩閥体制に敗けても、正直、真面目は決して敗けない、佐幕派の孤独な哀切感が吐露されているとみる平岡論を読んだ時、私の心中にストンと納得した。清和源氏、多田の満仲の後裔「おれ」、会津っぽ「山嵐」、旗本出の「清」、松山藩零落士族「うらなり」らは、いずれも体制から冷遇される孤独な佐幕派である。

一方、教頭の「赤シャツ」は人触りのいい、『帝国文学』を愛読する文学士で、紳士面した裏表のある偽善者である。赤シャツの腰巾着「野だいこ」、権威を拠り所に穏便、事なかれ主義者「狸校長」などに対して、「孤立に追い込まれ、たった二人だけのはかないの戦い」に終わり、辞表を叩きつけて、学校を去る。平岡氏は体制に対する虚しい反乱を破邪顕正の正義の戦いと見なすことよりも、帰京後の「清」との再会に暖かい眼を注ぐ。

「あら坊っちゃん、よくまあ、早く帰つて来て下さつた」と涙をぽたぽたと落とした「清」に、「もう田舎へは行かない、東京で清とうちを持つんだ」と言った「おれ」は、月給二五円の街鉄技手となり、「清」と家賃六円の借家に暮らす。今年の二月肺炎で死んで、「おれ」の墓小日向の養源寺に埋められ「おれ」を待つ。中学校の反乱劇ばかりにスポットライトを当てているが、幕のそでで引っ込もうとする俳優の素顔を観客は見ないと、平岡氏は言う。舞台袖の俳優こそ「清」に象徴される永遠に待ち続ける切実な女性存在である。夫婦ではないが、愛する者同士が死しては同じ穴に永遠に眠る「偕老同穴」に擬している。かくて痛快ユーモア小説は一転して「面白うてやがて哀しき物語」となると、平岡氏は見なす。

「『こゝろ』─『坊っちゃん』から読む」から「明治の精神」について考えてみる。自分がもし殉死するならば、「明治の精神」に殉死するつもりだと先生が答えたことを、盛忍氏は「明治の精神」について時代を超えて普遍性をもつ「人間の精神」としてとらえた。平岡氏は浮遊する新中間層、すなわち赤シャツ、野だ、狸校長らと、消滅、衰退を運命づけられた旧共同体的秩序感覚を有する「おれ」、山嵐、清らの二グループの敵対構造、それは薩長藩閥政府の支配する価値観を持つ前者と、明治国家体制からはみ出して孤立の道を行く後者とを想定して、後者を佐幕派と言う。平岡氏はかつて「明治の精神」を「佐幕派の精神」という言葉で言い替えるのではなく、「明治の精神」を支えるものとして「佐幕派の精神」を見出すと書いたが、今は「明治の精神」とは

「佐幕派の精神」なのだと言い切ってしまいたいという。

先生の内なる「佐幕派の精神」は「明治の精神」に殉死するという表現を取って、死ぬことによって「佐幕派の精神」を残したと、平岡氏は言う。先生の内なる「佐幕派の精神」は「明治の精神」に殉死することによって、果たして「佐幕派の精神」は残こるであろうか。漱石は生涯を通して「佐幕派の精神」を保持していたと考える平岡氏は、「佐幕派の精神」を藩閥政府の支配する価値観に背を向け、孤立、孤独の道を選んだ人間の精神、明治国家体制に批判的な精神と解釈された。先生の殉死によって明治国家体制に批判的な精神が青年「私」に継承されるか、ちょっとわかりづらい。（鳥影社、二〇一七年四月一一日、四四八頁、二八〇〇円＋税）

（『社会文学』第四七号、日本社会文学会、二〇一八年二月二八日）

あとがき

昨夏、私の最初の受持ちクラスの教え子で、六四年間年賀状を交換している和田孝之君（静岡県立沼津東高校元教頭、八〇歳）から電話があった。漱石が「修善寺の大患」で倒れた修善寺の菊屋旅館代表取締役野田治久氏は、沼津東高校の教え子であり現在静岡県会議員である。二〇〇七年一一月、和田君のお世話で、修善寺温泉菊屋の漱石の間に招待されたことがあった。菊屋の十五代当主である野田氏は、私の教え子「和田君」の教え子であるから、言わば「教え孫」であるが、そんな言葉は『広辞苑』にも載っていない。和田君は、当時の同僚で一緒に招待された防衛大学校名誉教授山田隆一先生の訃報を電話で知らせてくれたのであった。共に高校教師時代、頑強で山岳部顧問だった山田先生は杖を突かれていたのには驚いた。菊屋に泊まった日から一五年にもなる。

不惑の年から漱石に取り憑かれた晩学の私は、二八年間高校教師をしながら、最初の作『夏目漱石と菅 虎雄――布衣禅情を楽しむ心友――』（教育出版センター）を出版、五二歳で大学に転進し、遅まきながら日本近代文学研究者を目指した。短大を含めて大学教師二二年間、宿願のテーマの作『夏目漱石周辺人物事典』（笠間書院）・『夏目漱石の中国紀行』（鳥影社）は何とか上梓したものの、米寿になり、義務的に書いた「紀要」の論文、依頼された論文・随筆を雑誌・新聞に書いて、

あとがき

既に拙著の単行本に収録したものを除いても百編以上溜まった。著作集を出すほどの力量はないので、雑誌・新聞では読んでもらえたとしても、読み捨てられるのが落ちであろう。何とか四六判の単行本にできないものか、鳥影社の百瀬精一社長にご相談申し上げたところ、希望をかなえていただき、漱石関係調査研究の不細工な蹣跚（よろめき）の様をご披露申し上げることができる。卒寿間近の知力・気力・体力ほとんど磨耗して、回復の見込みはないが、四〇編は愛着捨てがたく、古いもの（㉝「漱石の親友・菅 虎雄研究閑話」など）は四三年も昔高校教師時代の作である。新旧様々の寄せ集めで、書き下ろし（未発表）は二編のみである。初出時は定説であっても、その後の研究進展で定説が変更されたものは、訂正した。誤字脱字、稚拙な表現で誤解されやすいものも修正した。しかし、老衰した現状では大幅な増補改訂は望むべくもなく、長期間に書かれた小論文集なので、類似した事項が重複したり、繰り返されたり、一貫性に欠けたり、寄せ集めの弱点が露呈しているが、できるだけ初出時の原型を温存するため、あえて改稿していない。

出版に当たって、百瀬社長・編集部北澤晋一郎氏にたいへんお世話になり、厚く御礼申し上げる。

二〇二二年一月一〇日

筑後久留米　江戸屋敷寓舎にて

原武　哲

福岡女学院ギール記念講堂前
2002年

〈著者紹介〉

原武 哲（はらたけ さとる）

1932年5月14日福岡県大牟田市生まれ。

九州大学文学部国語国文学科卒業。

福岡女学院短期大学国文科助教授、教授を経て、1994年1年間中国吉林大学外国語学院日語系客員教授、福岡女学院大学人間関係学部教授。現在、福岡女学院大学名誉教授。

主な著書

『夏目漱石と菅虎雄—布衣禅情を楽しむ心友—』（教育出版センター、1983年12月）。『喪章を着けた千円札の漱石—伝記と考証』（笠間書院、2003年10月）。『夏目漱石の中国紀行』（鳥影社、2020年10月）。編著に『夏目漱石周辺人物辞典』（笠間書院、2014年7月）。『夏目漱石外伝—菅虎雄先生生誕百五十年記念文集—』（菅虎雄先生顕彰会、2014年10月19日）など。

夏目漱石は子役チャップリンと出会ったか？
—漱石研究蹣跚《まんさん》—

定価（本体2800円＋税）

2022年4月15日初版第1刷印刷
2022年4月20日初版第1刷発行
著　者　**原武 哲**
発行者　百瀬精一
発行所　鳥影社 (choeisha.com)
〒160-0023 東京都新宿区西新宿3-5-12トーカン新宿7F
電話 03-5948-6470, FAX 0120-586-771
〒392-0012 長野県諏訪市四賀229-1(本社・編集室)
電話 0266-53-2903, FAX 0266-58-6771
印刷・製本　モリモト印刷

ISBN978-4-86265-949-1　C0095